今すぐ使えるかんたん

ぜったいデキます！タブレット超入門

Android対応版

改訂第3版

ries

on

技術評論社

本書の使い方

- 操作を大きな画面でやさしく解説！
- 便利な操作を「ポイント」で補足！
- 巻末のQ＆Aでもっと使いこなせる！

解説されている内容がすぐにわかる！

どのような操作ができるようになるかすぐにわかる！

電源の操作

Section 06

電源をオンにしよう／オフにしよう

キーワード 電源・オン・オフ

タブレットの電源を入れたり切ったりする方法を知りましょう。タブレット本体の側面にある電源ボタンを長く押すと、操作ができるようになります。

◎タブレットの電源を入れる・切る

タブレットの電源を入れたり、切ったりするには、電源ボタンを長く押して操作します。

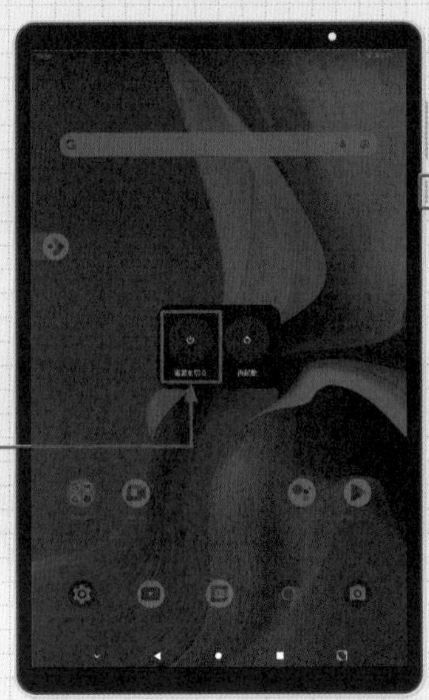

電源ボタンを長く押すと、電源の操作ができます。

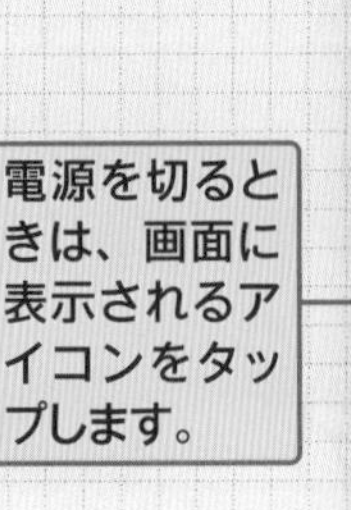

電源を切るときは、画面に表示されるアイコンをタップします。

第2章 基本的な操作をしよう

024

● やわらかい上質な紙を使っているので、開いたら閉じにくい!
● オールカラーで操作を理解しやすい!

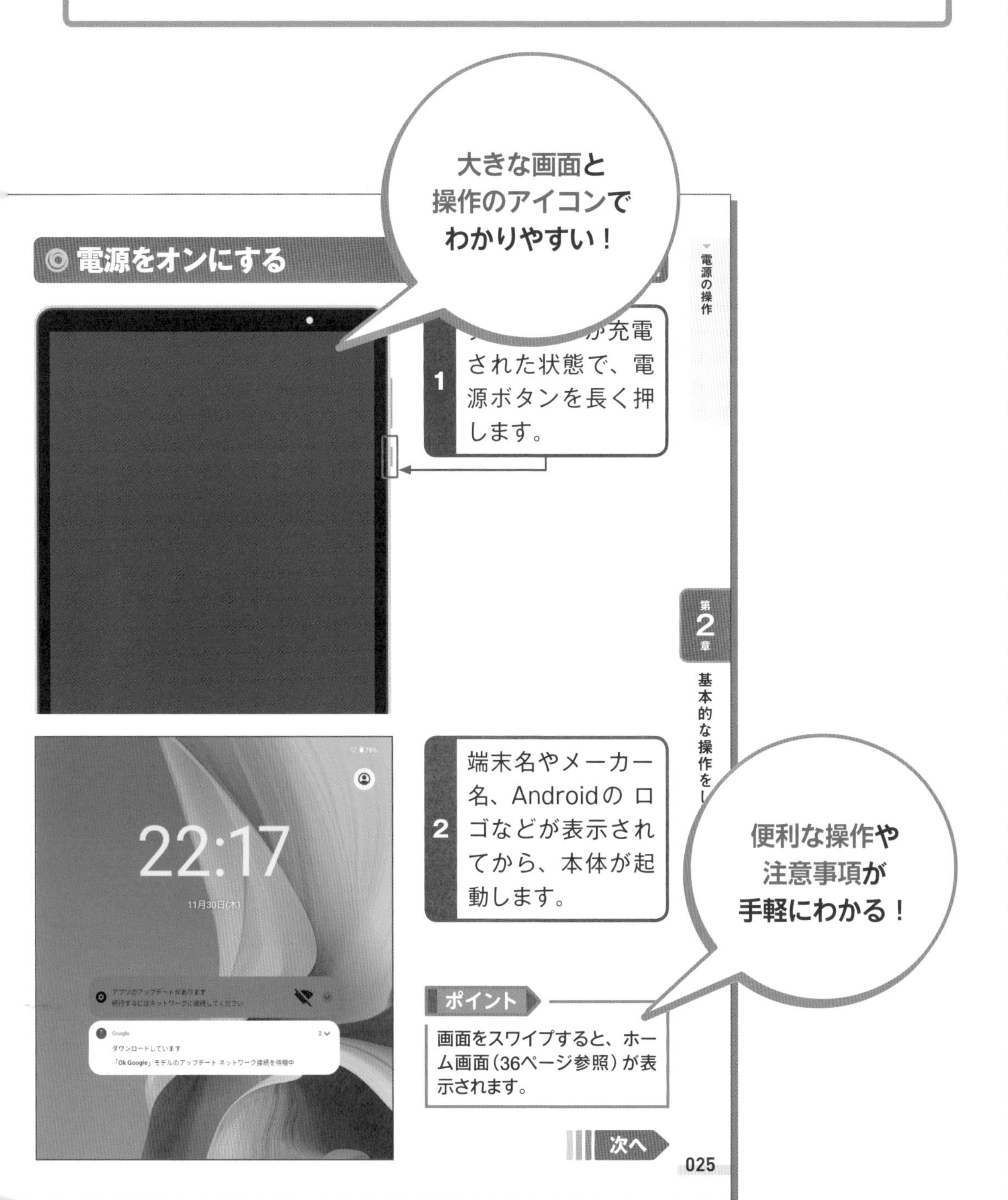

Contents

第1章 Androidタブレットの基本を知ろう

第2章 基本的な操作をしよう

第3章 文字を入力しよう

第4章 インターネットを楽しもう

第5章 メールを利用しよう

第6章 アプリを追加しよう

第7章 いろいろな情報を調べよう

第8章 写真や動画を楽しもう

第9章 Amazonのサービスを利用しよう

第10章 気になるQ&A

付録

ご注意：ご購入・ご利用の前に必ずお読みください

- 本書に記載された内容は、情報提供のみを目的としています。したがって、本書を用いた運用は、必ずお客様自身の責任と判断によって行ってください。これらの情報の運用の結果について、技術評論社および著者はいかなる責任も負いません。
- ソフトウェアに関する記述は、特に断りのないかぎり、2024年6月現在での最新情報をもとにしています。これらの情報は更新される場合があり、本書の説明とは機能内容や画面図などが異なってしまうことがあり得ます。あらかじめご了承ください。
- 本書の内容については、以下の機器およびOSで制作・動作確認を行っています。他機種をご利用の場合は、本書の解説と異なる可能性がありますので、あらかじめご了承ください。
  TECLAST P26T
  Android 13
- インターネットの情報については、URLや画面などが変更されている可能性があります。ご注意ください。

以上の注意事項をご承諾いただいた上で、本書をご利用願います。これらの注意事項をお読みいただかずに、お問い合わせいただいても、技術評論社および著者は対処しかねます。あらかじめご承知おきください。

Android タブレットの基本を知ろう

▶ この章でできること

◎ Androidタブレットでできることを知る

◎ Androidタブレットの各部名称を知る

◎ タッチ操作のやり方を知る

◎ Androidタブレットに必要な設定を知る

◎ Androidタブレットを充電する

Section 01 Androidタブレットについて知ろう

キーワード Androidタブレット・アプリ・インターネット

Androidタブレットは、画面をタッチするだけで操作を行うことができます。「アプリ」を使って、メールやインターネット、動画の視聴などが楽しめます。

画面タッチで操作ができる

タブレットは、画面上を指でタッチしたり、なぞったりして操作します。
文字の入力も画面上に表示されるキーボードをタッチして行います（第3章参照）。

◎ Webページの閲覧やメールのやりとりができる

インターネットにつないで、Webページの検索や閲覧を行えます(第4章参照)。
また、「Gmail」を利用してメールのやり取りをすることもできます(第5章参照)。

◎ アプリを自由に追加して楽しめる

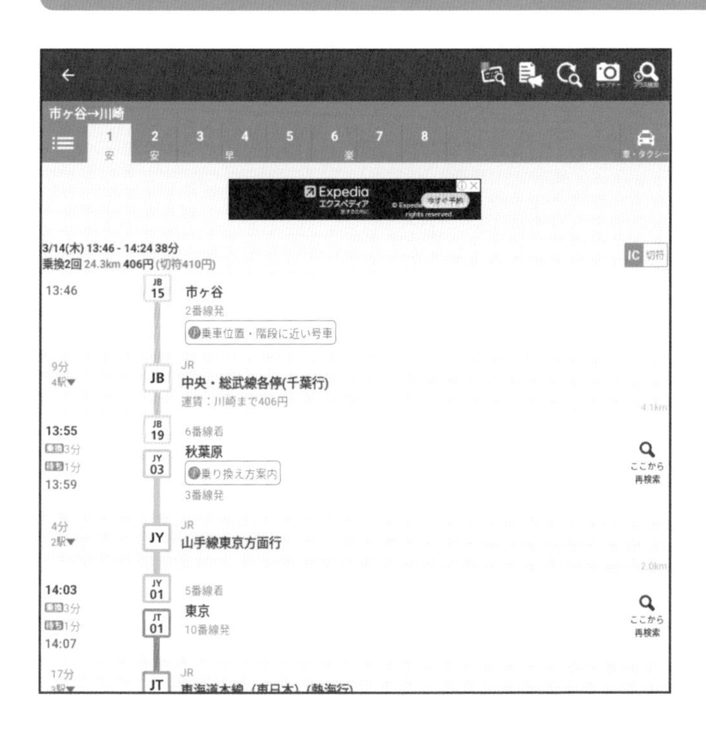

「アプリ」には地図やゲーム、乗換案内、動画視聴アプリなど、いろいろな種類があります。
アプリは自由に追加して楽しむことができます(第6章、第7章参照)。

終わり

Section 02 Androidタブレットの各部の名称を知ろう

キーワード 電源ボタン・音量ボタン・カメラ

各種ボタンやカメラ、センサーなど、Androidタブレットの各部名称と役割を覚えておきましょう。なお本書では、TECLAST P26Tを例に解説します。

Androidタブレットの各部名称（前面）

前面（イン）カメラ
前面に付いているカメラです。自撮りに利用することができます。

ヘッドホンジャック
イヤホンやヘッドフォンを接続します。

音量ボタン
音量を調節します（48ページ参照）。

電源ボタン
電源のオン・オフを行います（24ページ参照）。

ディスプレイ
表示される画面にタッチして操作します。

◎ Androidタブレットの各部名称（背面と上下）

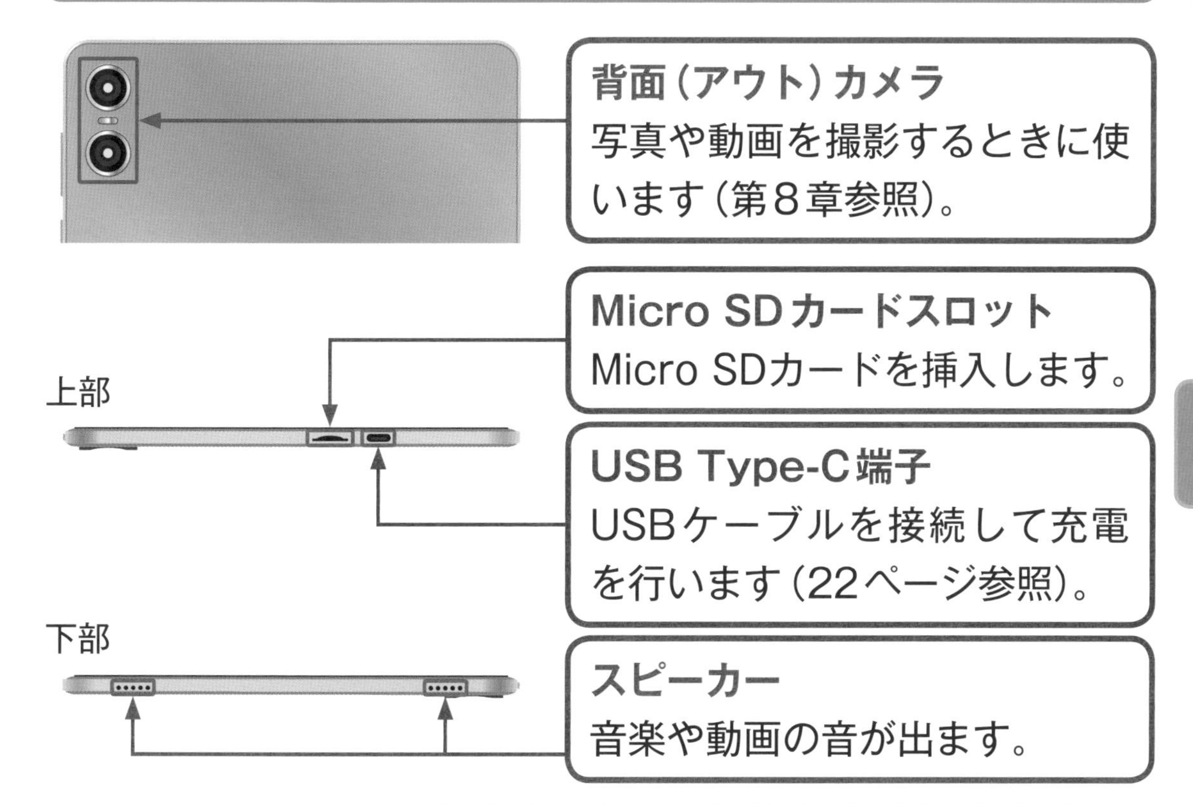

コラム 機種による違い

aiwa tab AB10Lの例

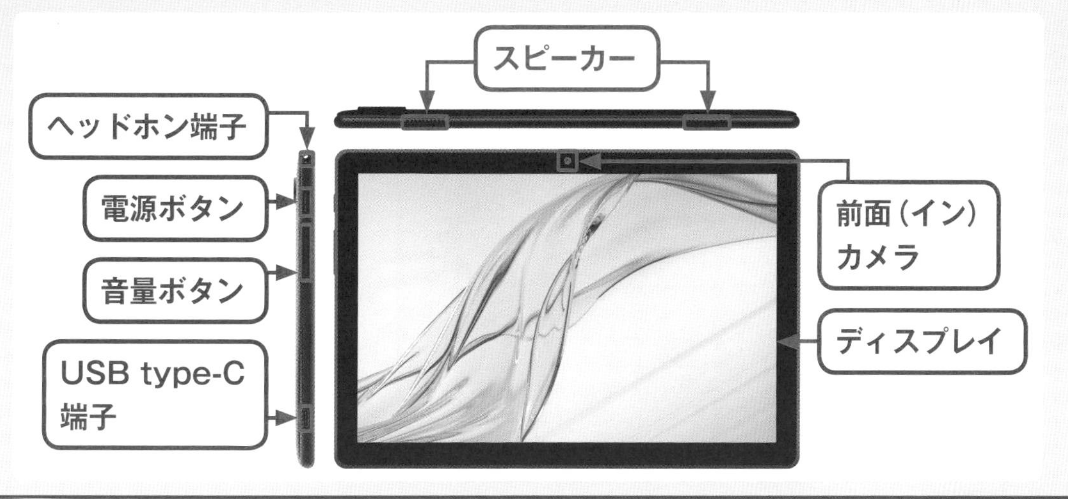

終わり

Section 03

タッチ操作について知ろう

キーワード タップ・フリック・ピンチアウト／ピンチイン

タブレットの操作は、指で画面をタッチして行います。タップやスワイプ、フリック、ピンチアウトなど、タッチ操作の種類を覚えておきましょう。

タップ

画面を1回指先で軽く触ります。アプリを起動したり、項目を選択したりするときに使います。

ダブルタップ

画面を指先で連続して2回触ります。写真や地図などを**ダブルタップ**すると、拡大表示します。

長押し（ロングタッチ）

画面を2秒間以上、指先で触ったままにします。文字入力中にカーソルを移動するときなどに使います。

ドラッグ

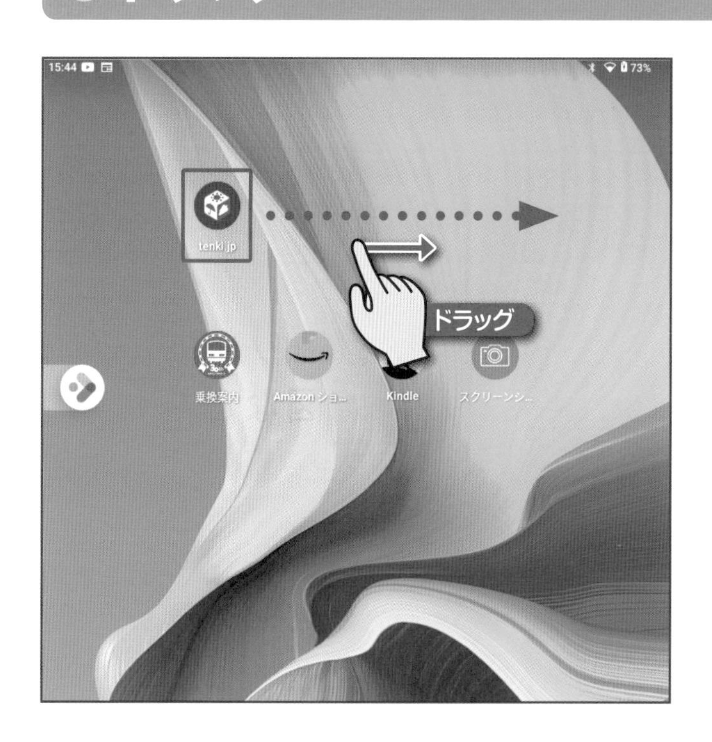

画面を長押し（**ロングタッチ**）して、そのままなぞるように動かします。ホーム画面でアイコンを移動するときなどに使います。

次へ

◎ スワイプ

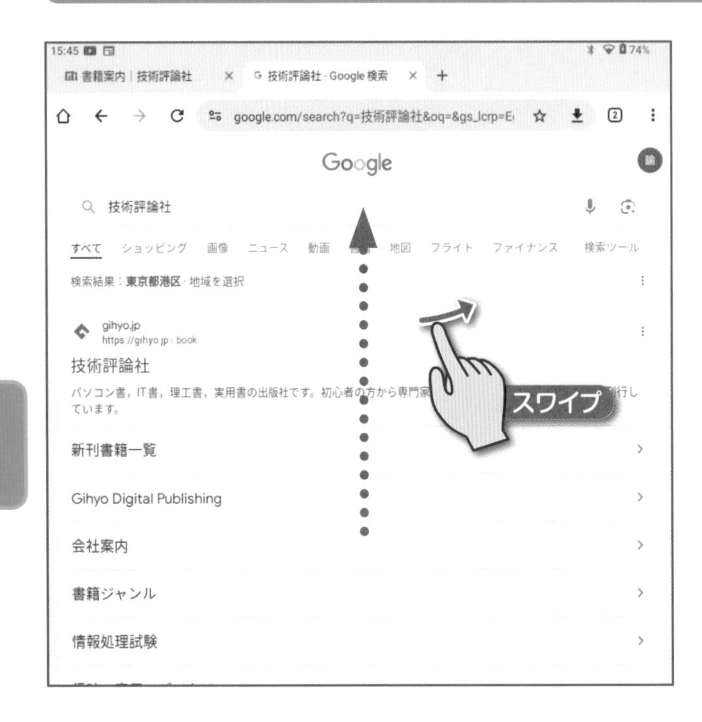

画面を指先ですばやくなぞるように動かします。表示中の画面をスクロールしたり、次のページを見たりするときなどに使います。

◎ フリック

画面を指先ですばやく払うように動かします。別のホーム画面を表示したり、通知パネルを表示したりするときなどに使います。

◎ピンチアウト

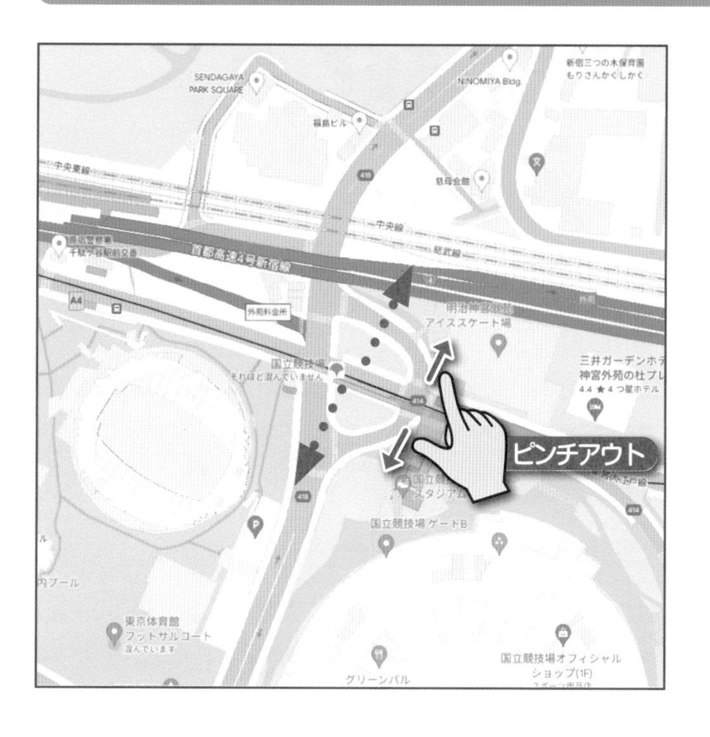

画面を2本の指で触り、そのまま広げます。写真や地図などを拡大して表示するときなどに使います。

◎ピンチイン

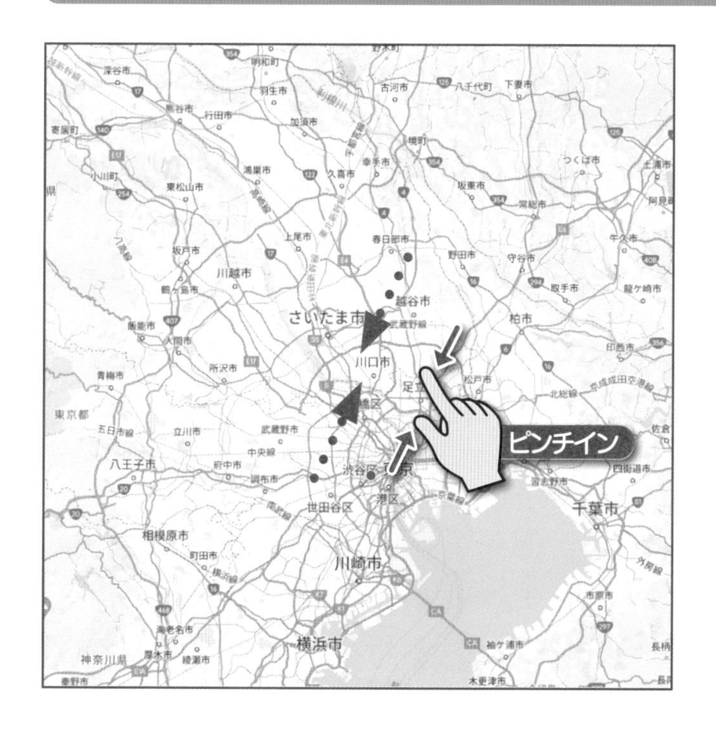

画像を2本の指で触り、そのまま狭めます。写真や地図などを縮小して表示するときなどに使います。

終わり

Section 04

必要な設定

Androidタブレットに必要な設定を知ろう

キーワード 初期設定・Wi-Fi・Googleアカウント

Androidタブレットを使いはじめる前に、インターネットの接続と、Googleアカウントの設定をすませておきましょう。Androidタブレットを使うために必要になります。

Wi-Fiに接続する

Androidタブレットは、インターネットに接続できなければほとんどの機能を利用できません。通信会社のサービスを利用できない場合は、Wi-Fiに接続する必要があります。Wi-Fiの詳しい設定については、208ページを参照してください。

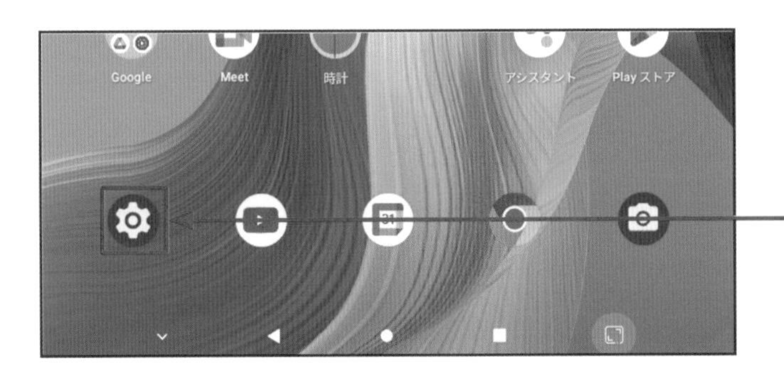

1 ホーム画面で 設定 をタップします。

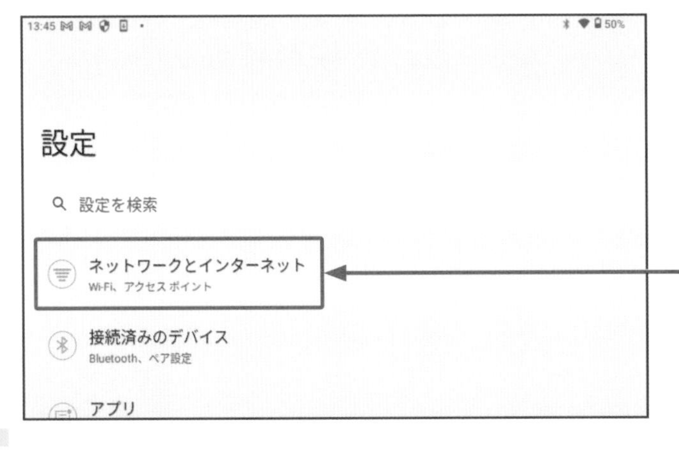

2 ネットワークとインターネット Wi-Fi、アクセス ポイント をタップして、Wi-Fiに接続するための設定を行います（208ページ参照）。

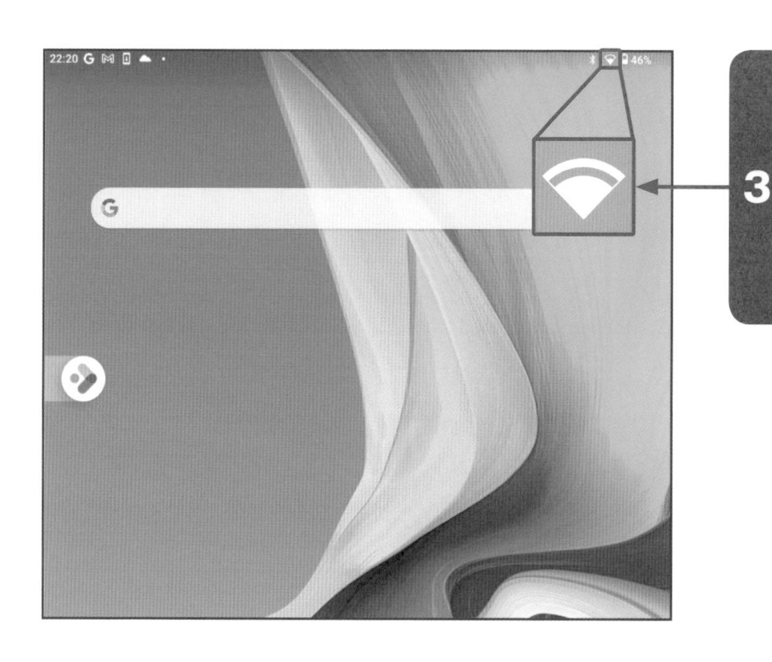

コラム Wi-Fiの電波強度について

Wi-Fiは、一般にタブレットから電波の発信元までの距離が近いほど電波が強くなり、通信状態が安定します。家の中でも、Wi-Fiルーターから離れると、電波が弱くなって通信が安定しなくなることがあります。
電波の強さは、画面右上の表示で確認できます。

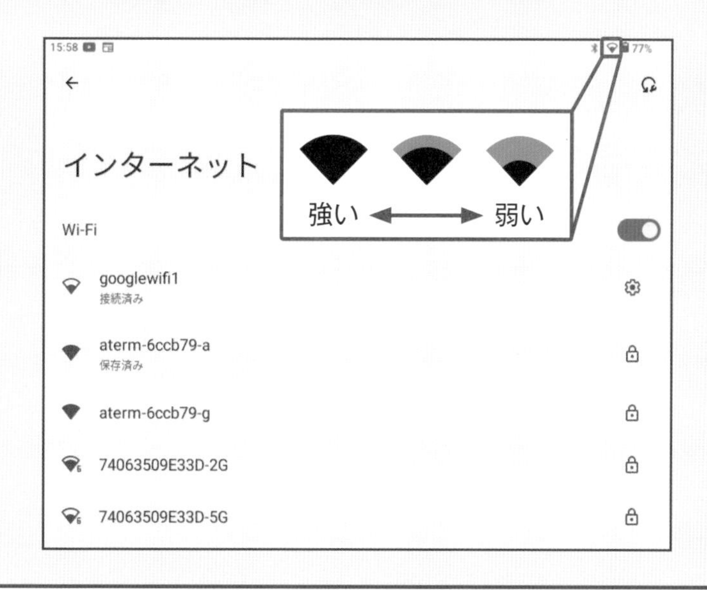

次へ

◎ Googleアカウントを設定する

アプリを追加したり、「Gmail」(第5章参照)を利用したりするためには、Googleアカウントが必要です。持っていない人は新たに作成し、あらかじめ設定しておきましょう。Googleアカウントの登録方法については、212ページを参照してください。

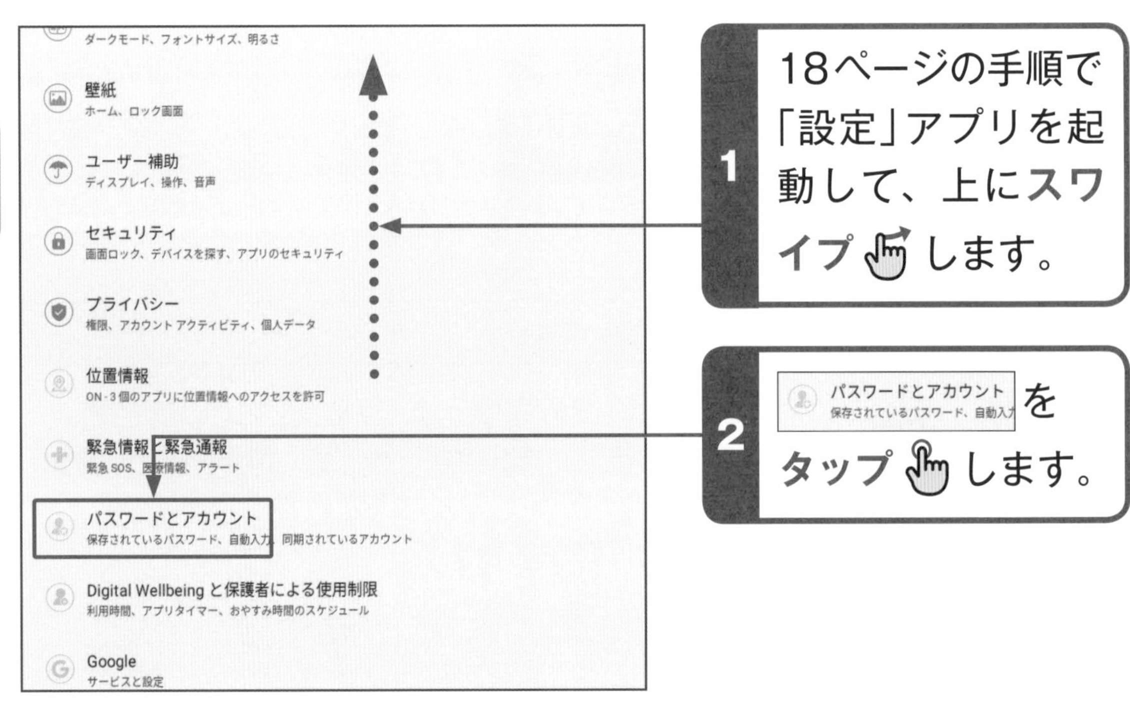

1 18ページの手順で「設定」アプリを起動して、上にスワイプします。

2 パスワードとアカウント をタップします。

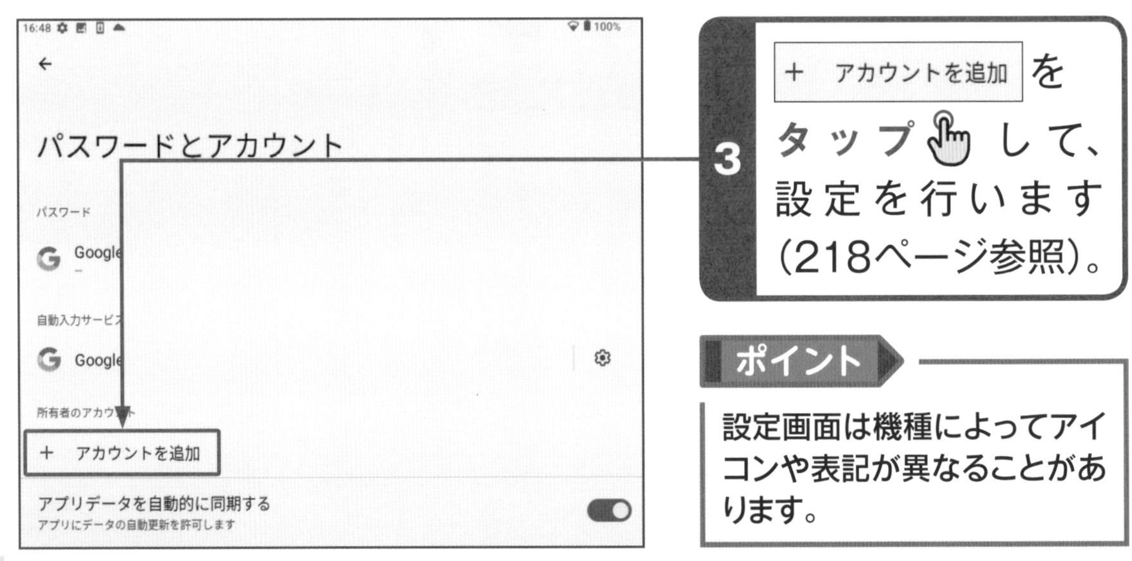

3 + アカウントを追加 をタップして、設定を行います(218ページ参照)。

ポイント

設定画面は機種によってアイコンや表記が異なることがあります。

コラム 機種による違い

アプリのアイコンや位置は、タブレットの機種やAndroidのバージョンによって異なることがあります。

●ホーム画面の違い

TECLAST P26T

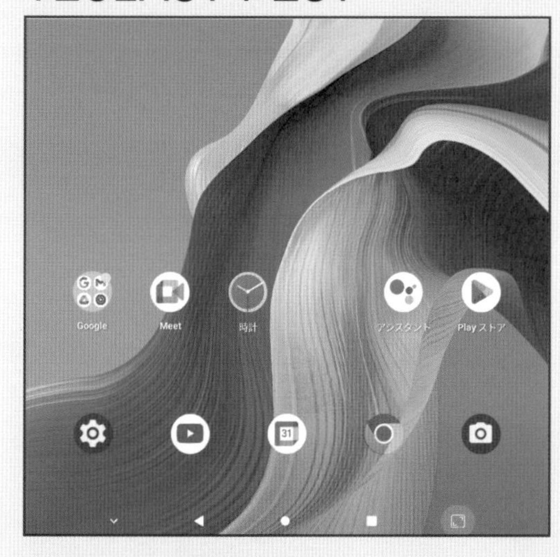

aiwa tab AB10L

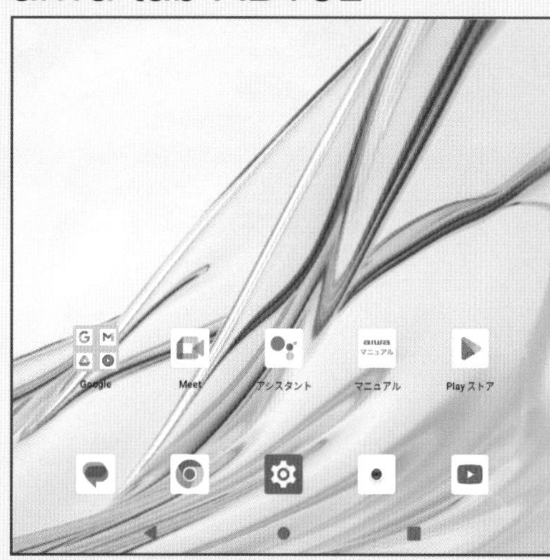

●設定画面の違い

aiwa tab AB10L（Android 13）

設定
設定を検索
ネットワークとインターネット
モバイル、Wi-Fi、アクセス ポイント
接続済みのデバイス
Bluetooth、ペア設定
アプリ
最近使ったアプリ、デフォルトのアプリ
通知
通知履歴、会話
スマートアシスタント
ナビゲーションバー、スクリーンショット等の設定
バッテリー

Headwolf FPad5（Android 14）

設定
設定を検索
ネットワークとインターネット
モバイル、Wi-Fi、アクセス ポイント
接続設定
Bluetooth、ペア設定
アプリ
最近使ったアプリ、デフォルトのアプリ
通知
通知履歴、会話
バッテリー
100%

終わり

充電

Section 05

Androidタブレットを充電しよう

キーワード 充電・USBケーブル・アダプタ

Androidタブレットはコードレスで利用できますが、充電が必要です。付属のUSBケーブルとACアダプタを使って、あらかじめ充電しておきましょう。

タブレットを充電する

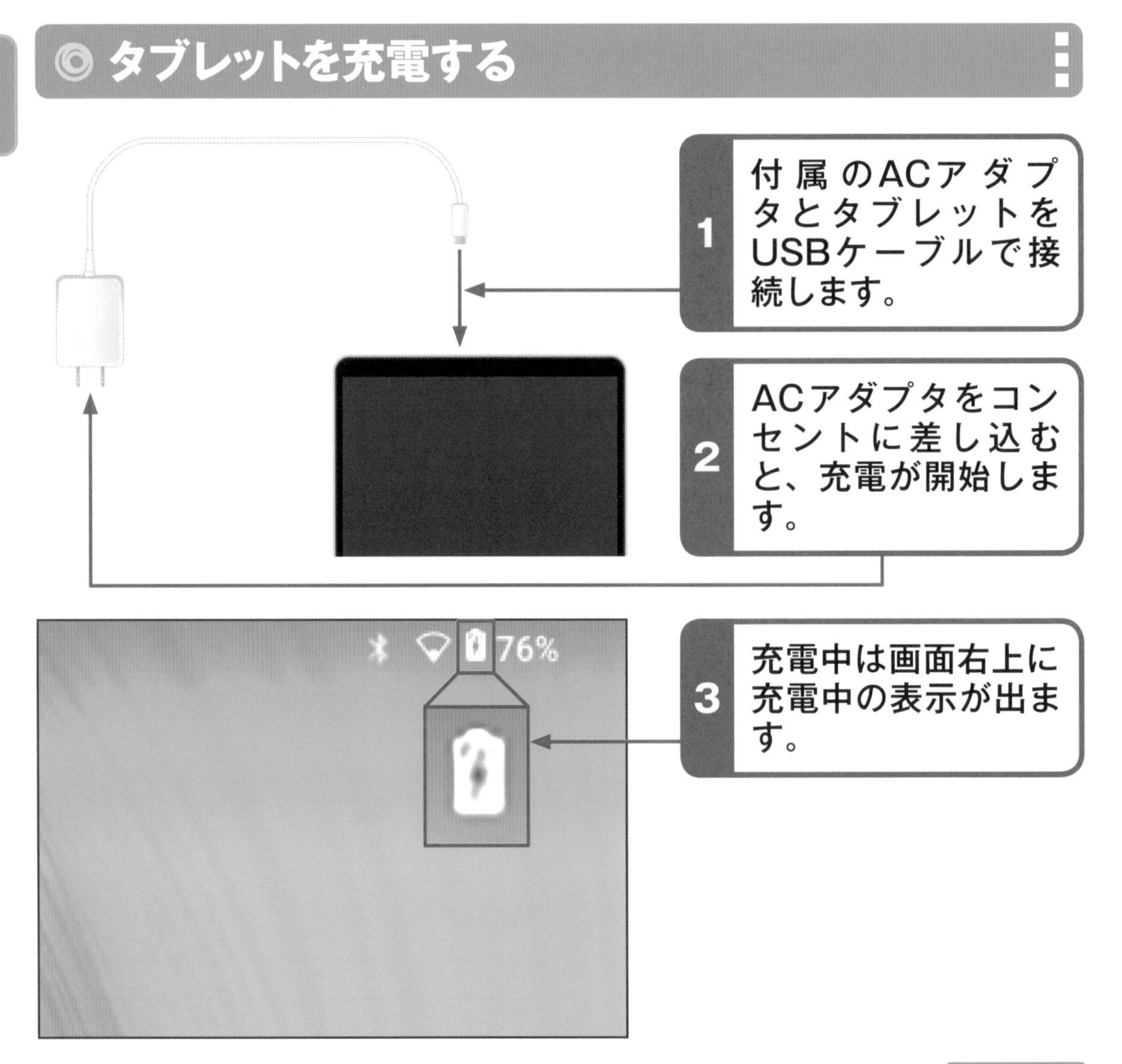

1 付属のACアダプタとタブレットをUSBケーブルで接続します。

2 ACアダプタをコンセントに差し込むと、充電が開始します。

3 充電中は画面右上に充電中の表示が出ます。

終わり

基本的な操作をしよう

▶ この章でできること

- ◎ タブレットを起動する
- ◎ 基本キーの役割を覚える
- ◎ ホーム画面を操作する
- ◎ 音量を調整する
- ◎ アプリを利用する

Section 06

電源をオンにしよう／オフにしよう

キーワード 電源・オン・オフ

タブレットの電源を入れたり切ったりする方法を知りましょう。タブレット本体の側面にある電源ボタンを長く押すと、操作ができるようになります。

◎タブレットの電源を入れる・切る

タブレットの電源を入れたり、切ったりするには、電源ボタンを長く押して操作します。

電源ボタンを長く押すと、電源の操作ができます。

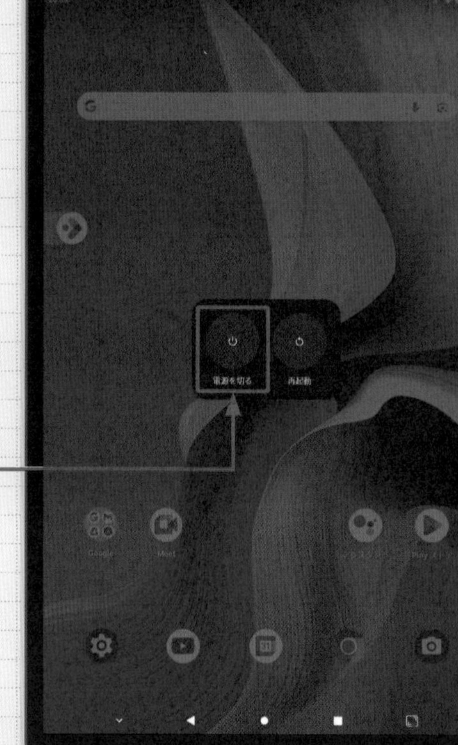

電源を切るときは、画面に表示されるアイコンをタップします。

◎ 電源をオンにする

1 タブレットが充電された状態で、電源ボタンを長く押します。

2 端末名やメーカー名、Androidの ロゴなどが表示されてから、本体が起動します。

ポイント

画面をスワイプすると、ホーム画面（36ページ参照）が表示されます。

◎ 電源をオフにする

1 電源が入った状態で電源ボタンを長く押します。

2 電源を切る をタップします。

電源を切る
再起動

ポイント

左の画面で 再起動 をタップすると、本体を再起動できます。

3 本体が振動した後、電源がオフになります。

コラム 機種による違い

電源ボタンを押したときの表示は、機種やAndroidのバージョンによって違いがあります。

●aiwa tab AB10L

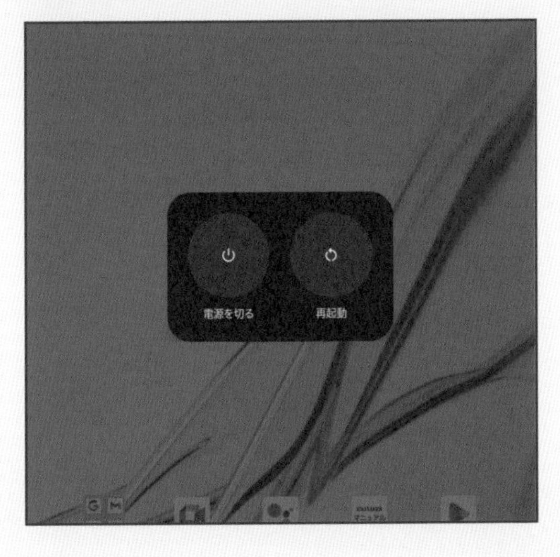

●Headwolf FPad5

終わり

Section 07

スリープ状態を解除しよう／スリープ状態にしよう

キーワード スリープ・スリープ解除・電源ボタン

スリープ状態とは、電源は入っているのに画面に何も表示されていない状態のことです。スリープ状態を解除する方法、すぐスリープ状態にする方法を覚えましょう。

◎スリープ状態を解除する／スリープ状態にする

タブレットをしばらく操作せずに放置していると、電源が入ったまま画面が暗くなる「スリープ状態」になります。

電源ボタンを短く押すとスリープ状態が解除されます。

◎ スリープ状態を解除する

1 スリープ状態を解除するには、電源ボタンを短く押します。

2 スリープ状態が解除され、ロック画面が表示されます。画面を下から上にスワイプします。

3 ホーム画面が表示されます。

次へ

◎ スリープ状態にする

1 電源が入った状態で電源ボタンを短く押します。

ポイント

電源ボタンは軽く押します。長く押した場合、スリープではなく電源がオフになります（26ページ参照）。

2 スリープ状態になります。

コラム ロック画面について

スリープから解除されたときに表示される画面を「ロック画面」といいます。ロック画面にはメール着信などの通知がされて、最新の情報がすぐわかります。ロック画面から通知を消したいときは、消したい通知を左か右にフリックします。
ロック画面には、他人が操作できないように、パスワードを設定することができます（196ページ参照）。
なお、設定で画面ロックを「なし」にすると、スリープ解除時にロック画面ではなくホーム画面が表示されます。

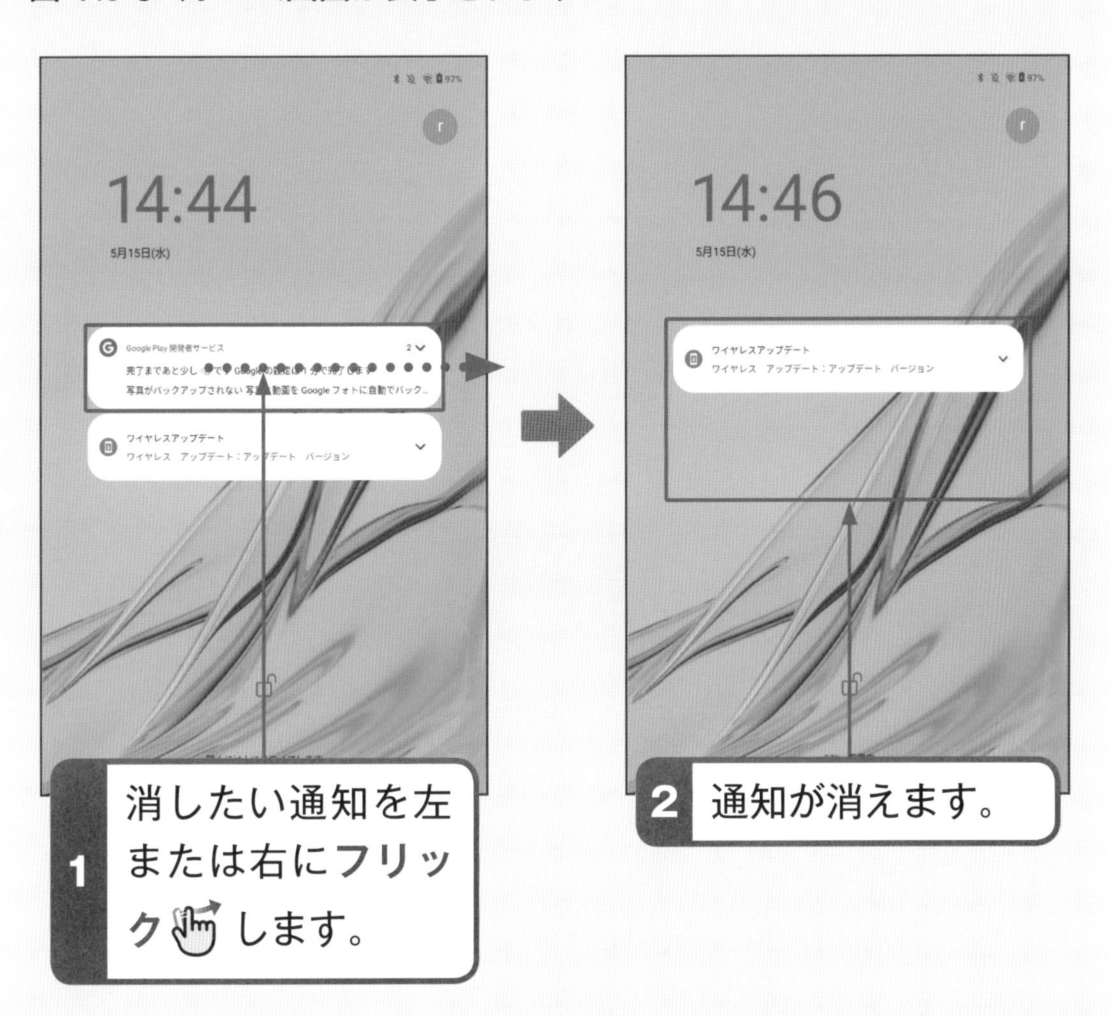

1 消したい通知を左または右にフリックします。

2 通知が消えます。

終わり

Section 08

基本キーの役割を覚えよう

キーワード ホーム・戻る・履歴

基本キー（ナビゲーションキー）は、タブレットを使うときには欠かせません。「ホーム」「戻る」「履歴」の３つの基本キーの役割を覚えておきましょう。

◎基本キーの役割について

基本キー（ナビゲーションキー）は、本体前面の下部に設置されています。ホーム画面に戻ったり、ひとつ前の画面に戻るときに使います。

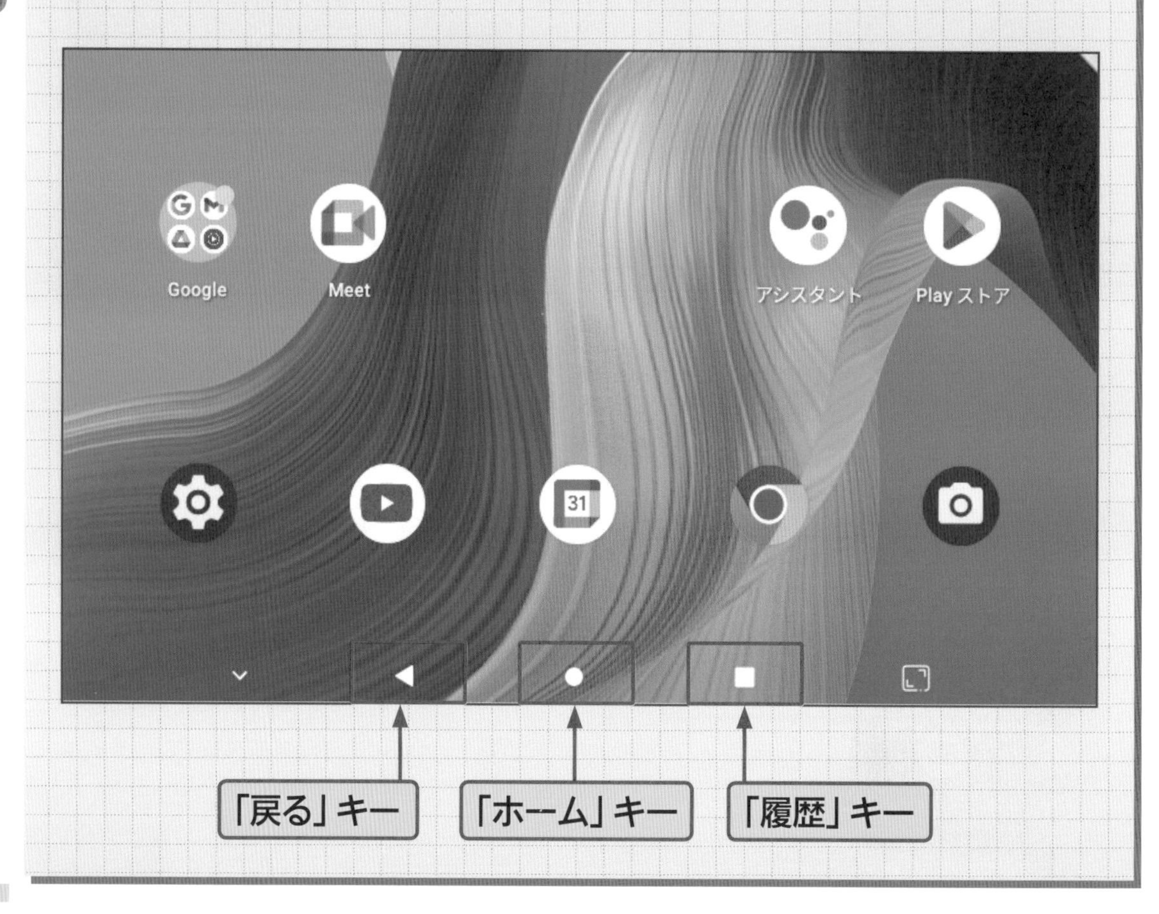

◎「ホーム」キーでホーム画面を表示する

1 ホーム画面以外を表示している状態で、●（ホーム）キーをタップします。

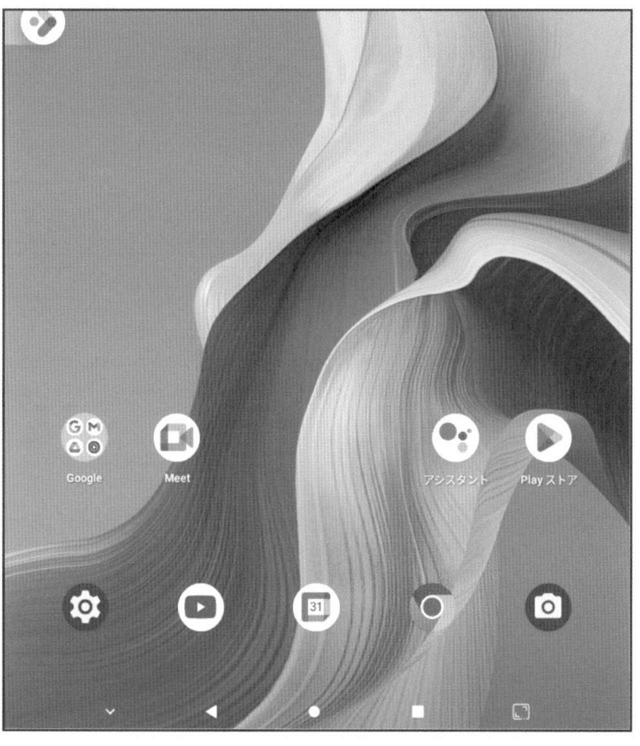

2 ホーム画面が表示されました。

次へ

◎「戻る」キーで前の画面に戻る

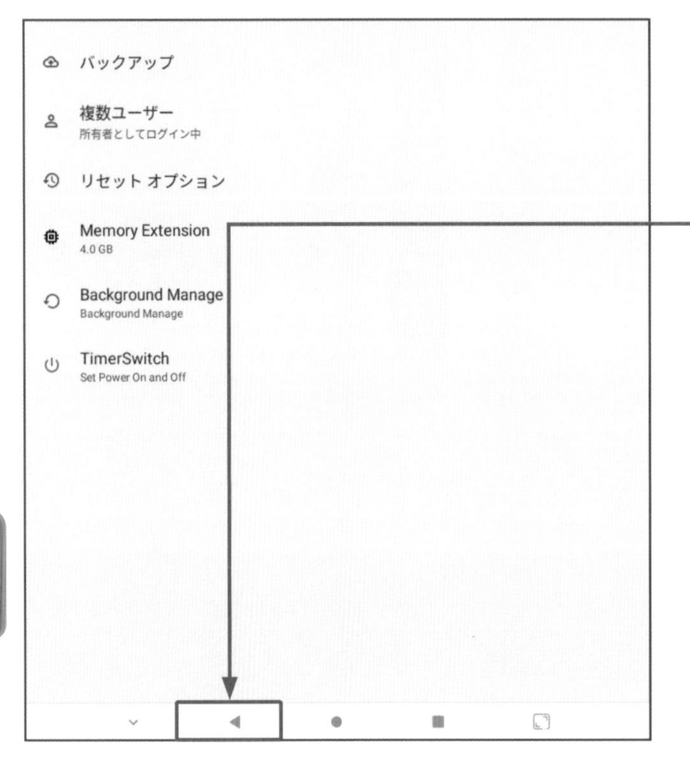

1 ここでは「設定」アプリの「システム」画面を開いています。戻る ◀ キーをタップします。

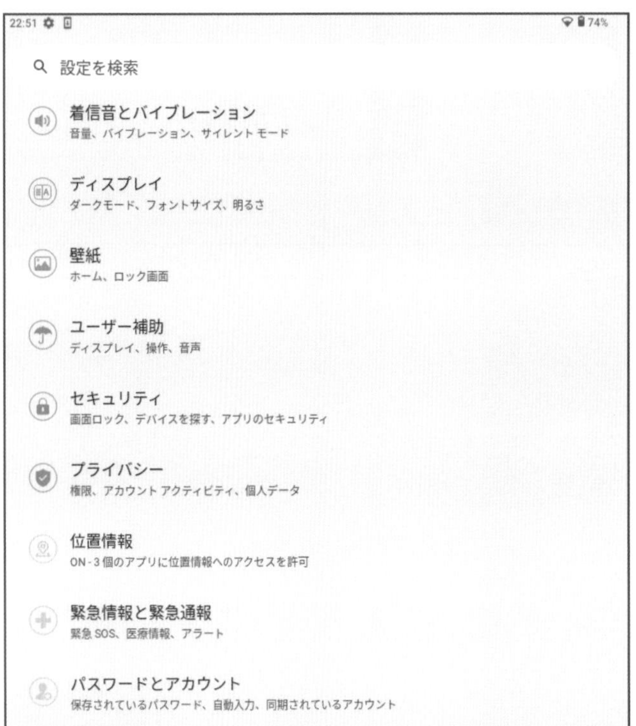

2 ひとつ前の画面に戻ります。

ポイント

文字を入力している時に「戻る」キーをタップすると、画面上のキーボードが閉じます（キーボードについては第3章参照）。

◎「履歴」キーで使用したアプリを表示する

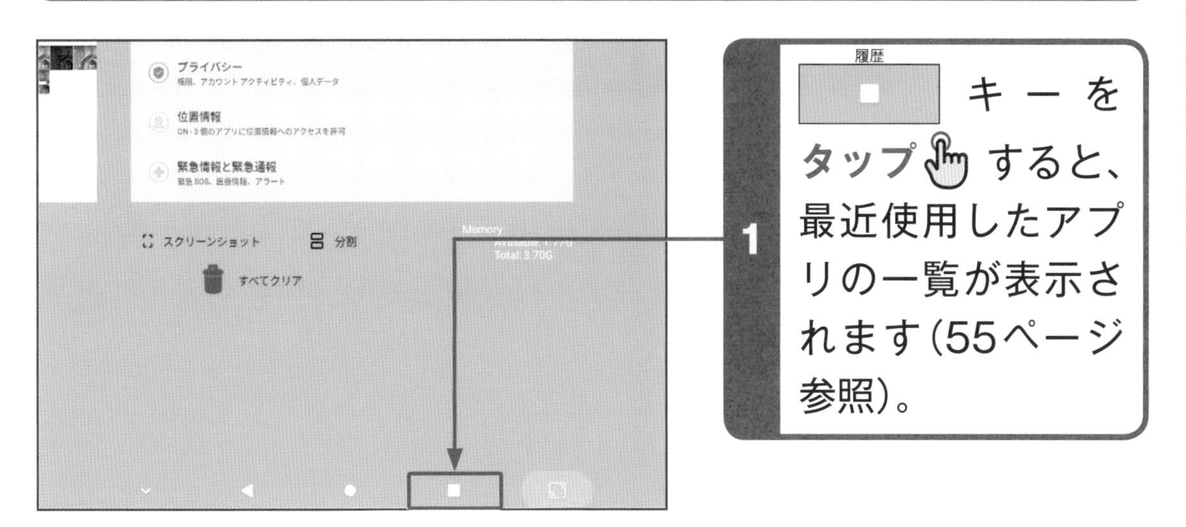

1 履歴 キーをタップすると、最近使用したアプリの一覧が表示されます（55ページ参照）。

コラム 基本キーが表示されないときは

基本キー（ナビゲーションキー）が表示されていないときは、ホーム画面で ⚙ →［システム 言語、ジェスチャー、時間、バックアップ］→［ジェスチャー］→［3 ボタン ナビゲーション 戻る、ホームへの移動、アプリの切り替えを画面下］の順にタップすると表示させることができます。

Androidのバージョンが異なる場合は ⚙ をタップし、検索欄に「システムナビゲーション」と入力すると、設定画面を表示することができます。設定画面で［システム ナビゲーション 3 ボタン ナビゲーション］をタップします。

終わり

Section 09

ホーム画面を操作しよう

キーワード ホーム画面・アプリのアイコン・「ホーム」キー

タブレットの電源を入れて、ロックを解除すると表示される画面がホーム画面です。この画面からいろいろなアプリを使ったり、情報を表示したりすることができます。

◎ホーム画面の構成を確認しよう

ホーム画面は、表示されている画面以外にも別の画面があり、フリックして切り替えができます。

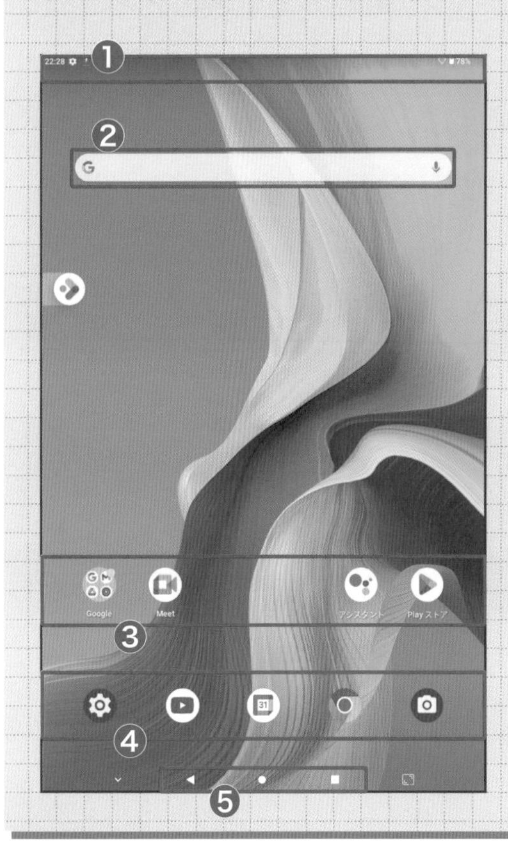

❶ ステータスバー
通知やステータスアイコンを表示します。

❷ ウィジェット
ホーム画面にアプリの機能を表示します。

❸ アプリアイコン
タップするとアプリを起動します。

❹ ドック
よく使うアプリを表示します。

❺ 基本キー
基本的な画面の切り替えをします（32ページ参照）。

ホーム画面を切り替える

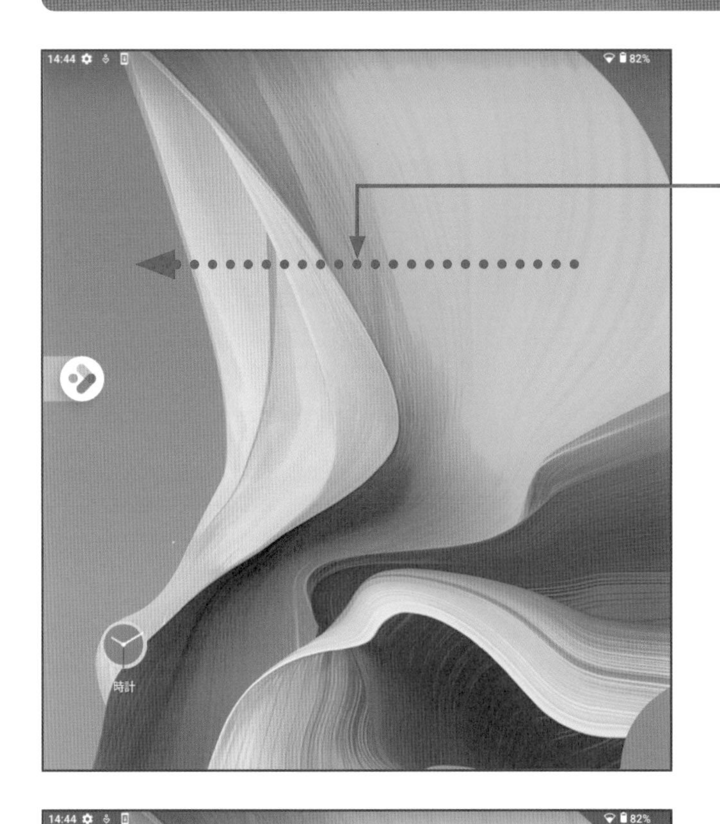

1 ホーム画面の何もないところを左にフリックします。

ポイント

初期状態では、ホーム画面が1ページしかない場合もあります。その場合は、左にフリックしても何も起きません。

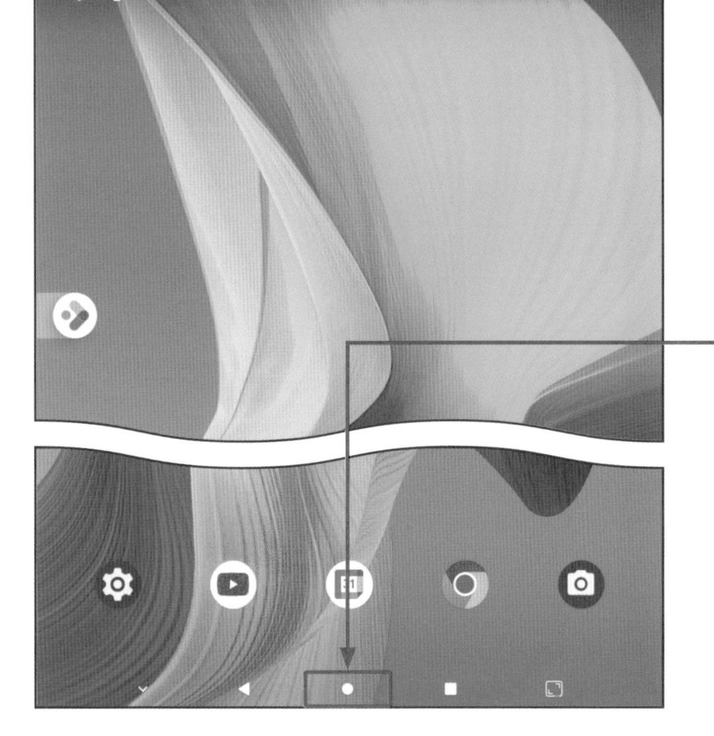

2 2ページ目のホーム画面に切り替わります。

3 ホーム（ホーム）キーをタップします。

次へ

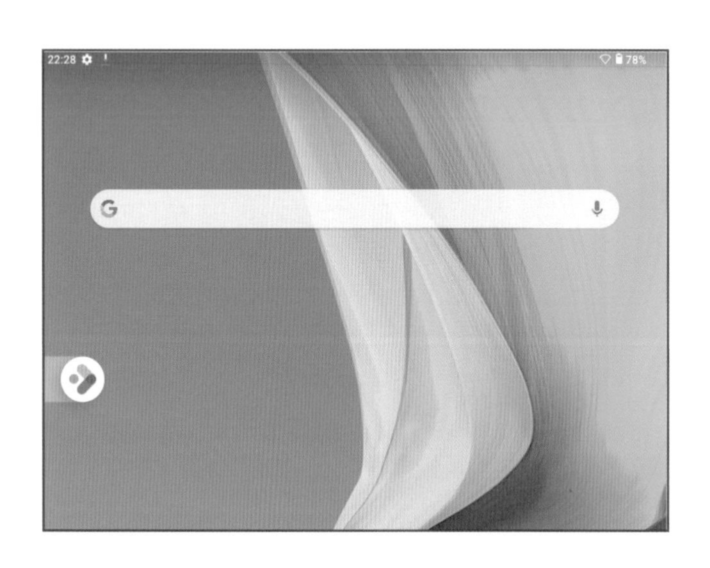

4 1枚目のホーム画面に戻ります。

ポイント

どんな画面でも、ホーム［●］キーをタップすると1ページ目のホーム画面を表示することができます。

コラム ホーム画面を右にフリックすると?

ホーム画面を右にフリックすると、ニュースやおすすめ動画が表示される場合があります。機種やAndroidのバージョンによって表示は異なり、通常のホーム画面が表示される場合もあります。

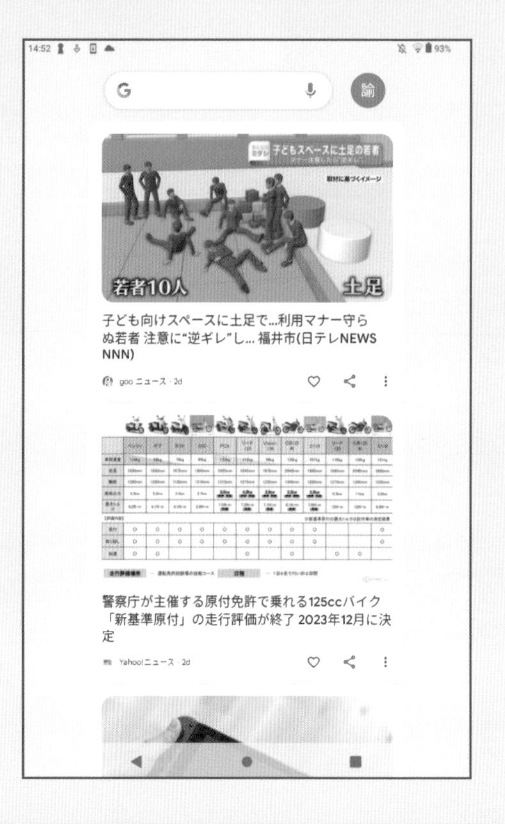

コラム ホーム画面のアイコンの配置を変えるには

ホーム画面に表示されているアイコンは、任意の場所に移動できます。位置を変更したいアイコンをドラッグして、目的の場所で指を放せば移動は完了です。

ホーム画面上のアイコンをドラッグします。

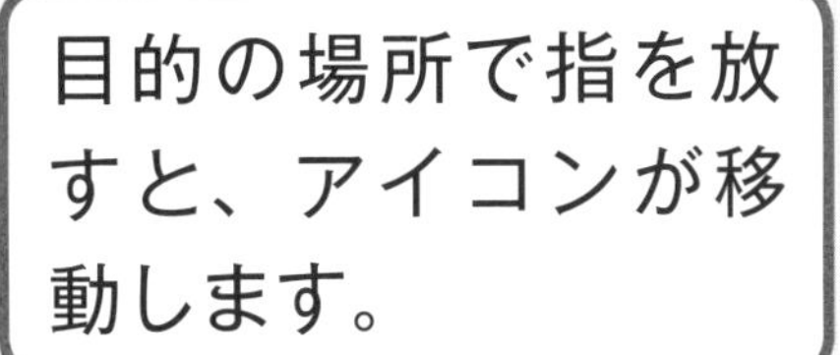

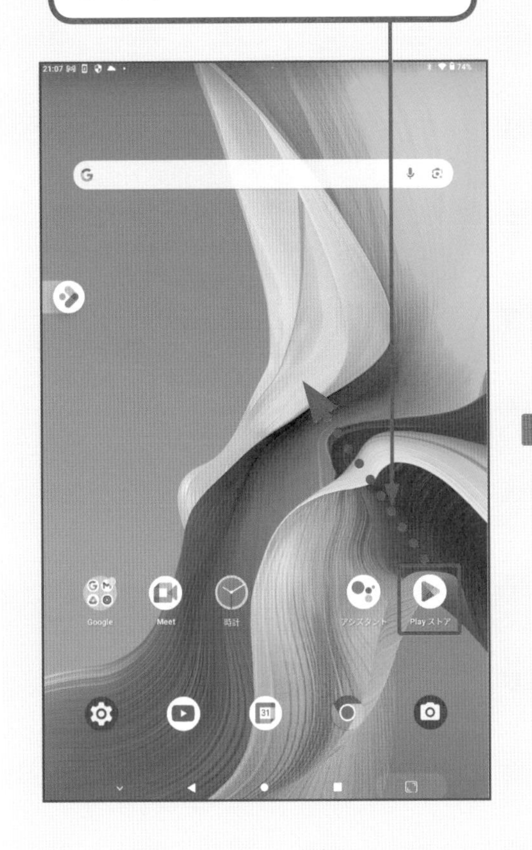

終わり

Section 10

通知を確認しよう

キーワード 通知・通知パネル・アプリの起動

メールが届いたり、アプリで何か更新があったりしたときは、通知パネルにお知らせが届きます。通知パネルを使えば、すばやく内容を確認することができます。

◎通知パネルを確認する

メールの受信やアプリの更新情報、アプリのアップデート状況などは、通知パネルを見るとわかります。お知らせが届くと、ステータスバーにアイコンが表示されます。

アプリからの通知のアイコンがステータスバーの左側に表示されます。
例えば、Mは Gmail（第5章参照）の通知を表します。
また、ステータスバーの右側にはタブレットの状態を表すアイコンが表示されます。
例えば、はWi-Fiにつながっていることを表します。

◎ 通知パネルを開いて通知を確認する

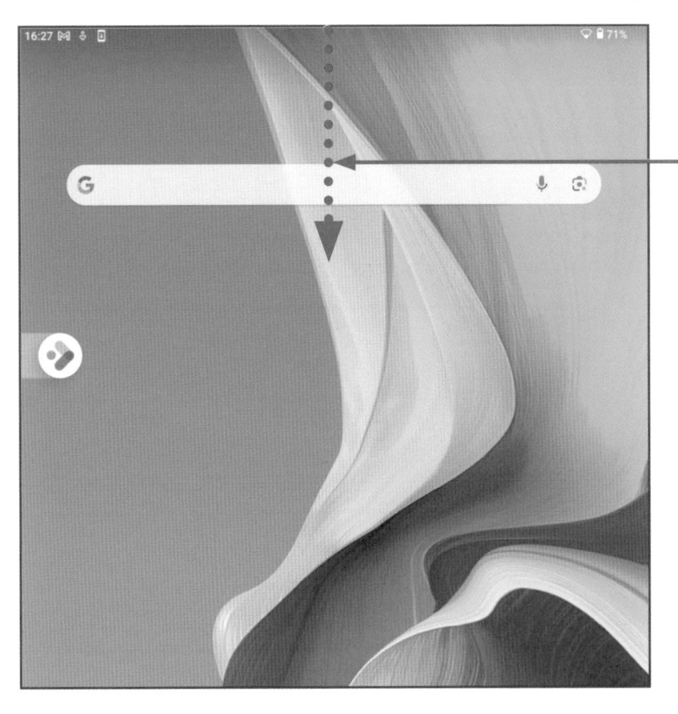

1 ホーム画面の一番上から下に向けてフリックします。

2 通知パネルが開きました。

次へ

◎ 通知パネルの通知を消す

1 通知パネルから消したい通知を左と右のどちらかにフリックします。

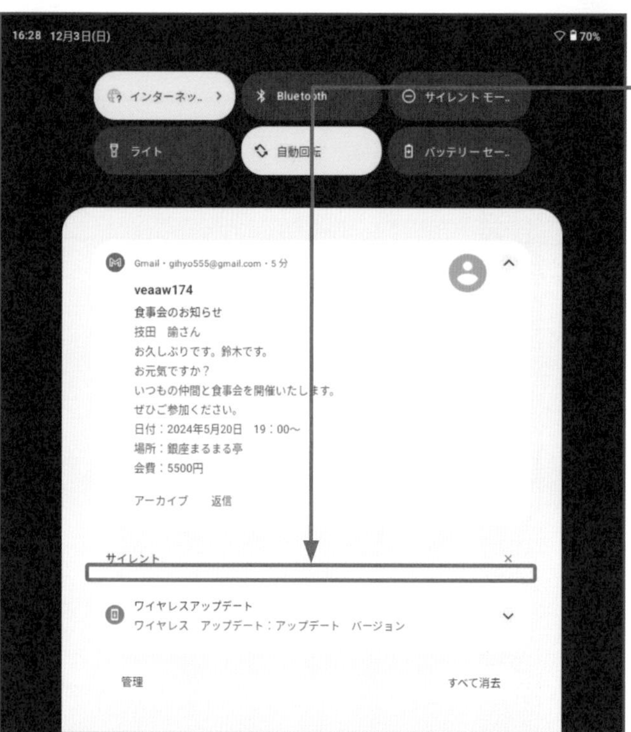

2 通知が消えました。

ポイント

すべて消去 をタップすると、すべての通知をまとめて消すことができます。

◎ 通知パネルからアプリを起動する

1 41ページの手順で通知パネルを開いて、通知（ここでは「Gmail」）をタップします。

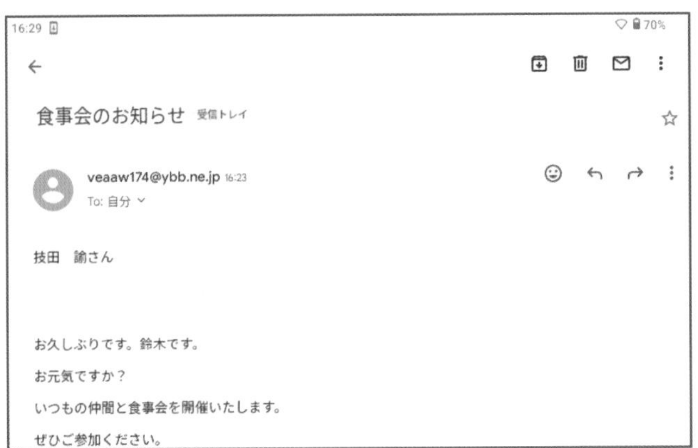

2 「Gmail」が開きました。

ポイント

通知をロングタッチして、表示された 通知を OFF にする をタップすると、通知音や振動、通知自体をオフにする設定ができます。

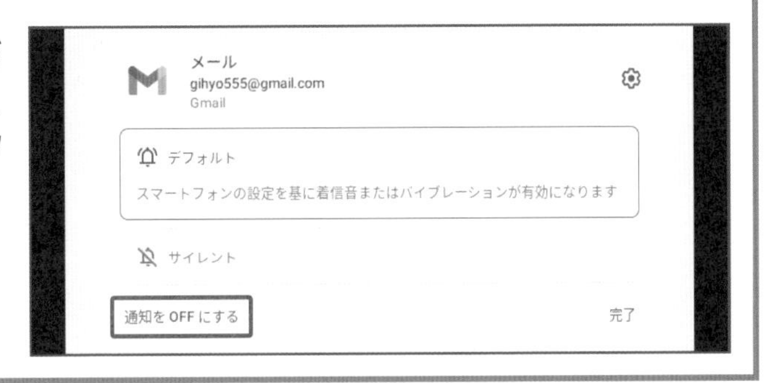

終わり

Section 11

設定のオン／オフを切り替えよう

キーワード クイック設定パネル・ショートカットスイッチ・設定の変更

画面を自動的に回転させないようにしたり、Wi-Fiの接続・切断の切り替えなどの設定をすばやく行ったりするには、クイック設定パネルを使います。

◎クイック設定パネルの見方

クイック設定パネルを表示させると、いろいろな設定をすばやく切り替えることができます。

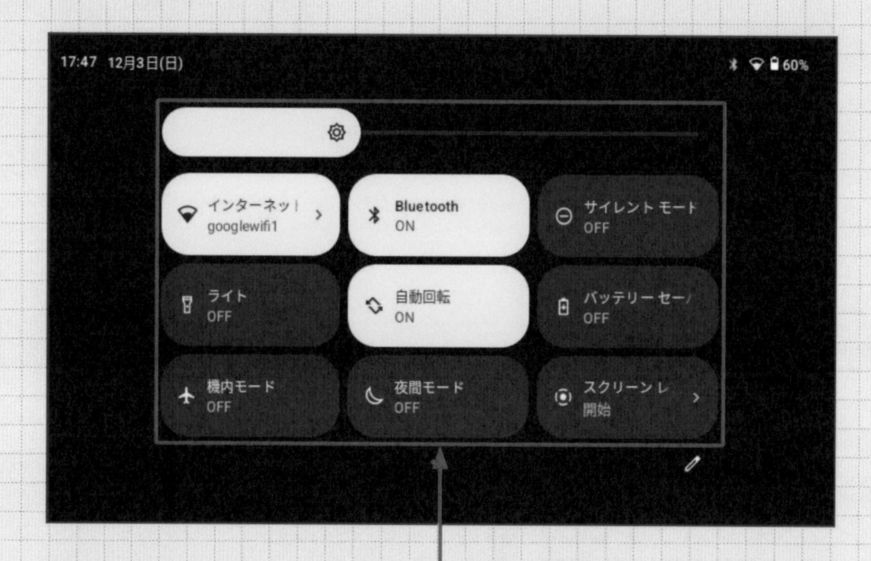

色が水色になっているものは、設定がオンになっています。
灰色になっているものは設定がオフになっています。
それぞれの項目をタップすると、各機能のオン／オフを切り替えることができます。

クイック設定パネルを表示する

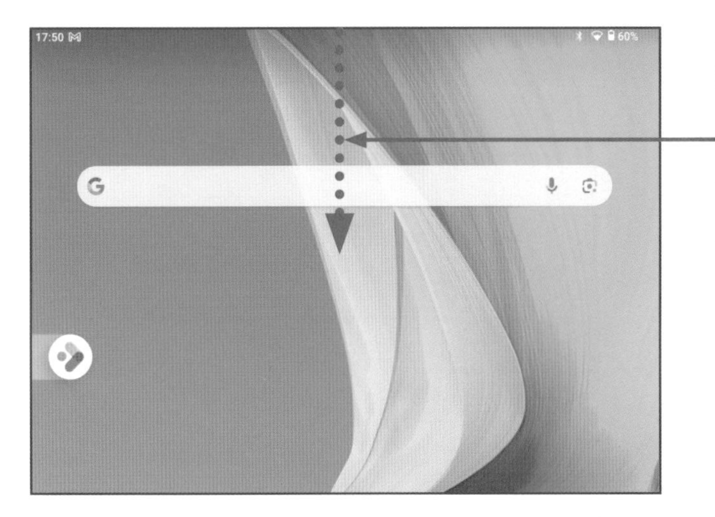

1 画面の一番上から下に向かってフリックします。

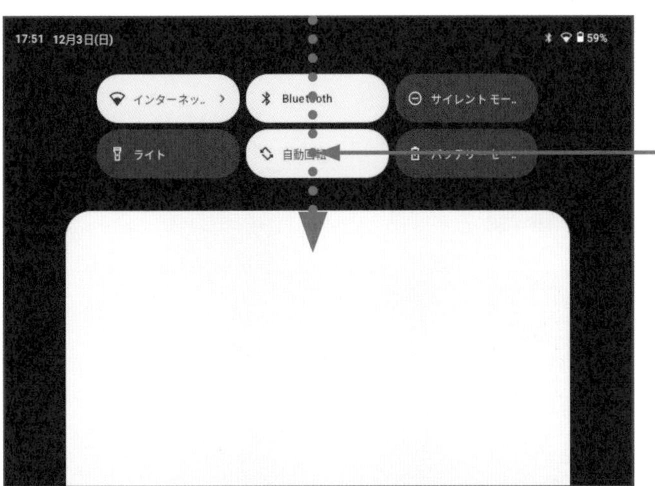

2 通知パネルが表示されます。さらに下にフリックします。

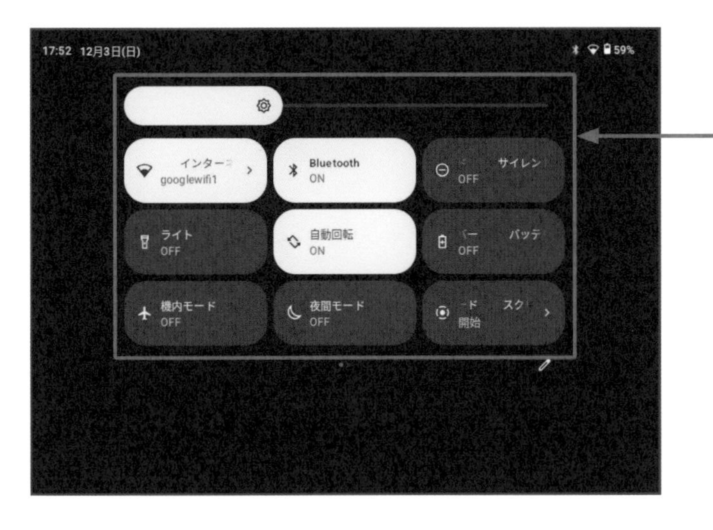

3 クイック設定パネルが表示されました。

次へ

◎ 設定を切り替える

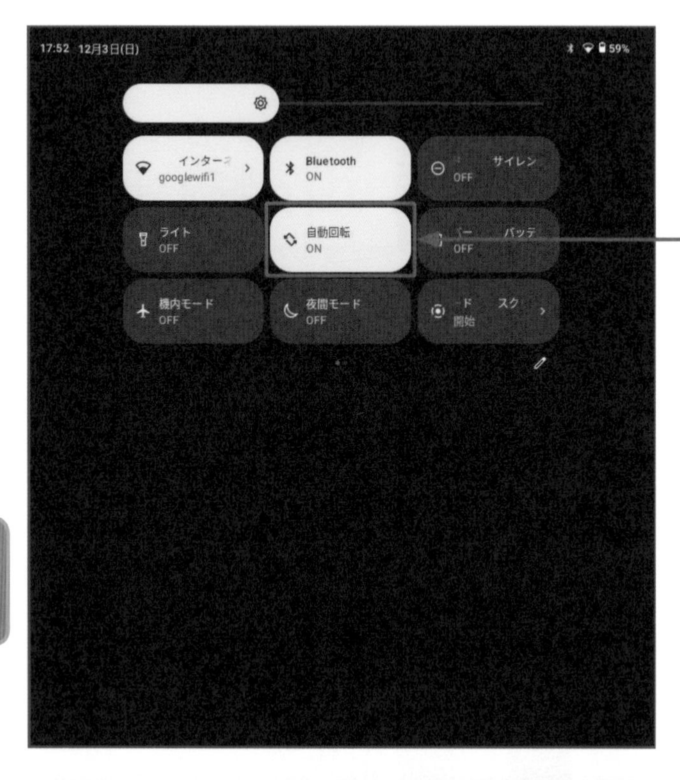

1 ここでは自動回転をオフにします。自動回転 をタップします。

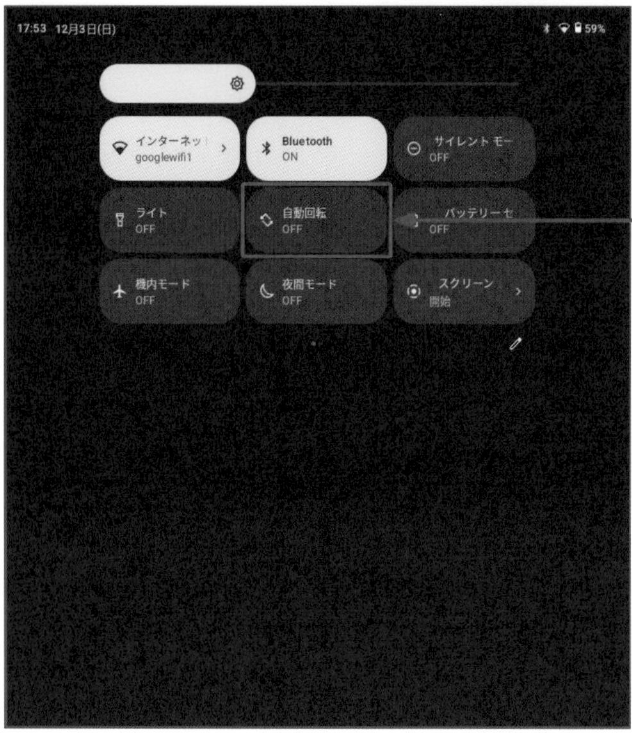

2 自動回転 の色が灰色になり、設定をオフにすることができました。

ポイント

設定がオフの状態でタップすると、再びオンに切り替えることができます。

◎ ほかの項目を表示する

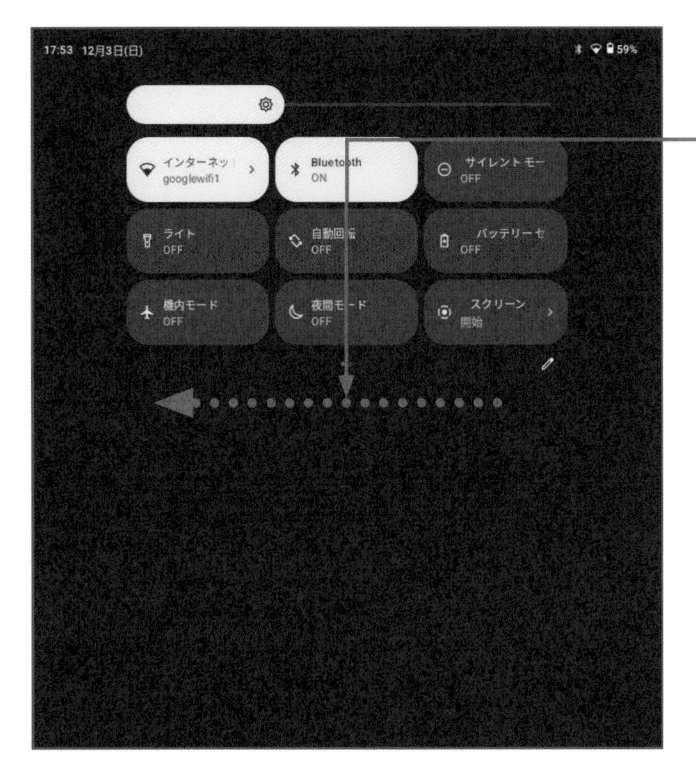

1 クイック設定パネルの画面を左にフリックします。

2 隠れていたほかの項目が表示されました。

3 タップすると、それぞれ設定のオン／オフを切り替えることができます。

終わり

Section 12 音量を調整しよう

キーワード ▶ 音量・サウンド・通知音

通知音、音楽や動画の音など、タブレットでは音が出るシーンがたくさんあります。ちょうどいい音量に調節する方法を覚えておきましょう。

◎タブレットから鳴る音の種類

タブレットで鳴る音の種類には、通知音、音楽や動画の再生音、アラーム音、通話音などがあります。

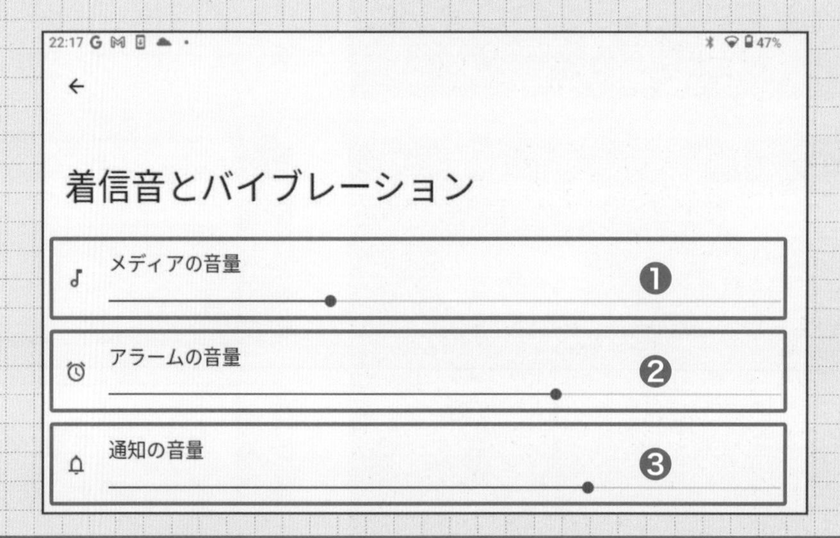

❶ **メディアの音量**
動画や音楽を再生するときの音を調整します。
❷ **アラームの音量**
目覚ましやタイマーの音を調整します。
❸ **通知の音量**
メールの着信などの通知があったときに鳴る音を調整します。

◎ 音量を調整する

1 音量を調節するには、音量ボタンを押します。

ポイント

ホーム画面で音量ボタンを押すと通知音の音量を、動画や音楽の再生中に音量ボタンを押すとメディアの音量を調節できます。

◎ メディアやアラームの音量を調整する

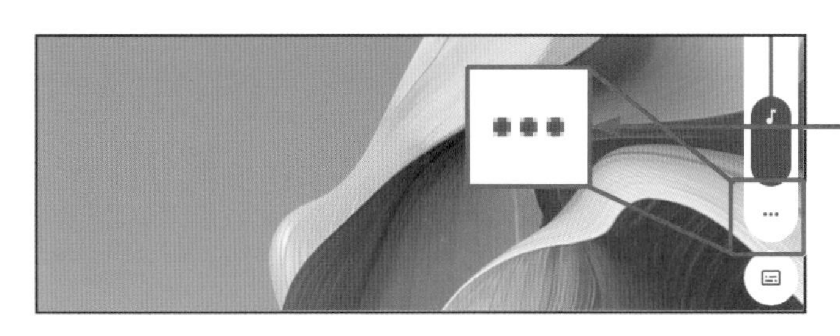

1 音量ボタンを押して、… をタップします。

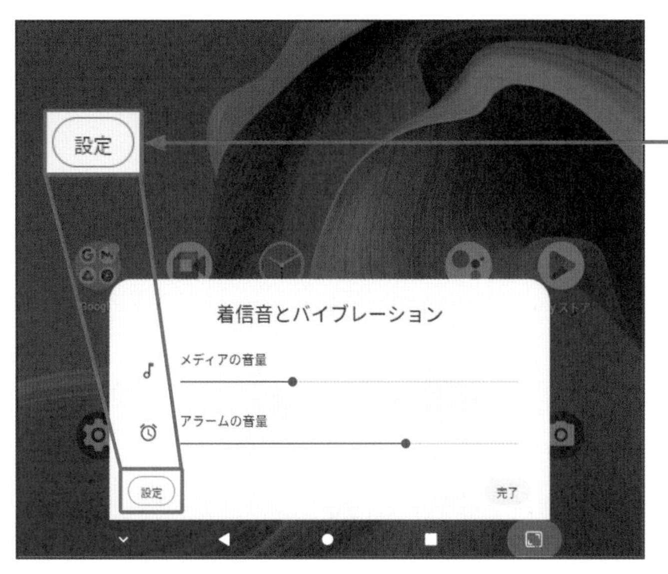

2 音楽やアラームなどの音量を調整できます。設定 をタップすると、ここで表示されていない音量を調整できます。

終わり

Section 13

アプリを利用しよう

キーワード アプリの起動・アプリを見つける・ホーム画面

タブレットで何かをやろうとするときには、機能別の「アプリ」を起動します。アプリのアイコンはホーム画面に並んでいます。起動する方法を覚えましょう。

◎アプリとは

タブレットで写真を撮ったり、Webページを見たり、いろいろな機能を使うときには、機能別の「アプリ」を起動します。

ホーム画面にはアプリのアイコンが並んでいます。使いたい機能のアプリのアイコンをタップして起動します。

◎ ホーム画面からアプリを起動する

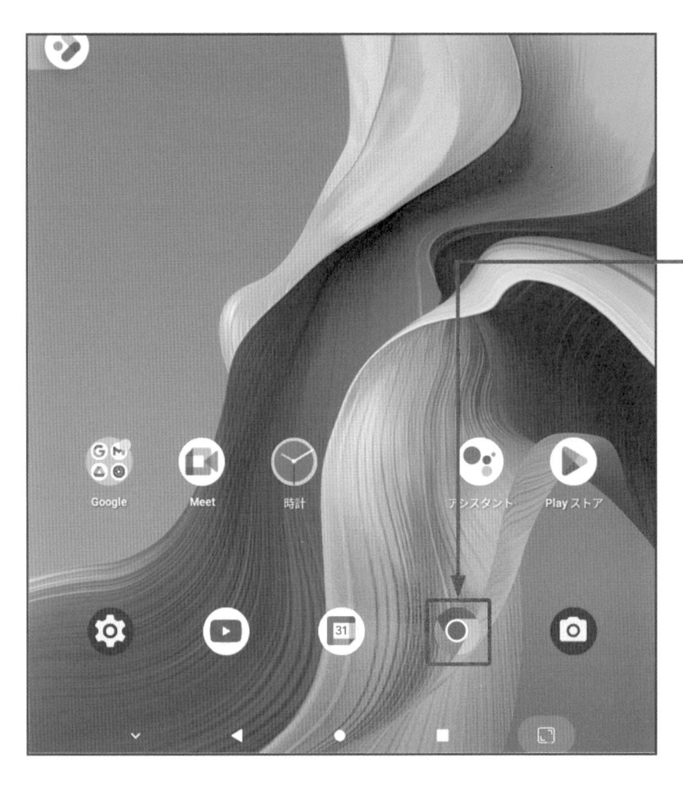

1 使いたい機能のアプリのアイコンを**タップ**します。ここでは、Webページを見られる Chrome をタップします。

2 アプリが起動しました。

次へ

◎ アプリの一覧からアプリを起動する

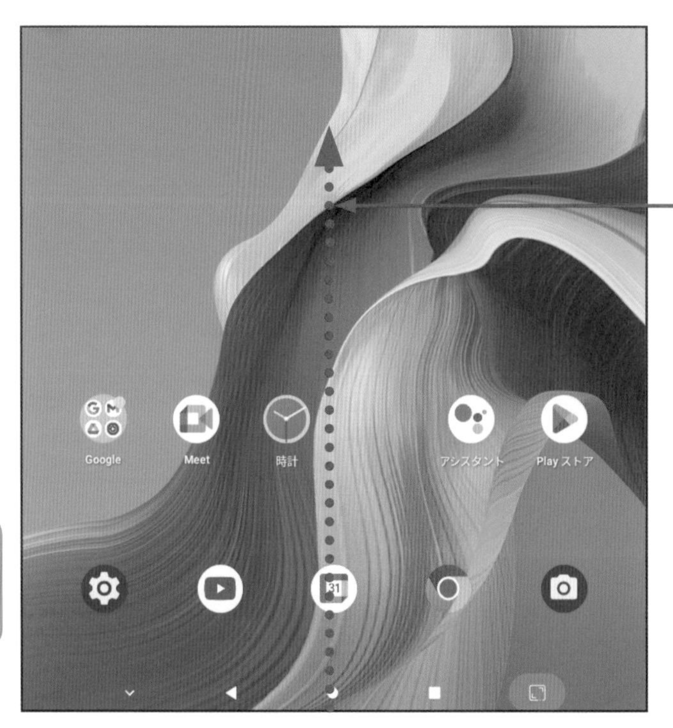

1 画面の一番下から上に向かってフリックします。

ポイント

起動したいアプリがホーム画面にないときは、アプリの一覧から起動します。

2 アプリの一覧が表示されます。いずれかのアイコンをタップすると、そのアプリが起動します。

◎ フォルダ内にあるアプリを起動する

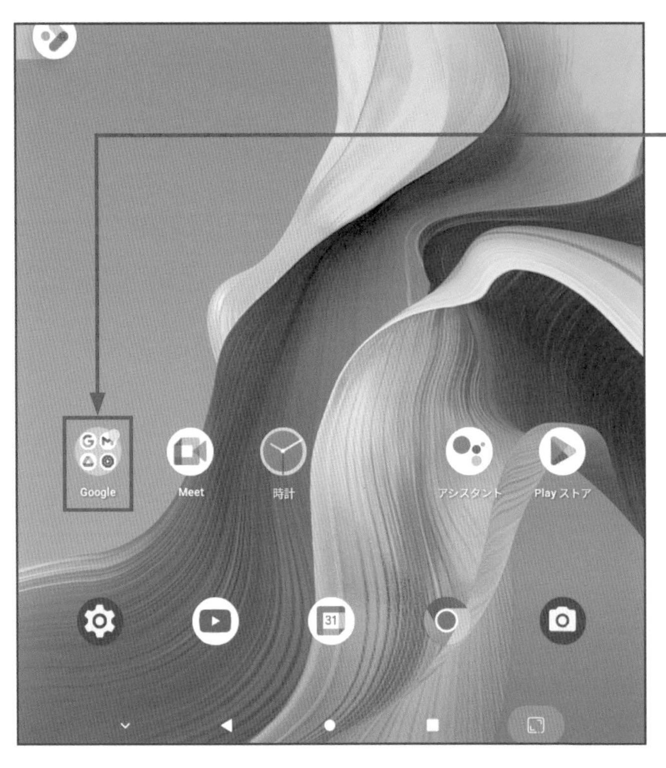

1 ホーム画面の をタップ します。

ポイント

フォルダは複数のアプリのアイコンをまとめて入れておくしくみです。フォルダをタップすると、その中にあるアイコンが表示されます。

2 フォルダ内のアプリのアイコンが表示されます。アイコンをタップ すると、アプリが起動します。

終わり

アプリの操作

Section 14

アプリを終了しよう／切り替えよう

キーワード アプリの終了・アプリの切り替え・「履歴」キー

今使っている機能をやめたいときにはアプリを終了します。ほかの機能を使いたいときは、アプリの切り替えを行います。終了と切り替えの方法を覚えましょう。

◎アプリの終了と切り替えを行うには

アプリの終了や切り替えを行うには、「履歴」キーを使います。

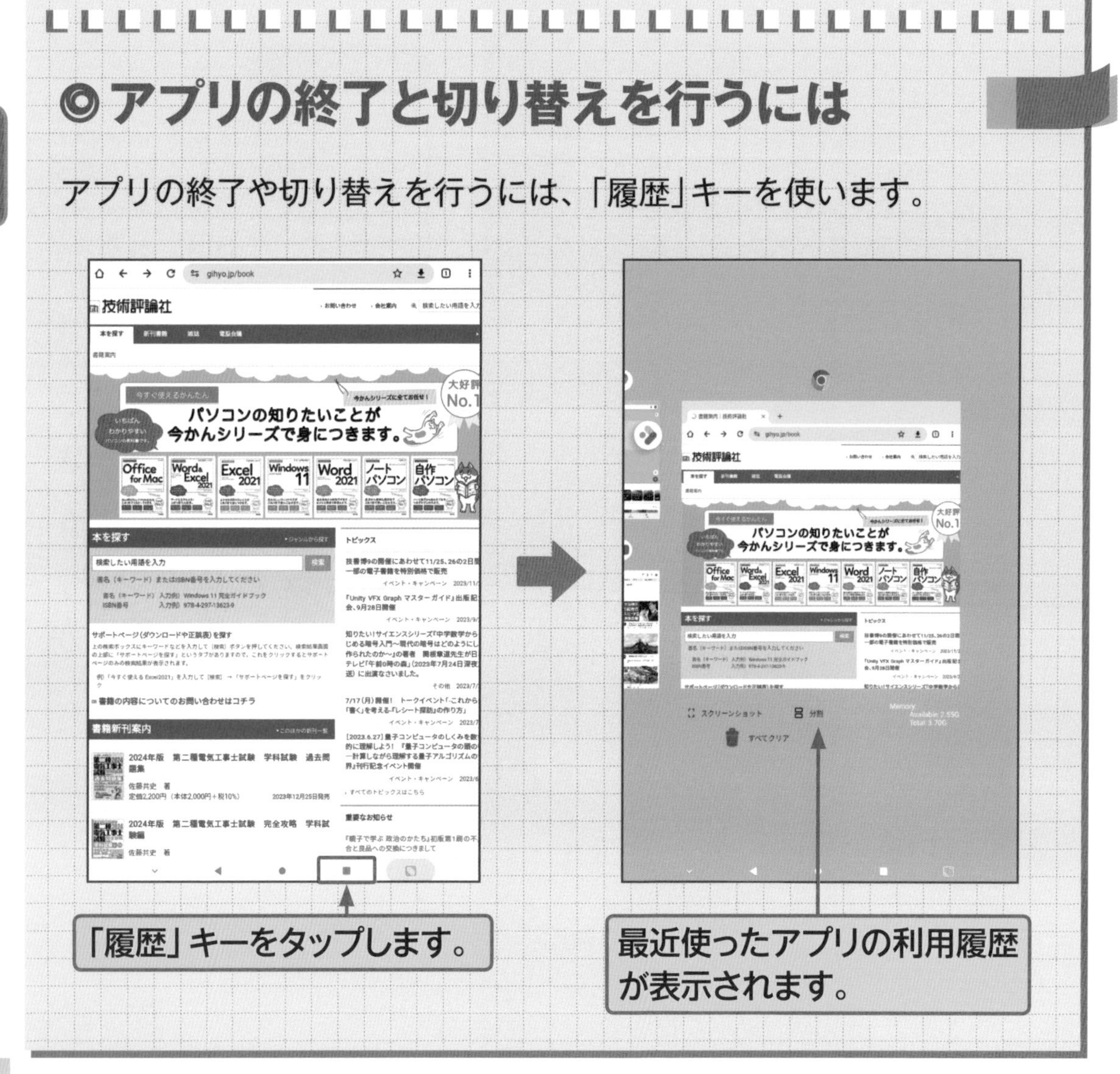

履歴からアプリを終了する

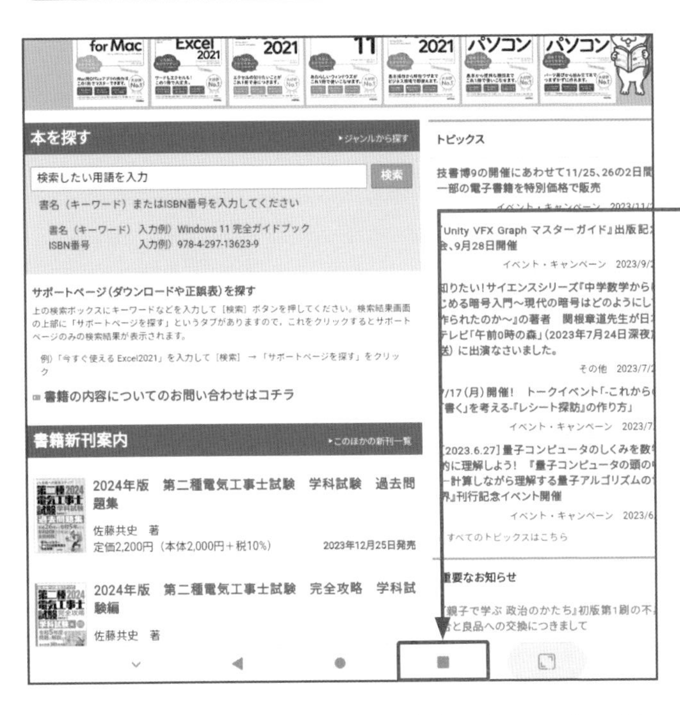

1 ここでは例として「Chrome」を起動しています。履歴 ■ キーをタップします。

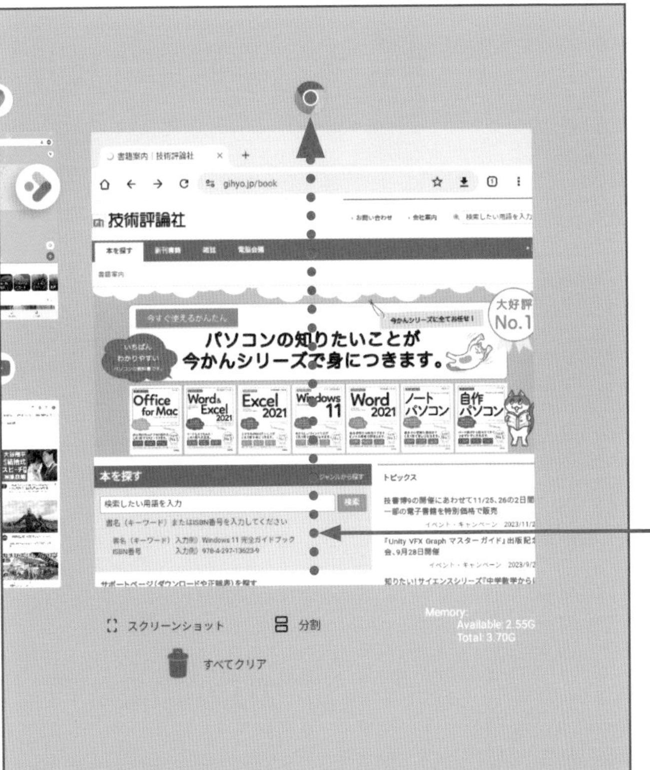

2 最近使ったアプリの一覧が表示されます。最近使ったアプリほど右側に表示されます。

3 終了したいアプリ(ここでは「Chrome」)を上にフリックします。

次へ

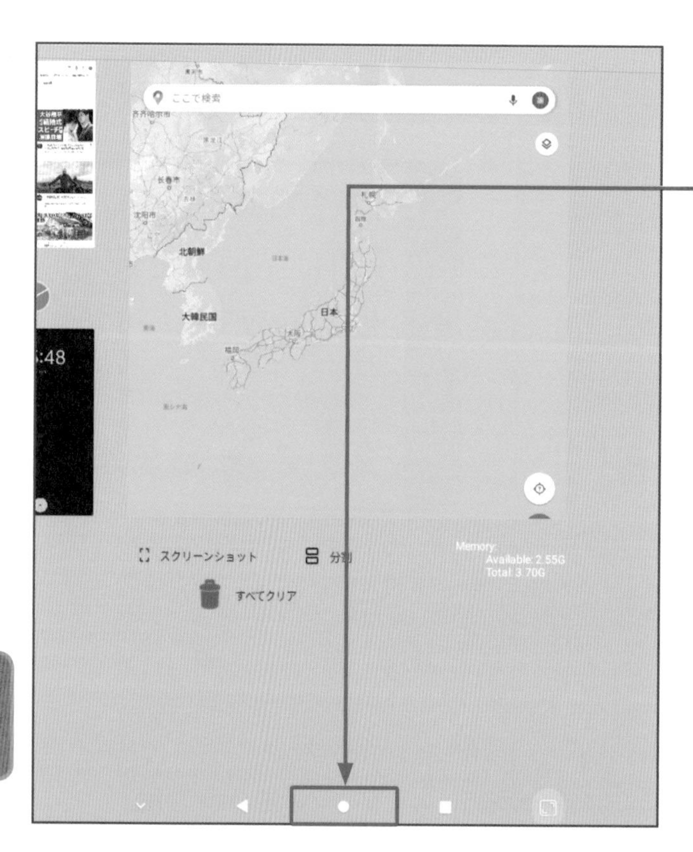

4 「Chrome」が終了しました。ホーム ● キーをタップします。

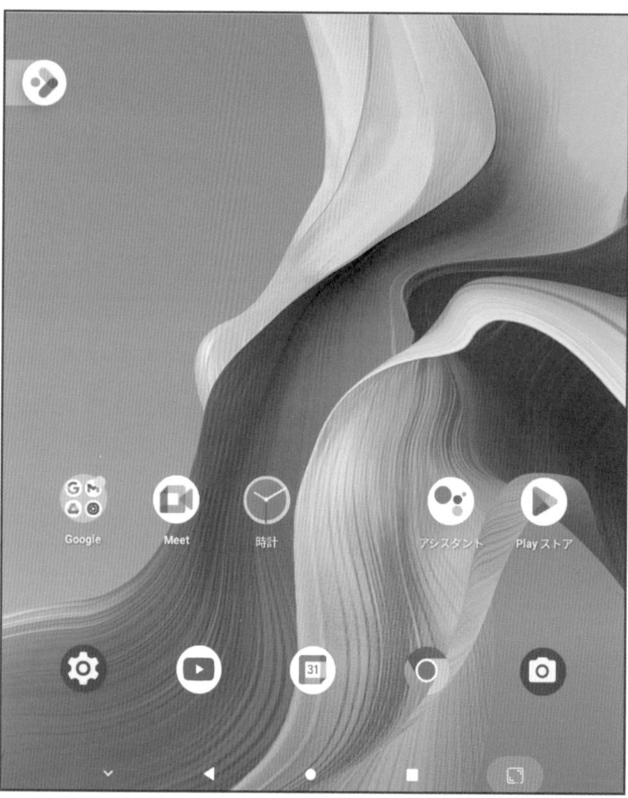

5 ホーム画面に戻ります。

◎ 履歴からアプリを切り替える

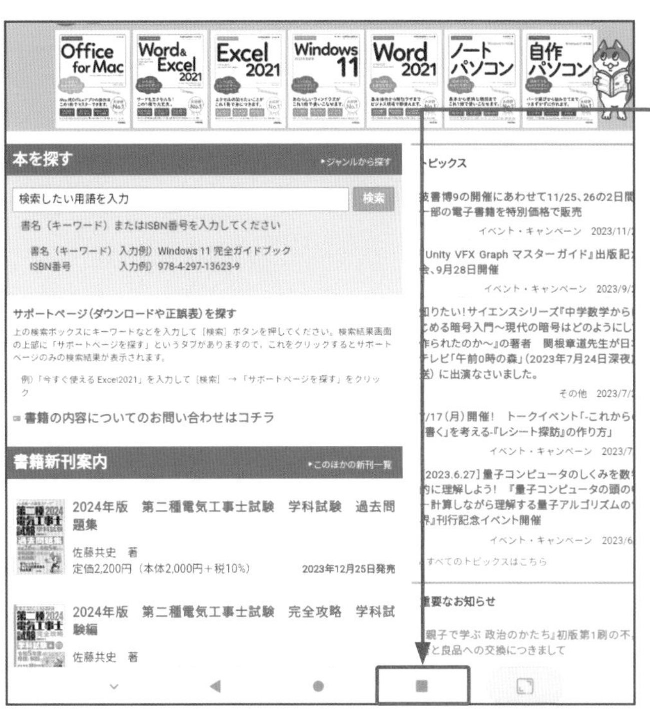

1 履歴 ■ キーをタップ します。

ポイント

ここでは今使用している「Chrome」から、少し前に使用した「時計」に切り替えます。

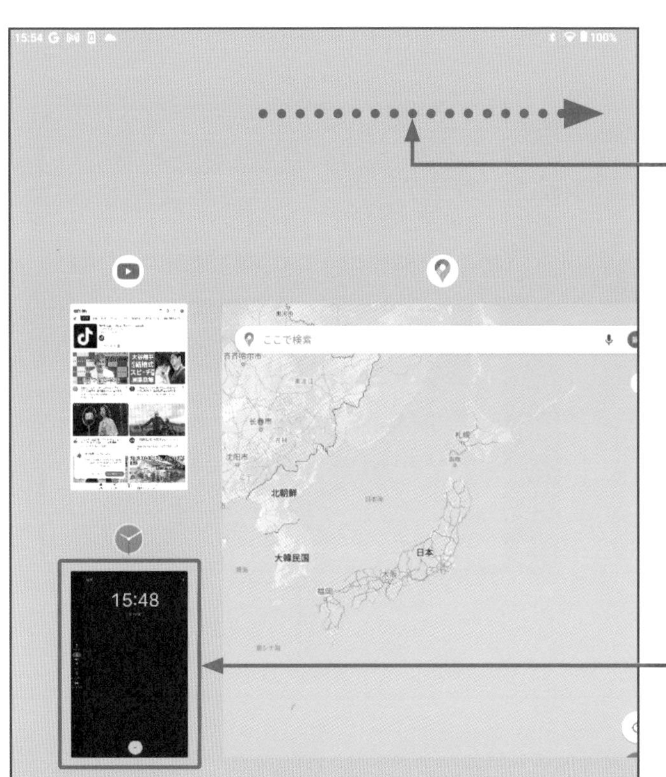

2 アプリの履歴一覧の表示を右方向にスワイプ します。

3 使いたいアプリをタップ します。

次へ

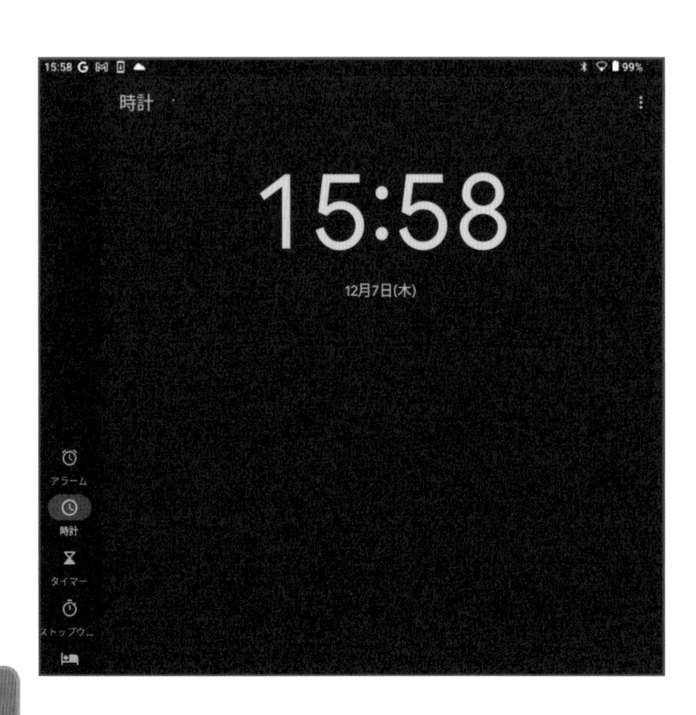

4 アプリが「時計」に切り替わります。

コラム アプリをまとめて終了する

アプリの履歴画面では、いま起動しているアプリをまとめて終了することができます。

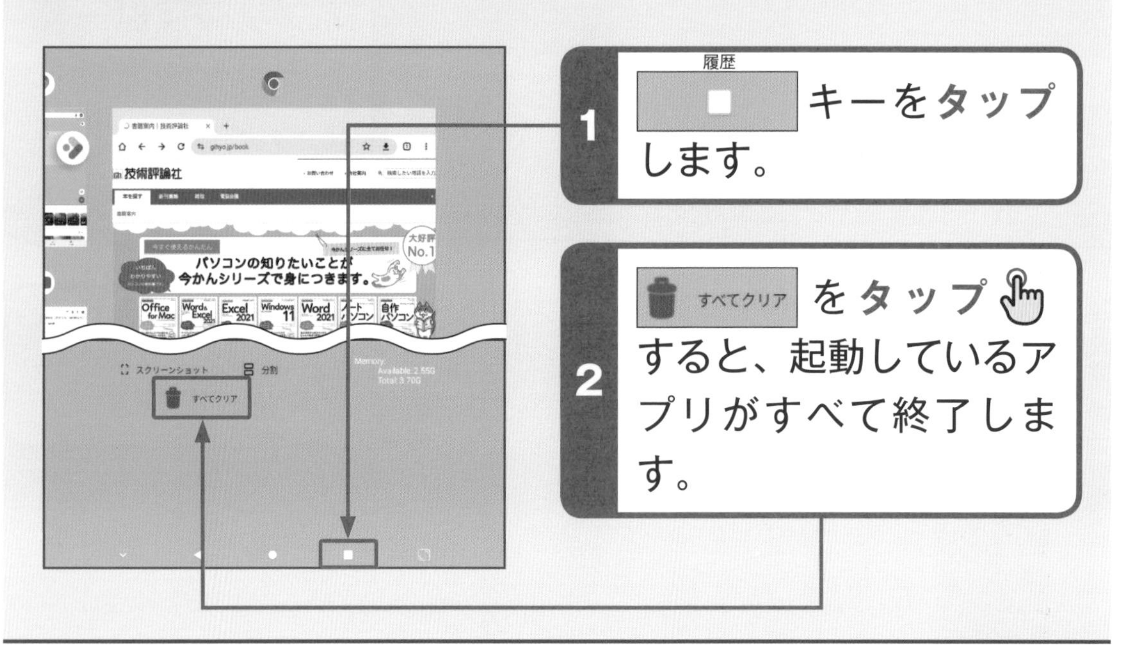

1 履歴 ■ キーをタップします。

2 すべてクリア をタップすると、起動しているアプリがすべて終了します。

終わり

文字を入力しよう

この章でできること

- ひらがなを入力する
- 漢字変換をする
- アルファベットを入力する
- 数字や記号を入力する
- 文字をコピー・削除する

Section 15

ひらがな・漢字を入力しよう

キーワード キーボード・ひらがな・漢字

日本語を入力してみましょう。画面上のキーボードから、ローマ字入力を行います。漢字に変換するときは、表示される候補の中から選択します。

◎日本語を入力する

ひらがなを入力して、漢字に変換する方法を覚えましょう。
ここでは、例として検索バーのウィジェットの入力欄に「私」と入力します。

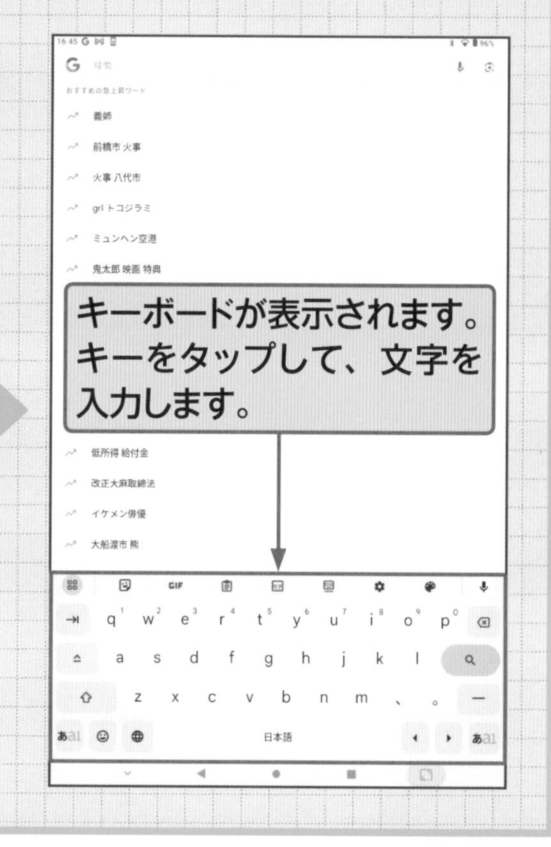

◎ キーボードを表示させる

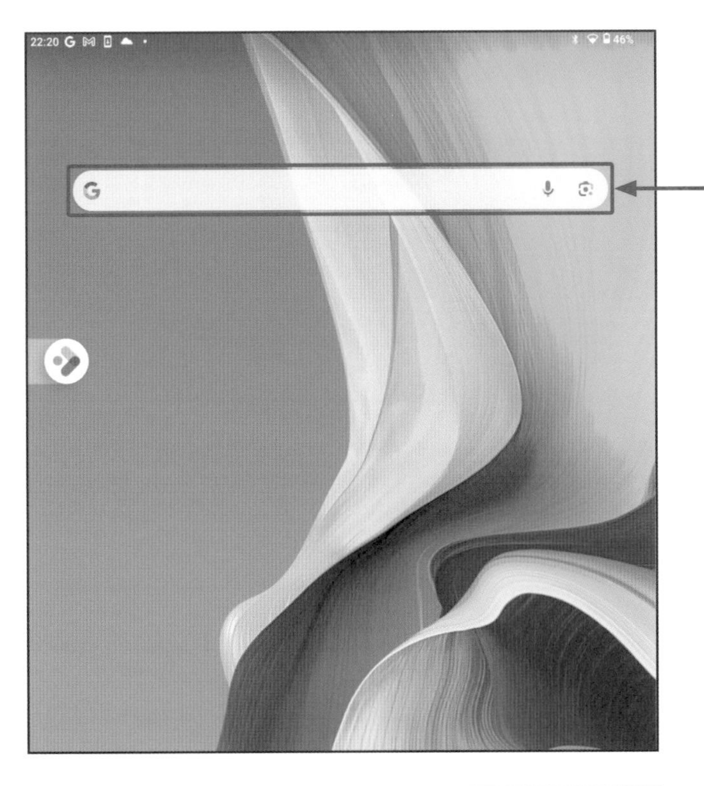

1 キーボードを表示するために、ここでは「Googleウィジェット」の検索バーの入力欄をタップします。

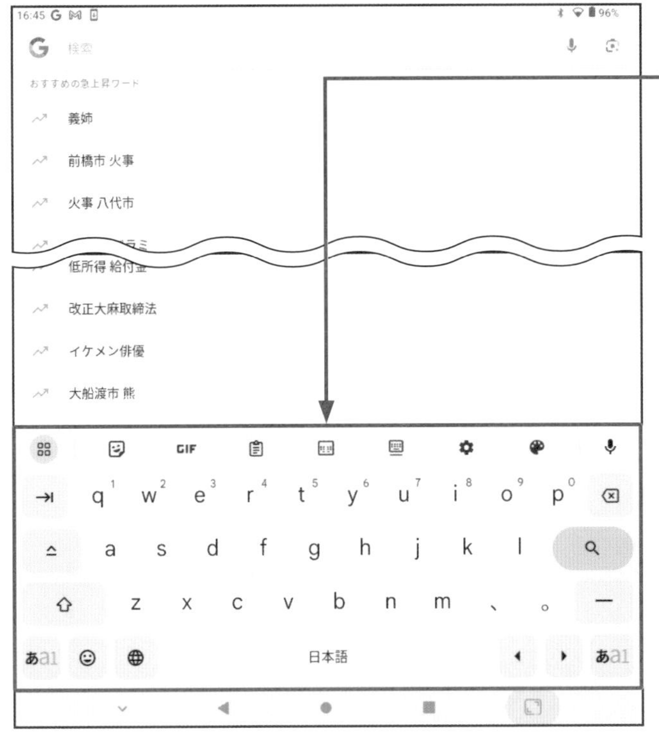

2 キーボードが表示されます。

ポイント

キーボードが英字になっている場合、あa1をタップして日本語に切り替えます。

次へ

◎ 文字を入力する

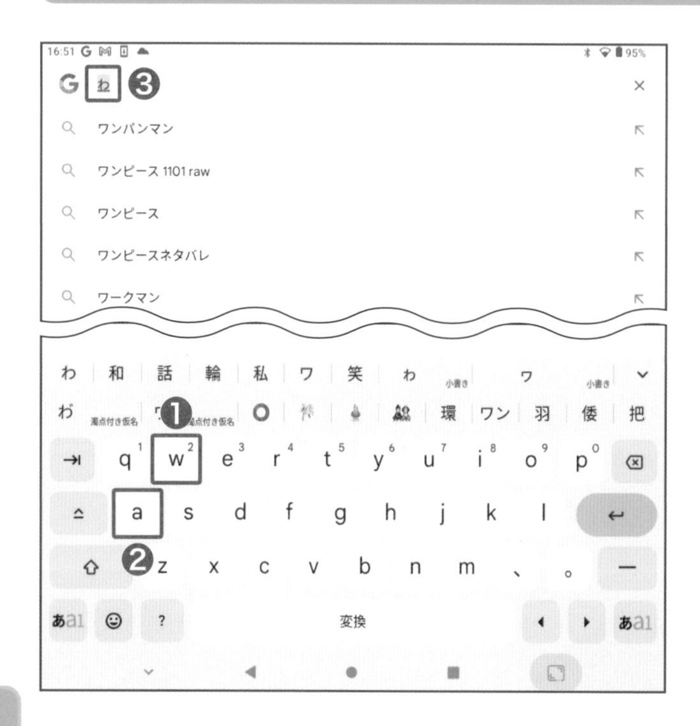

1 w² をタップ し ます❶。

2 次に a をタップ します❷。

3 「わ」と表示されます❸。

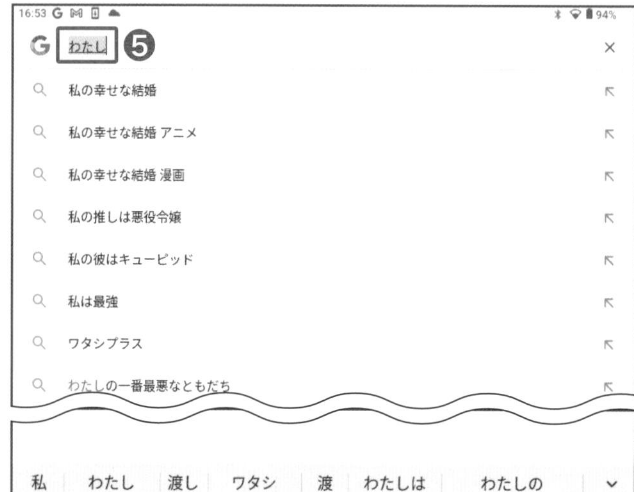

4 続けて t⁵ ❶→ a ❷→ s ❸→ i⁸ ❹の順でタップ します。

5 「わたし」と入力されます❺。

ポイント

ここでキーボードの ↵ をタップすると、漢字に変換せずに平仮名入力ができます。

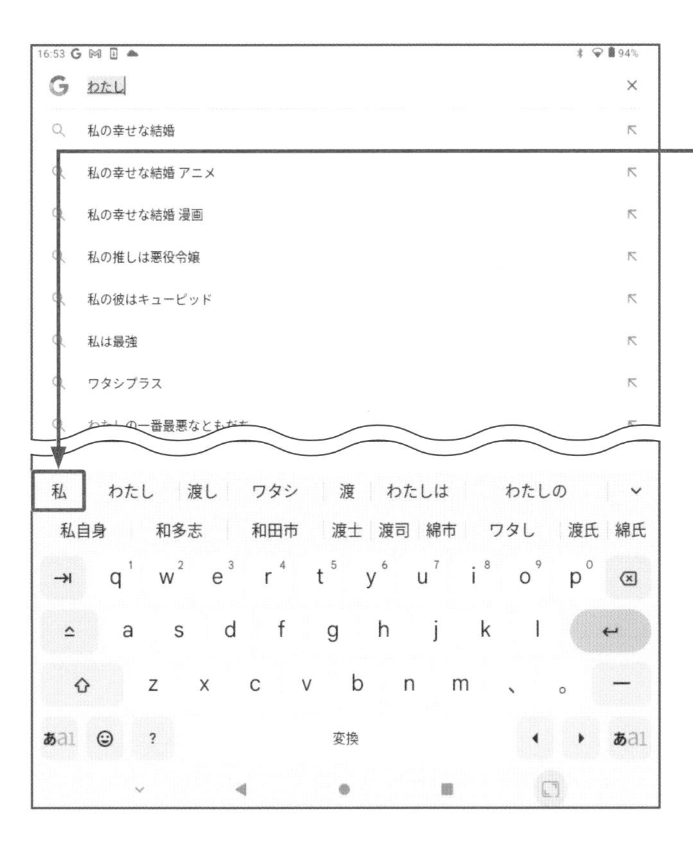

6 変換候補から、「私」をタップします。

16:56

私

私の幸せな結婚

私の幸せな結婚 アニメ

私の幸せな結婚 漫画

私の推しは悪役令嬢

私立高校

私立高校 学費

7 「私」と入力されました。

終わり

Section 16

アルファベットを入力しよう

キーワード キーボード・アルファベット・英字

アルファベット（英字）を入力してみましょう。キーボードの入力モードを切り替えて、アルファベットを入力できる状態にします。大文字と小文字の切り替えもできます。

◎キーボードを切り替えてアルファベットを入力する

キーボードには入力モードがあり、入力できる文字の種類が変えられます。入力モードを切り替えて、アルファベットを入力する方法を覚えましょう。ここでは「Pin」と入力してみます。

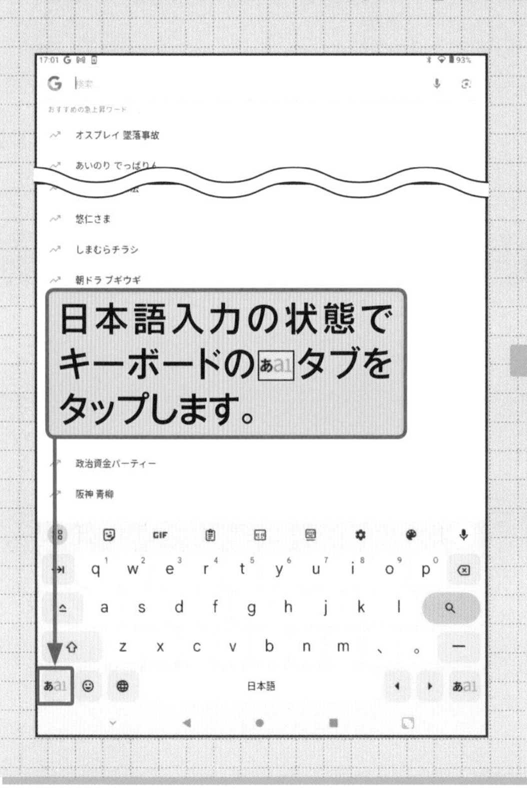

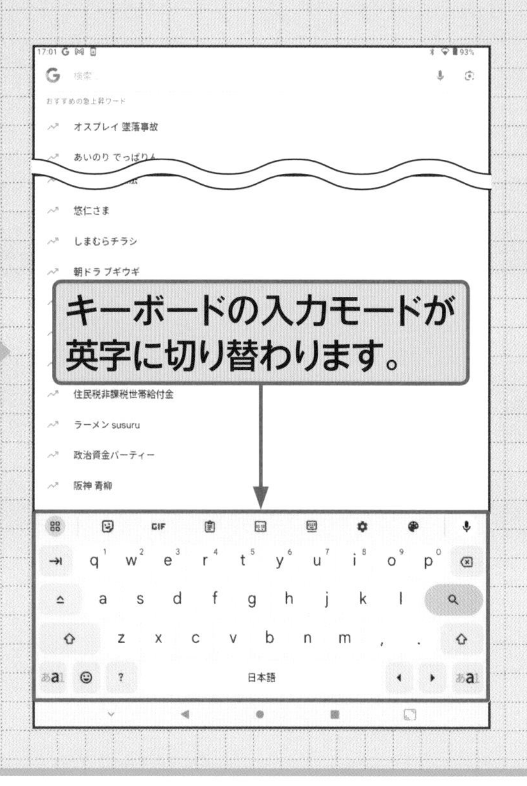

◎ 入力モードを切り替える

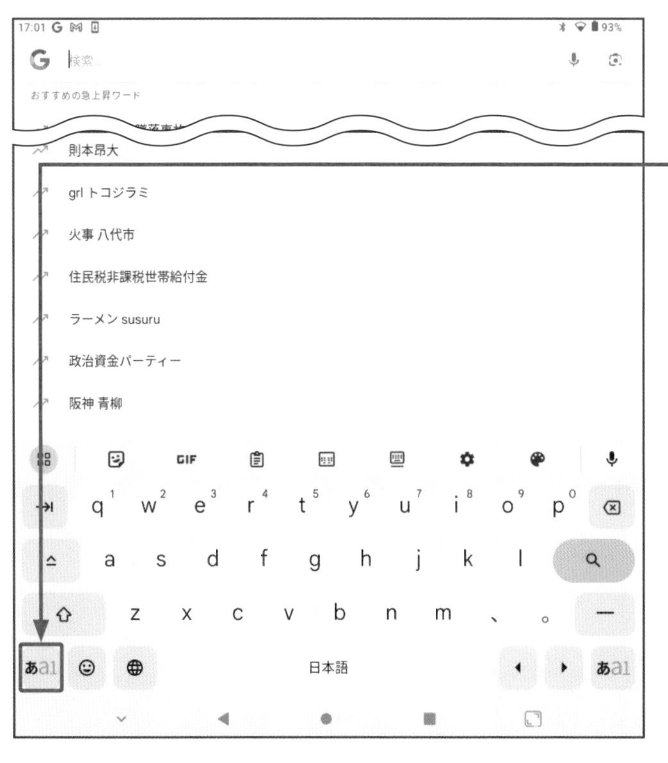

1 61ページの手順でキーボードを表示します。あa1 をタップします。

2 キーボードの入力モードが英字に切り替わります。

次へ

◎ 入力を大文字にする

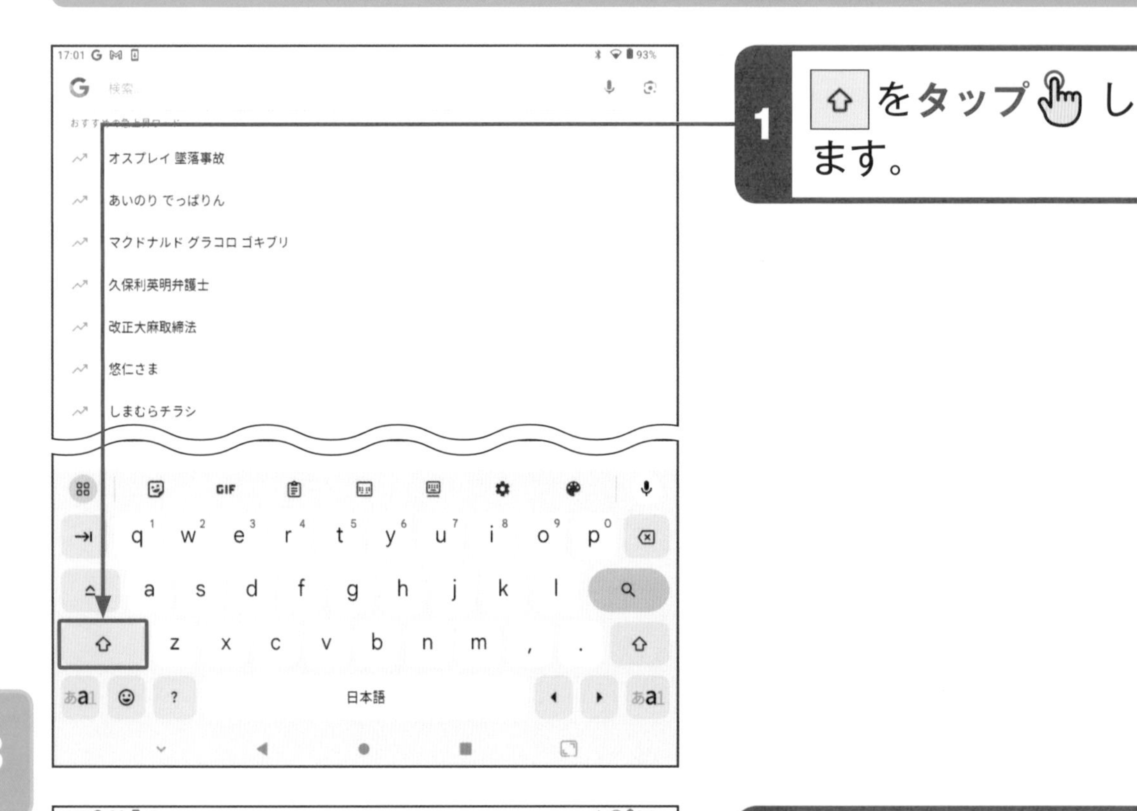

1 ⇧ をタップ します。

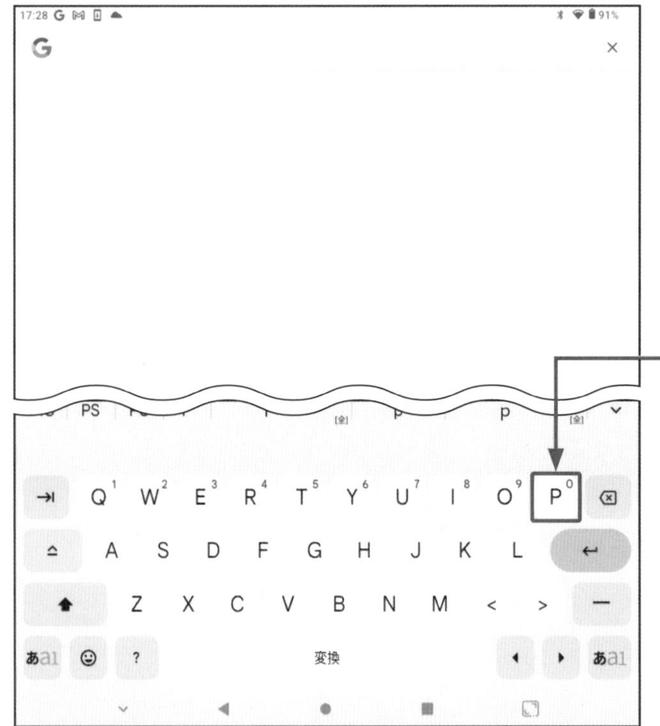

2 キーボードの表示が大文字に変わります。

3 P をタップ します。大文字の「P」が入力されます。

◎ 残りの文字を入力する

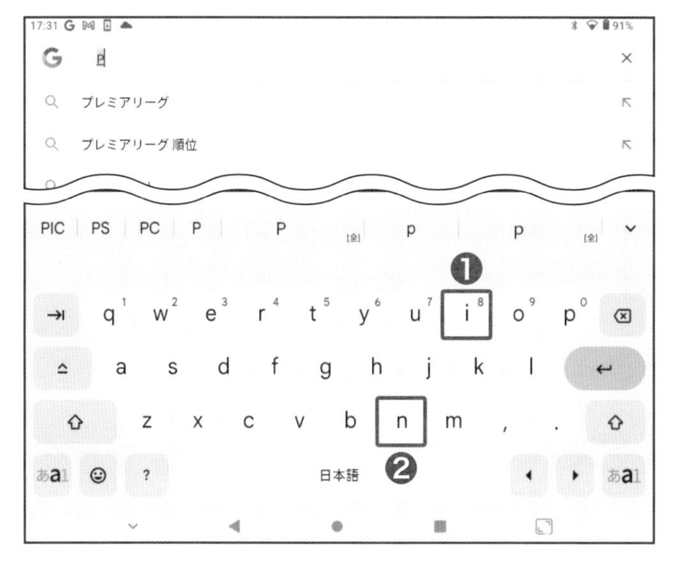

1 キーボードの表示が小文字に変わります。 i ❶ n ❷ をタップ します。

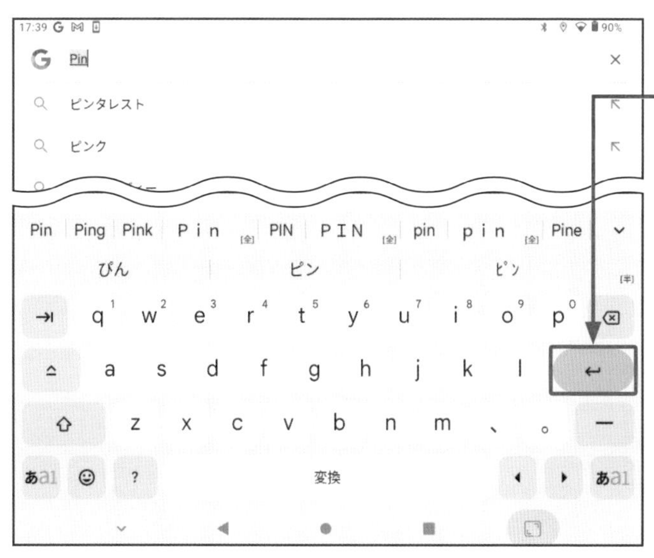

2 ↵ をタップ します。

17:39
Pin
ピンタレスト
ピンク

3 「Pin」と入力できました。

終わり

Section 17

数字や記号を入力しよう

キーワード キーボード・数字・記号

数字や記号を入力してみましょう。画面上のキーボードの入力モードを切り替えて、数字や記号を入力できる状態にしてから、入力を行います。

◎キーボードを切り替えて数字や記号を入力する

キーボードの入力モードを切り替えて、数字や記号を入力する方法を覚えましょう。ここでは「6＠」と入力します。

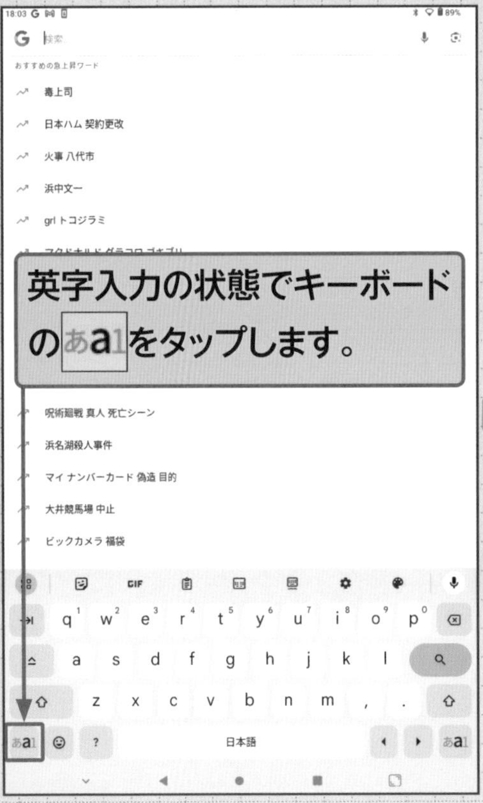

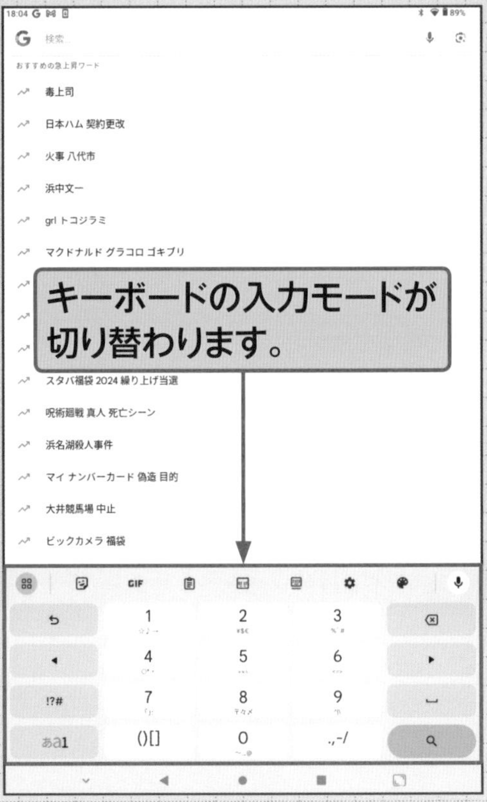

英字入力の状態でキーボードの あa1 をタップします。

キーボードの入力モードが切り替わります。

◎ 数字や記号を入力する

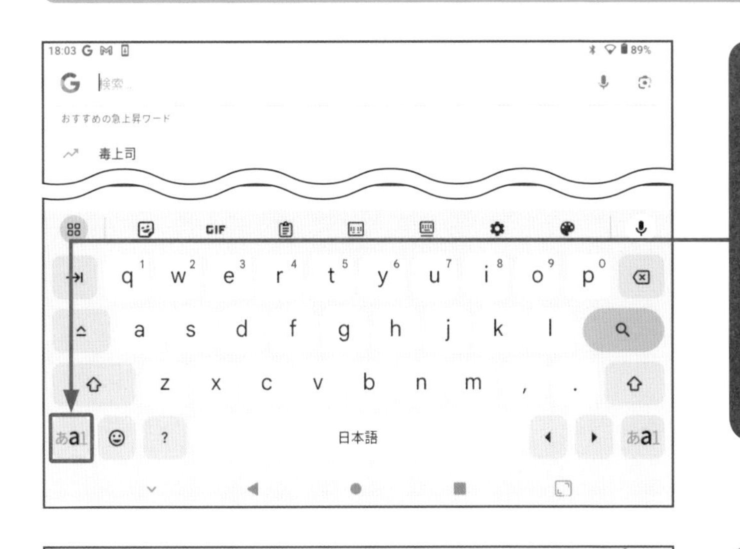

1 65ページの手順で、英字入力モードのキーボードを表示します。 あa1 をタップします。

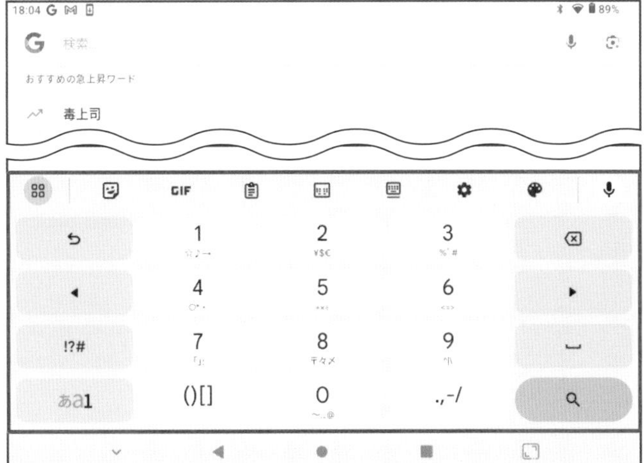

2 キーボードの入力モードが数字・記号に切り替わります。

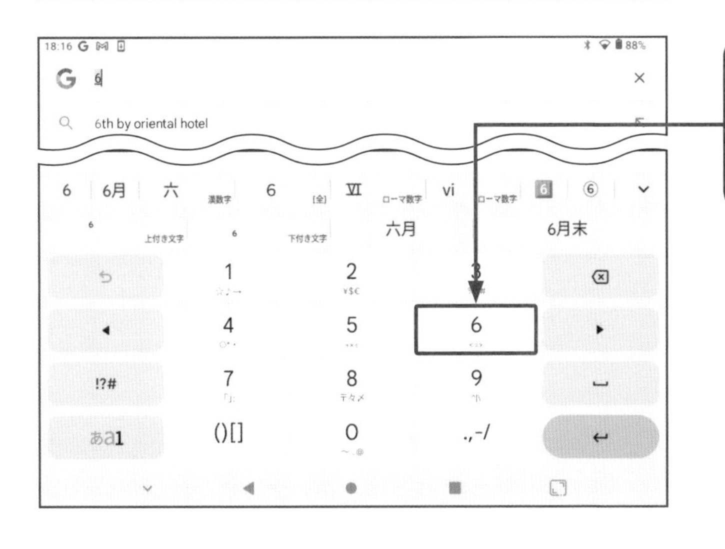

3 6 をタップします。

次へ

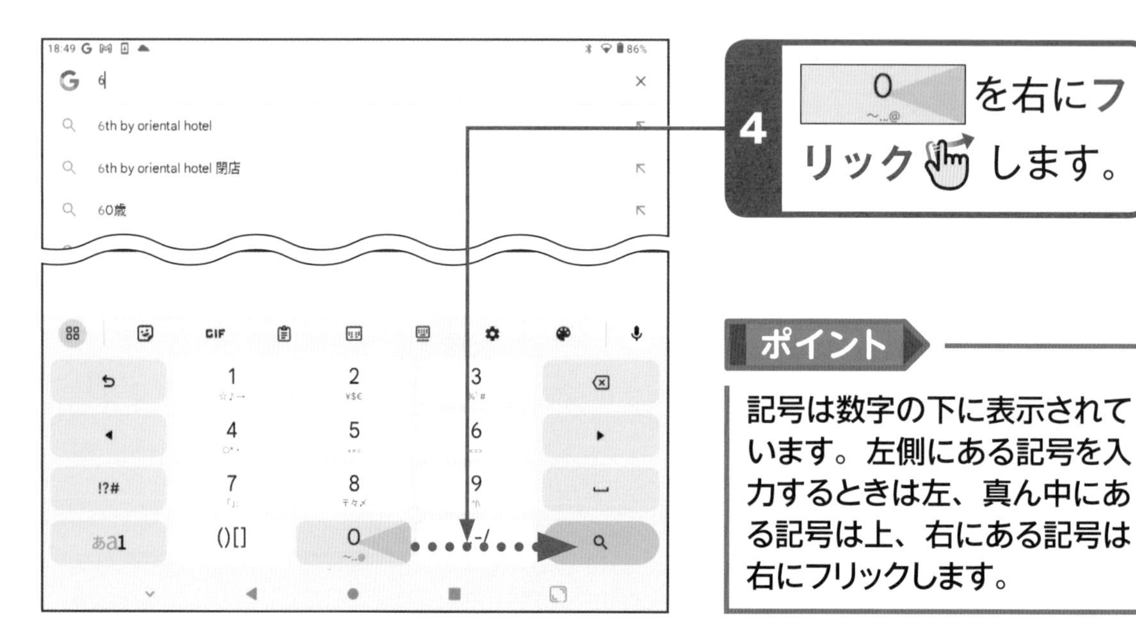

4 0 を右にフリックします。

ポイント

記号は数字の下に表示されています。左側にある記号を入力するときは左、真ん中にある記号は上、右にある記号は右にフリックします。

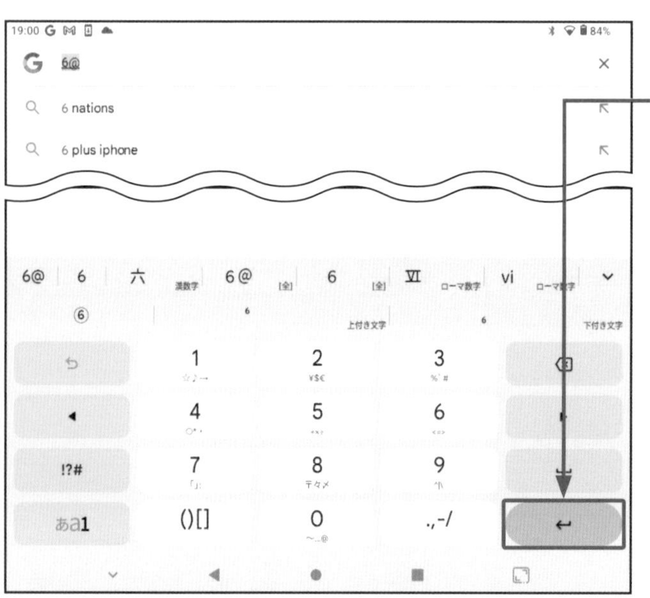

5 ↩ をタップします。

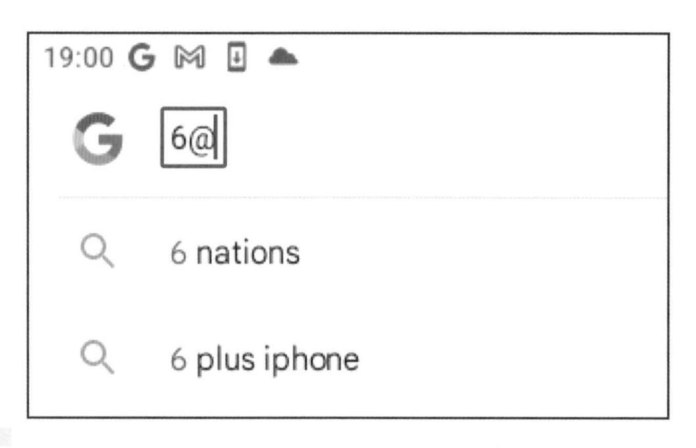

6 「6@」と入力できました。

コラム　キーボードを10キーに変更するには

多くのタブレットでは、初期状態に、「QWERTY（クワーティ）配列」というパソコンと同じ並びのキーボードが設定されています。スマートフォンと同じ「12キー配列」に変更することも可能です。

1 キーボードを表示した状態で⚙をタップします。

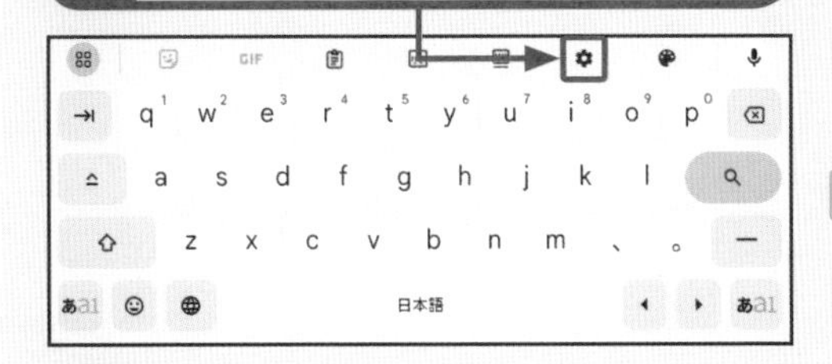

2 日本語 QWERTY をタップします。

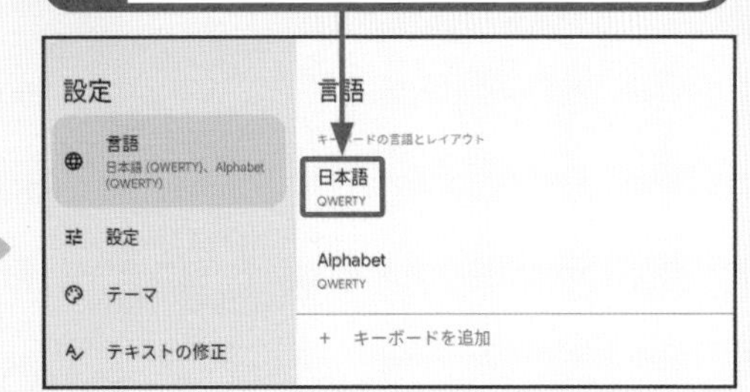

3 右にスワイプします❶。12キー をタップしてオンにします❷。QWERTY をタップしてオフにします❸。

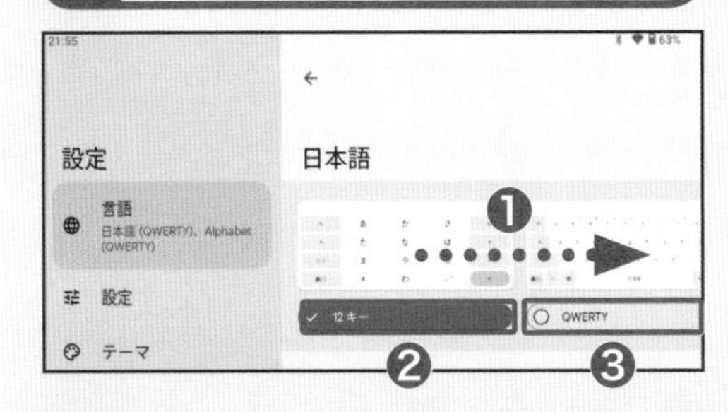

4 完了 をタップします。

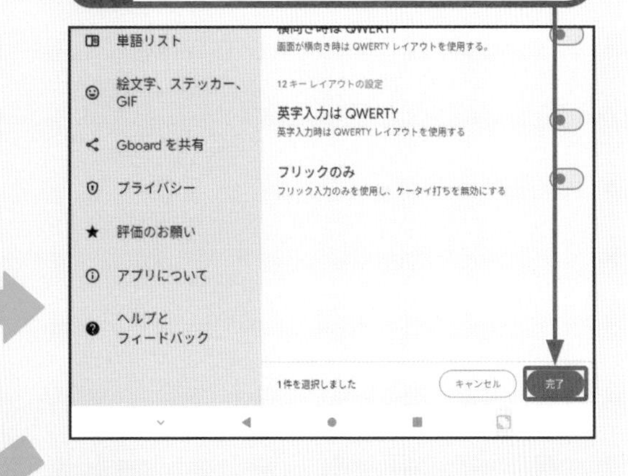

5 キーボードを表示します。🌐をタップします。

6 キーボードが12キー配列に変更できました。

終わり

コピー・削除

Section 18

文字をコピー・削除しよう

キーワード 削除・コピー・貼り付け

文字をコピーして別の場所に貼り付ける方法と、文字を削除する方法を知っておきましょう。コピーした文字は、別のアプリの入力欄にも貼り付けることができます。

◎文字のコピーと削除を行う

ここでは「ローマ帝国」の「ローマ」をコピーして、帝国のあとに貼り付け、冒頭の「ローマ」を削除して「帝国ローマ」にします。

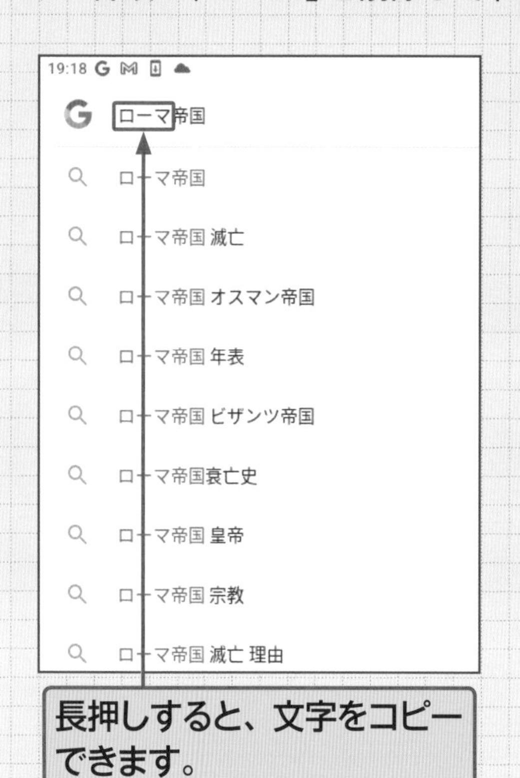

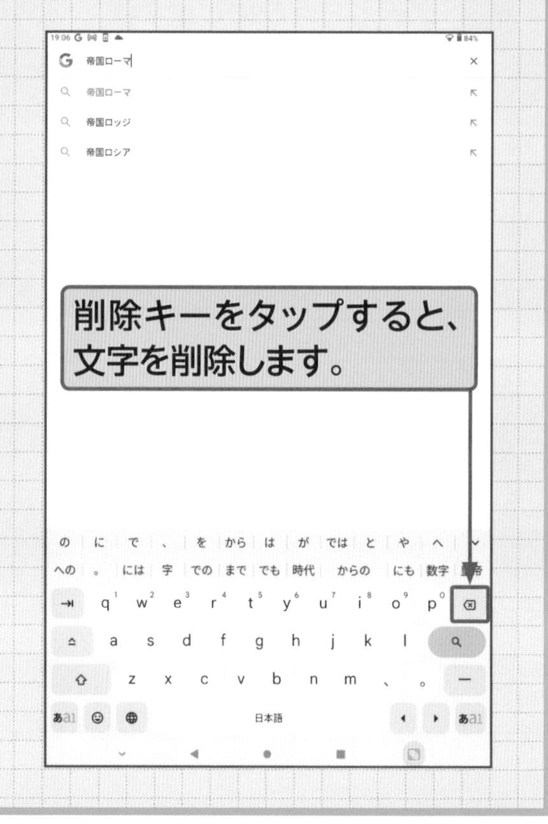

◎ 文字をコピーする

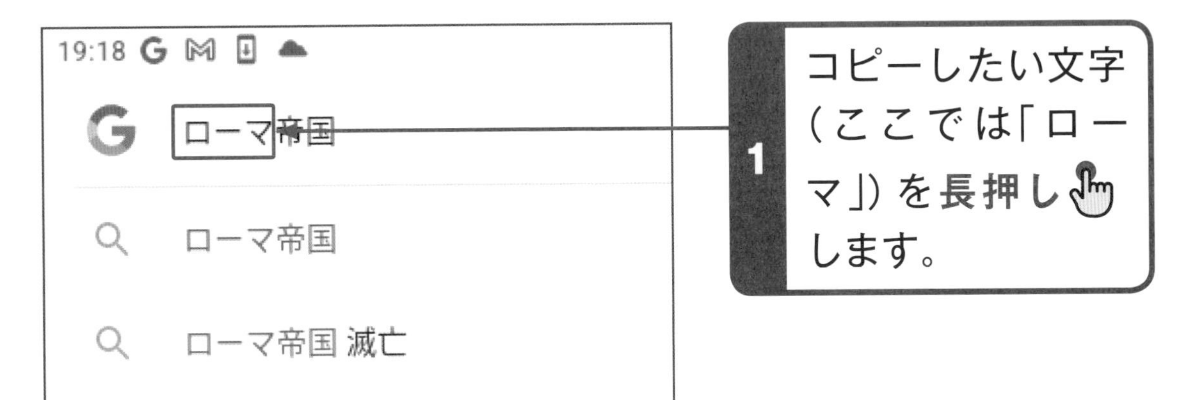

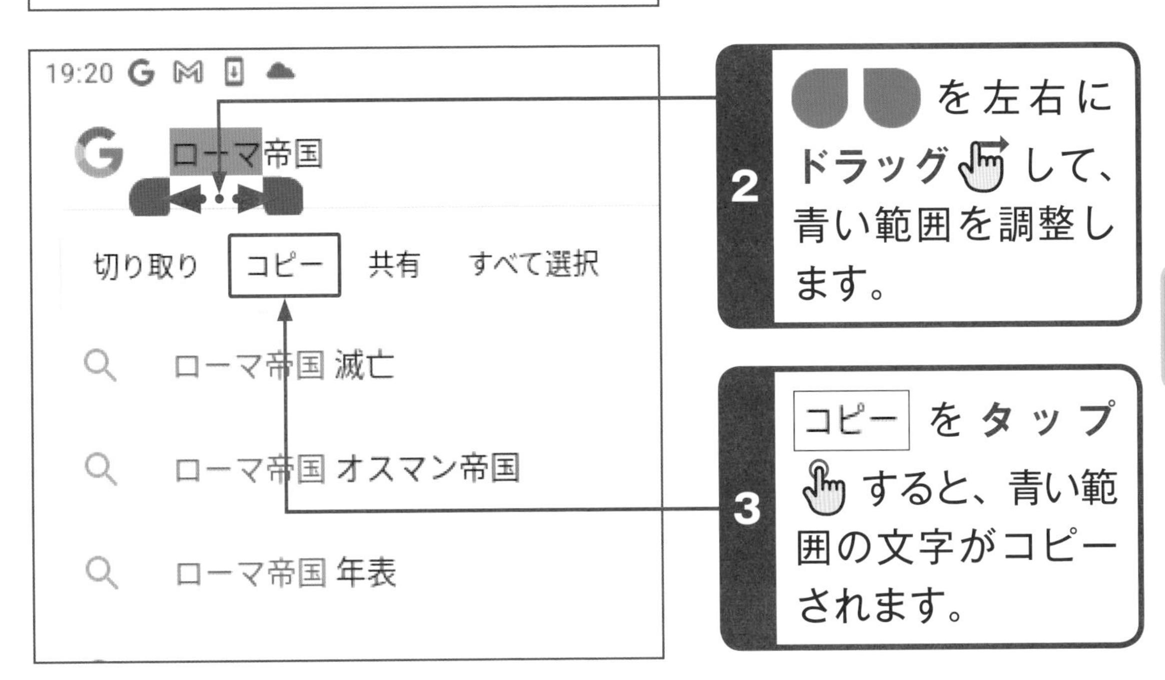

コラム 「切り取り」って何？

手順❷では、切り取り という操作が表示されます。タップすると選択範囲は削除されますが、続けて74ページの操作を行うと、コピーと同様に文字を貼り付けることができます。

次へ

◎ 文字を貼り付ける

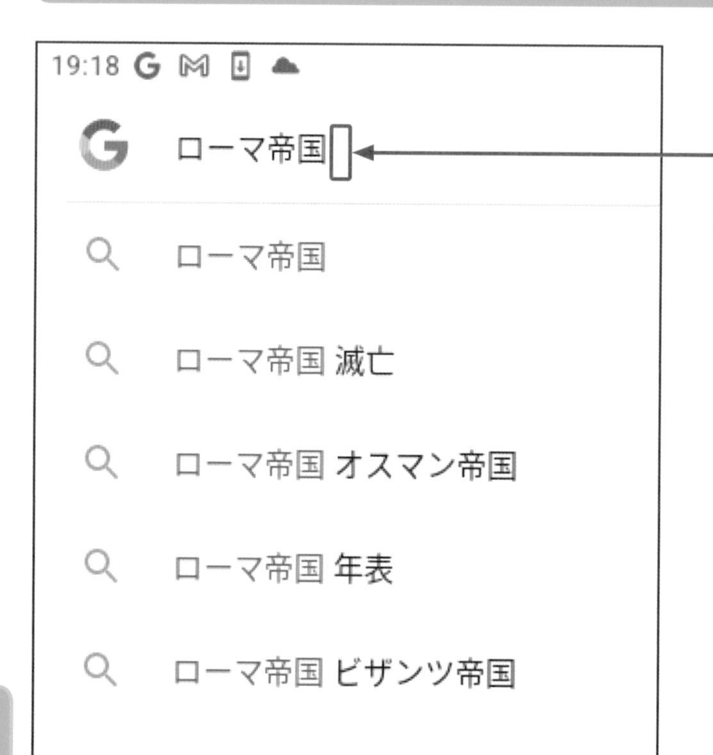

1 貼り付けたい場所を長押しします。

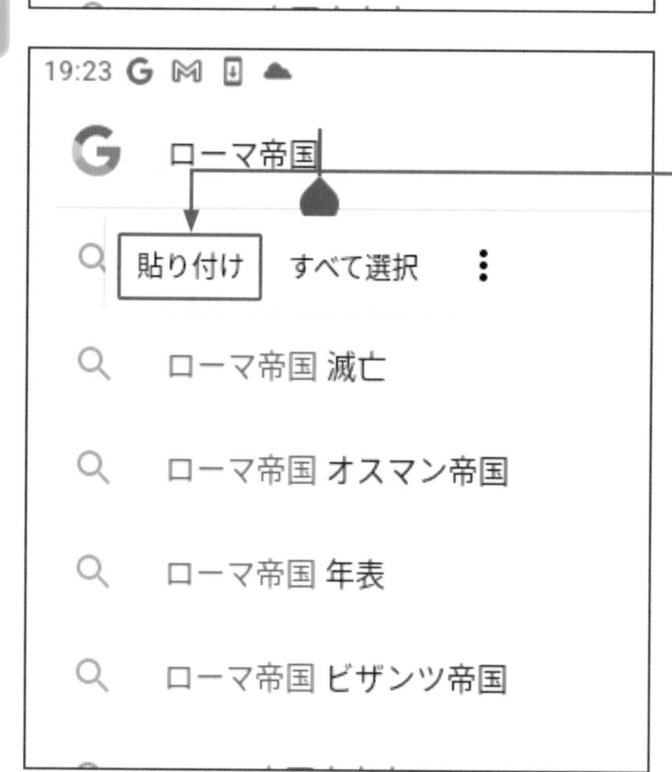

2 が表示されます。 貼り付け をタップします。

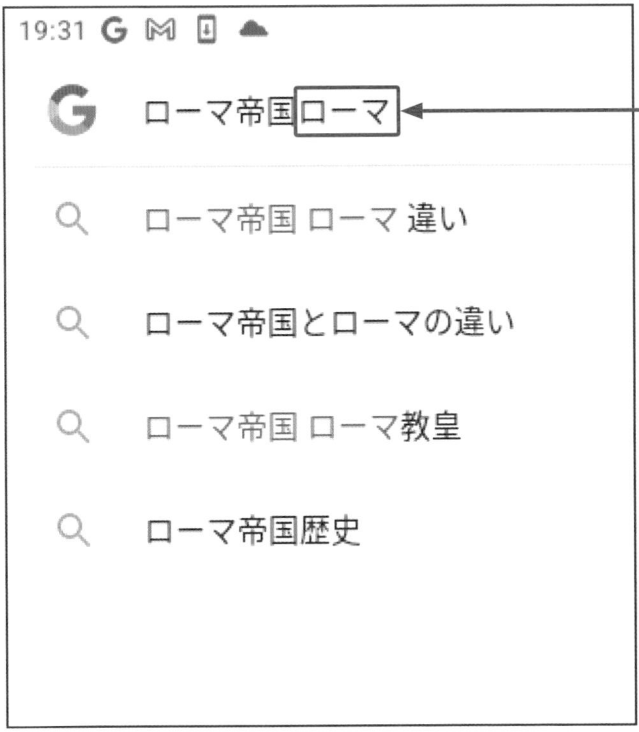

19:31

ローマ帝国ローマ

ローマ帝国 ローマ 違い

ローマ帝国とローマの違い

ローマ帝国 ローマ教皇

ローマ帝国歴史

3 73ページでコピーした「ローマ」が貼り付けられます。

コラム コピーした文字をアプリに貼り付ける

73～75ページの操作によって、アプリを越えたコピーを行うこともできます。たとえば、Chrome（78ページ参照）で表示したWebページの文字をコピーして、Gmailの本文に貼り付けて送信する（102ページ参照）といった利用法もあります。なお、ある文字をコピーして、その後に別の文字をコピーした場合、最初にコピーした文字は消えて、あとにコピーした文字のみ貼り付けできます。

◎ 文字を削除する

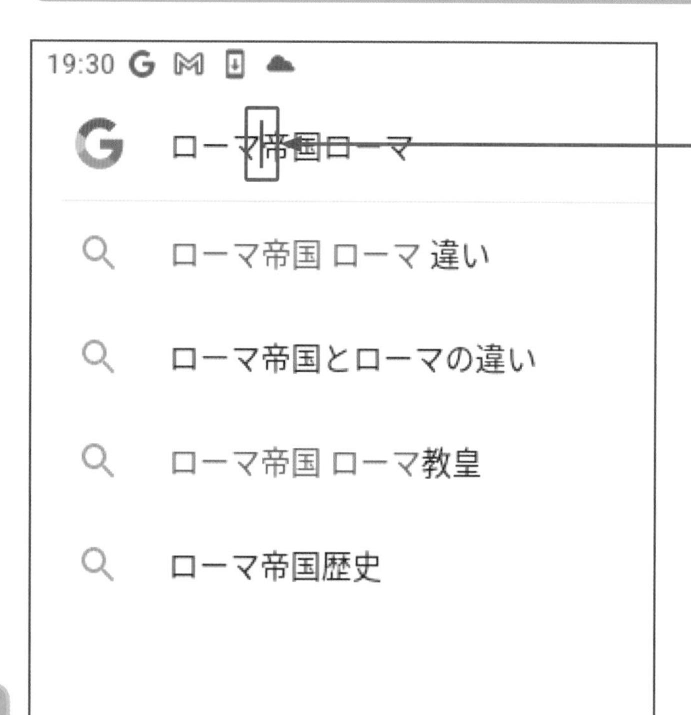

1 削除したい文字（ここでは「ローマ」）のすぐ右側をタップします。

ポイント

キーボード上の ‹ › をタップすると、カーソルの移動が可能です。

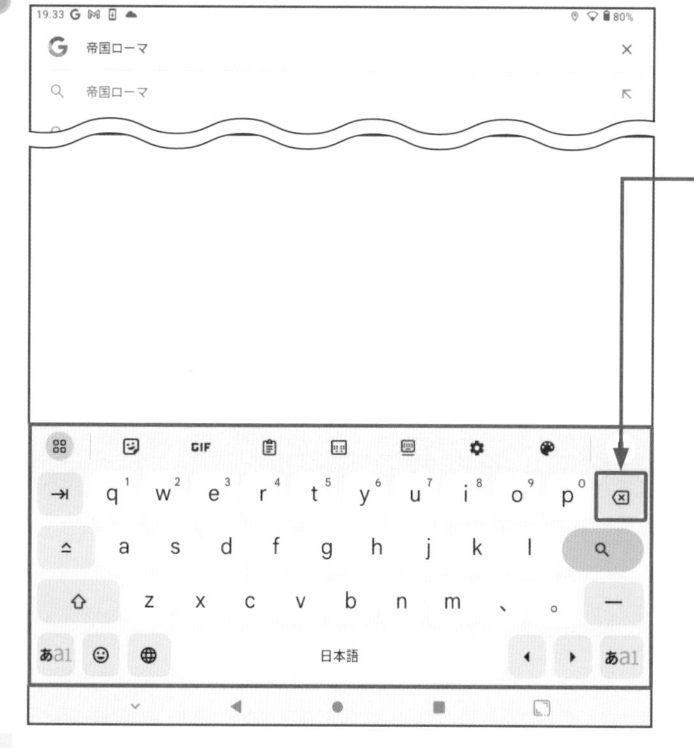

2 ⌫ をタップします。1回タップするごとに、1文字ずつ削除されます。

3 3回タップすると、「ローマ」が削除されます。

終わり

インターネットを楽しもう

▶ この章でできること

- ◎ Webページを検索する
- ◎ Webページを移動する
- ◎ Webページを拡大表示する
- ◎ タブを追加する／切り替える
- ◎ ブックマークを利用する

Section 19

Webページを検索しよう

キーワード インターネット・Chrome・検索

調べたいことがあるときは、インターネットでWebページを検索してみましょう。Androidタブレットでは「Chrome（クローム）」というアプリを使います。

◎ChromeでWebページを検索する

Webページを検索するには、Webブラウザーアプリの「Chrome」を使います。

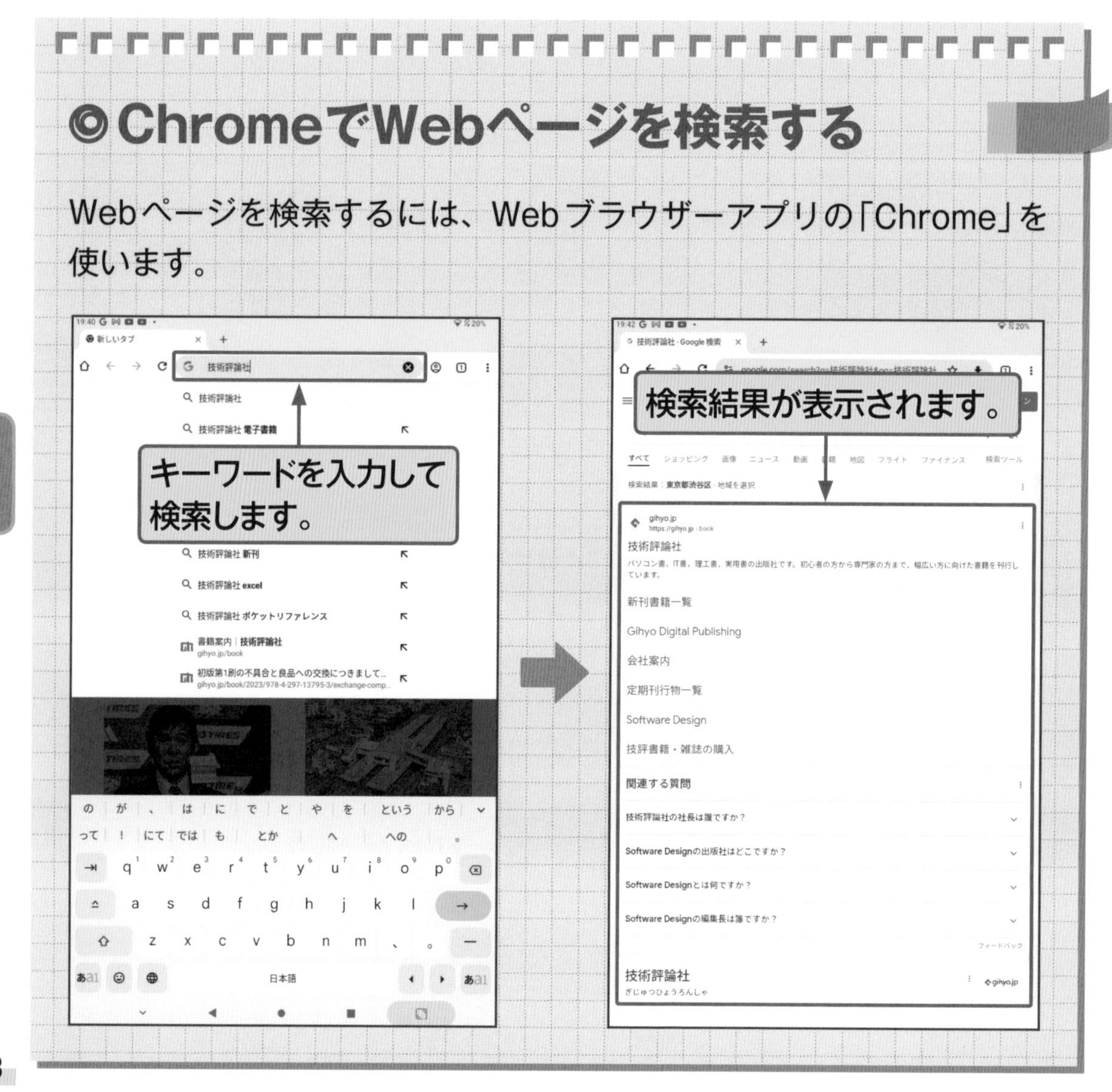

Webページを検索して表示する

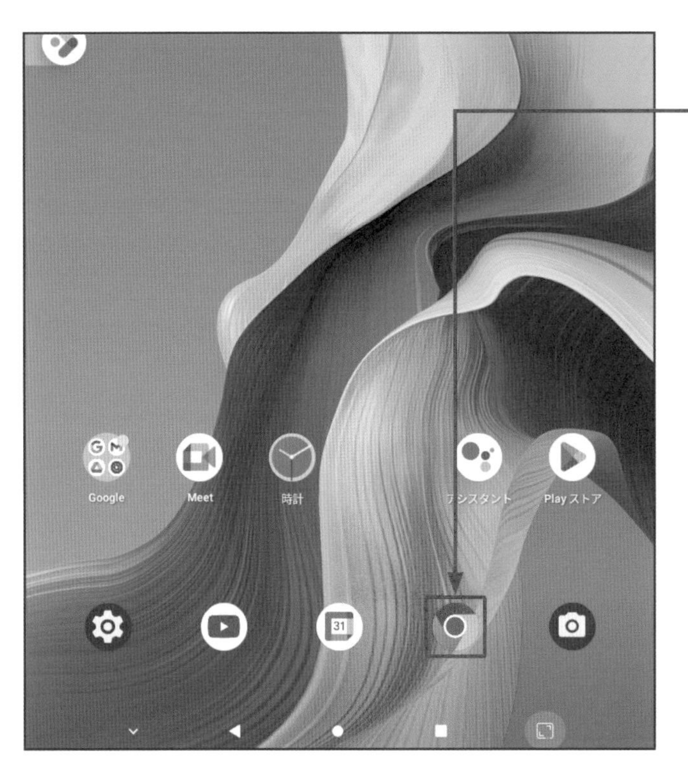

1 Chrome をタップ します。

ポイント

Chromeが見つからないときは、ホーム画面の切り替え（37ページ参照）や、アプリの一覧（52ページ参照）の表示から探すことができます。

2 「Chrome」が起動します。アドレス入力欄をタップ します。

次へ

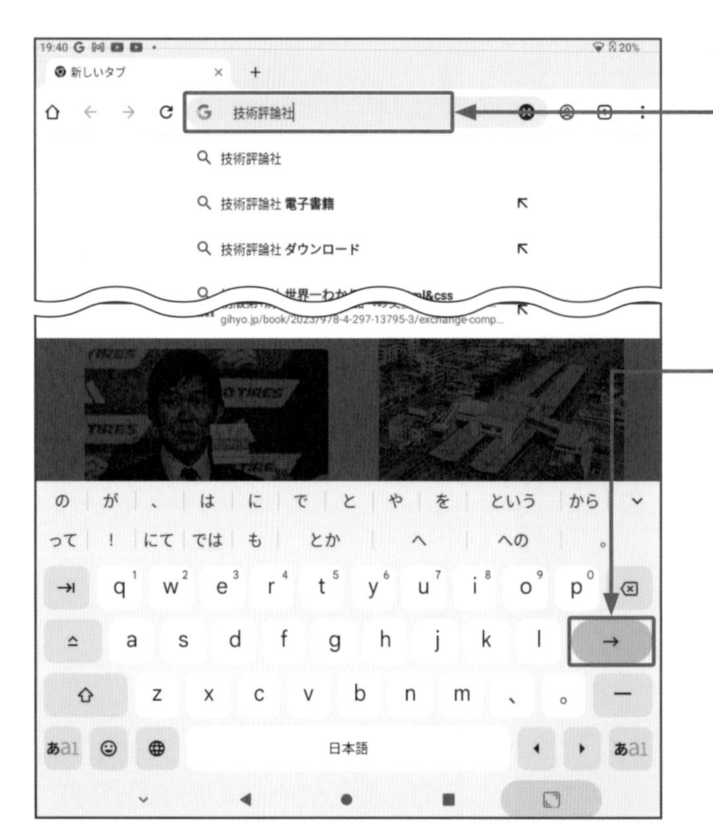

3 検索するキーワードを入力します。

4 → をタップします。

ポイント

複数のキーワードを組み合わせて検索するときは、単語と単語の間にスペースを入力します。

5 検索結果が表示されます。目的のWebページをタップします。

ポイント

画面を上にスワイプすると、検索結果がさらに表示されます。

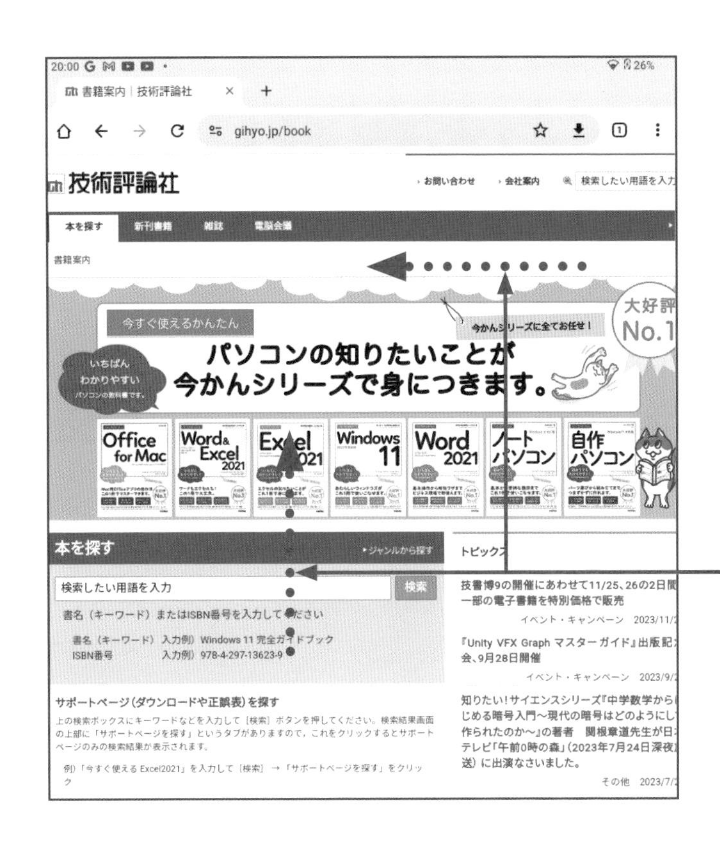

6 Webページが表示されました。画面をスワイプ すると、表示されていない部分を表示させることができます。

コラム URLを入力してWebページを表示する

Webページには、それぞれ「URL」と呼ばれる固有の住所のようなものがあります。見たいWebページのURLがわかっているときは、80ページの手順❸でURLを直接入力してから → をタップします。URLに対応するWebページを表示できます。

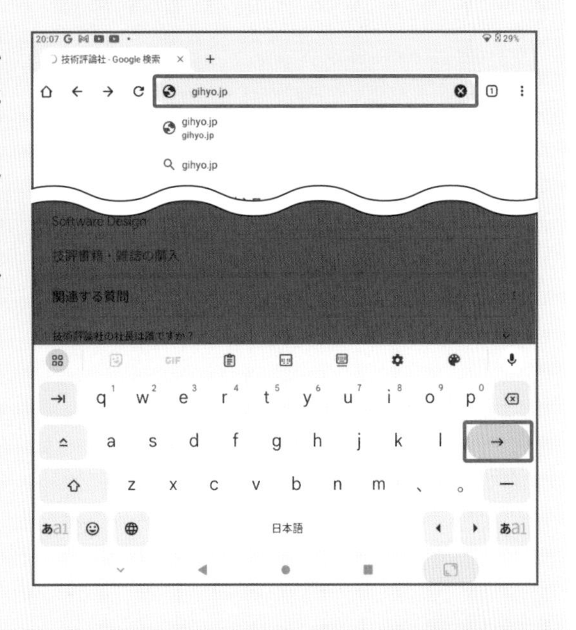

終わり

Section 20

Webページを移動しよう

キーワード Webページ・リンク・戻る／進む

Webページには、関連したWebページに移動できるポイント「リンク」が設置されています。リンク先に移動すると、ほかのWebページを見ることができます。

◎リンク先に移動する

Webページ上のリンクをタップすると、リンク先に移動できます。リンク先に移動すると、もっと詳しい情報や関連情報などが見られます。

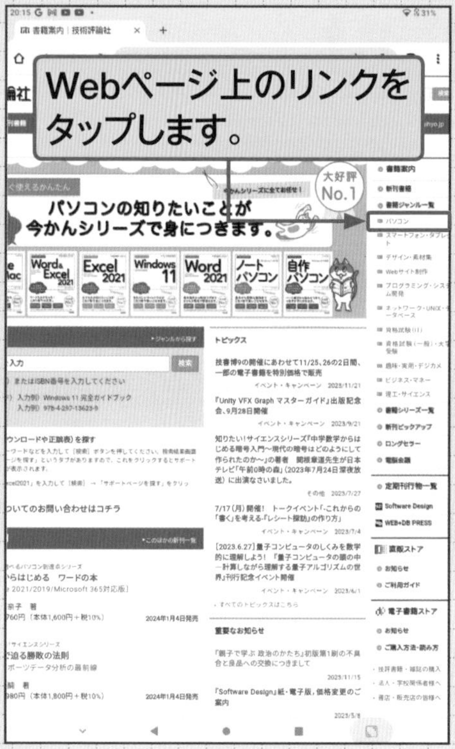

Webページ上のリンクをタップします。

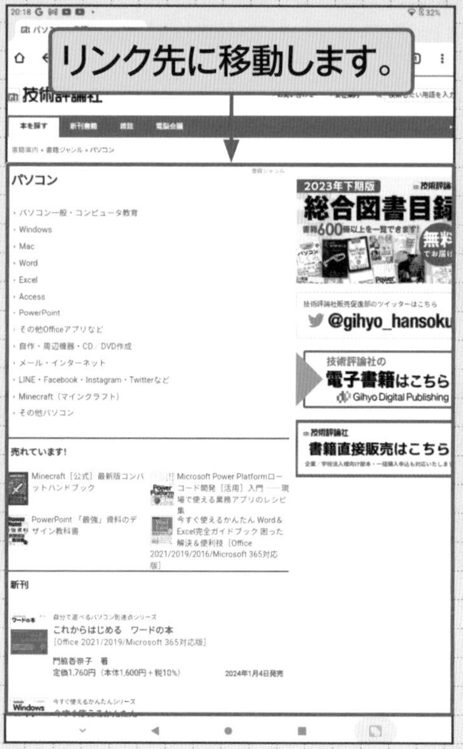

リンク先に移動します。

◎リンク先のページへ移動する

1 Webページ上のリンク(ここでは「パソコン」)をタップします。

ポイント

文字のほか、画像にリンクが設定されていることもあります。

2 リンク先のWebページが表示されました。

ポイント

リンクをタップしても、ほかのWebページに移動するのではなく、今表示しているWebページの一部だけが変化する場合もあります。

◎ 前の画面に戻る

1 ← をタップします。

2 前の画面に戻りました。

◎ 再び元の画面に進む

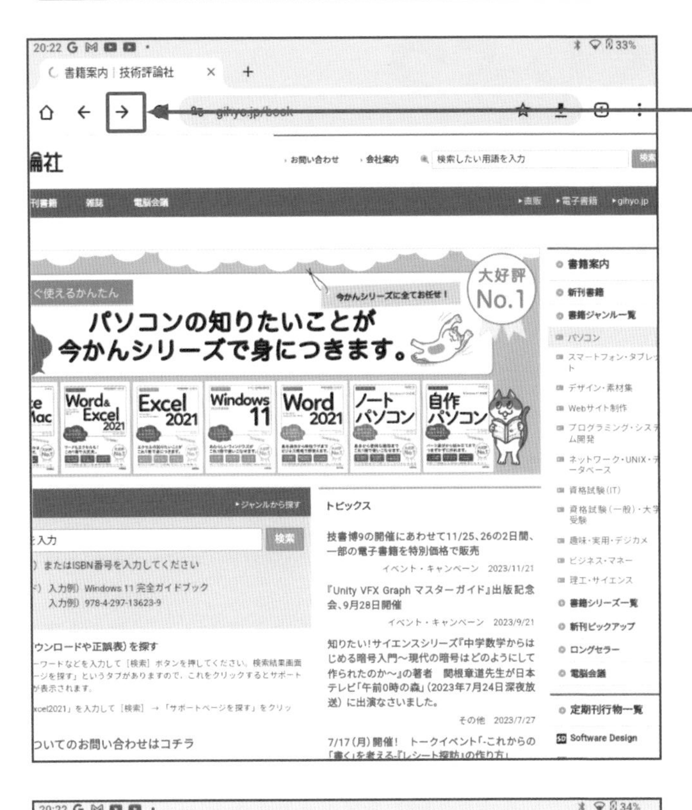

1 → をタップ します。

2 元の画面に再び進むことができました。

終わり

ページの拡大/縮小

Section 21

Webページを見やすくしよう

キーワード Webページ・拡大・縮小

Webページの文字や画像が小さくて見づらい時は、画面を拡大して見やすくすることができます。拡大と縮小の方法を覚えておきましょう。

◎Webページを見やすくする

Webページを拡大して見るには、拡大したい場所でピンチアウトします。

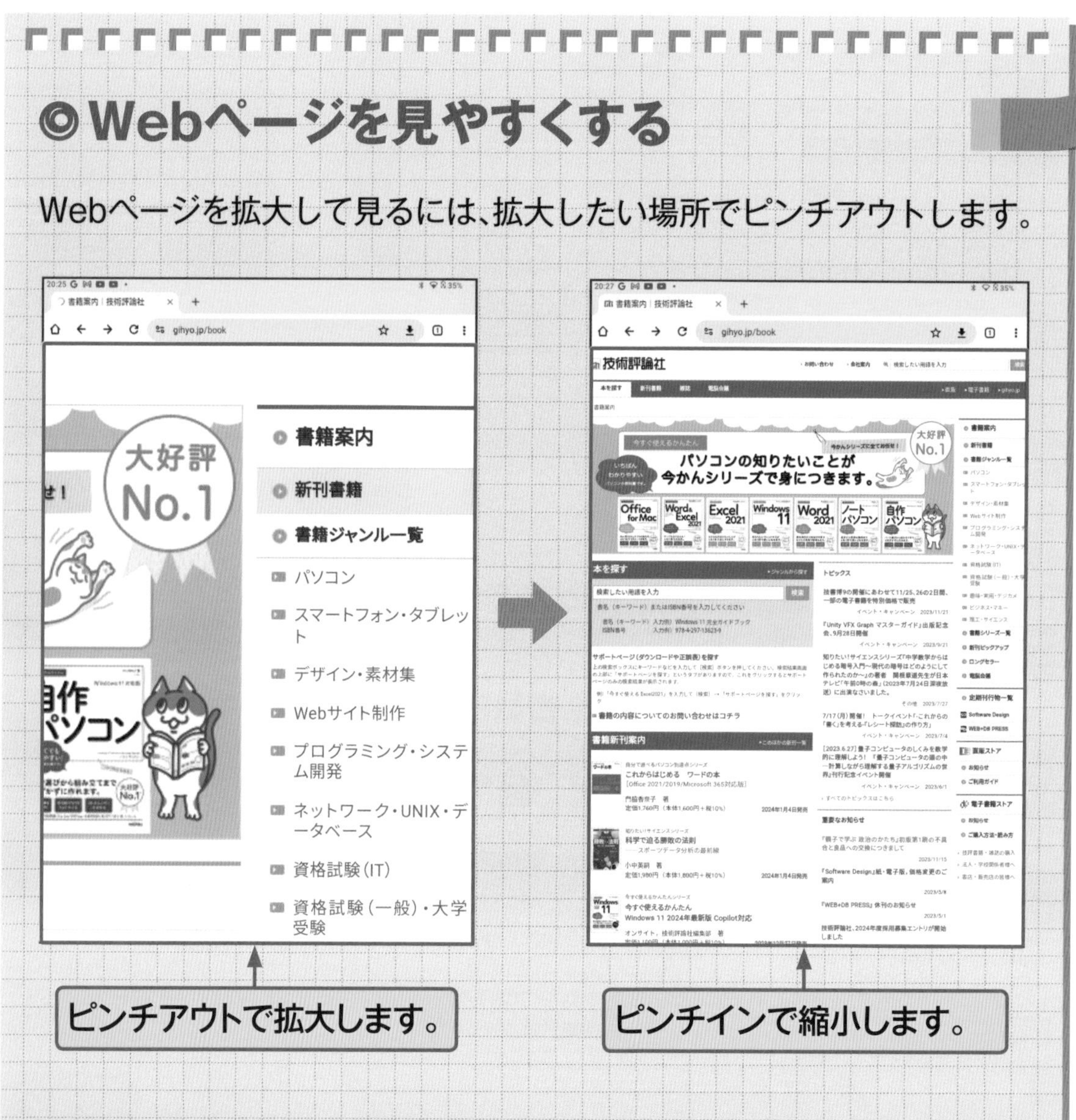

Webページを拡大／縮小表示する

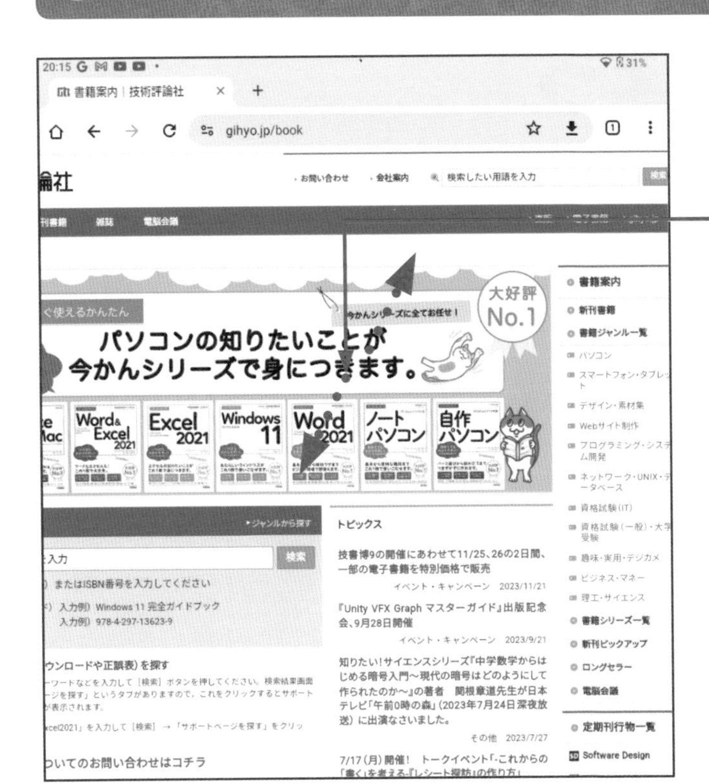

1 Webページを表示し、**ピンチアウト**すると、その部分を中心に拡大表示します。

ポイント

ピンチアウト、ピンチインについては17ページを参照してください。

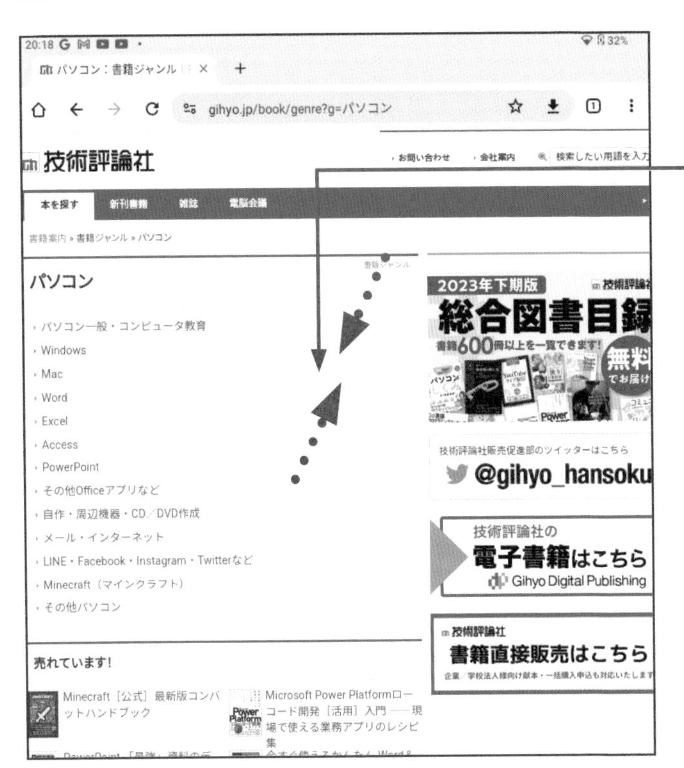

2 **ピンチイン**すると、その部分を中心に縮小して表示します。

終わり

タブの操作

Section 22

複数のWebページを表示しよう

キーワード Webページ・タブの追加・タブの切り替え

いくつかのWebページを同時に開きたいときには、タブを追加します。タブを切り替えると、別のWebページをすばやく表示することができます。

◎タブを追加して複数のWebページを表示する

複数のWebページを同時に開くにはタブを追加します。Webページごとにタブを切り替えて表示します。

タブを追加します。

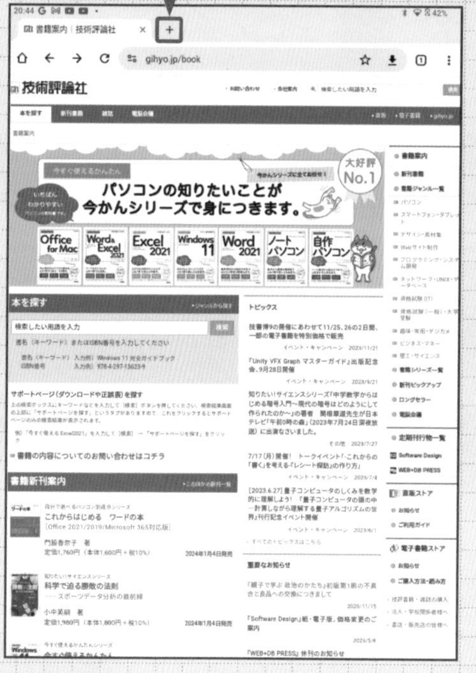

タブを切り替えて別のWebページを表示することができます。

◎ 新しいタブを追加する

1 ＋をタップします。

2 新しいタブが追加されました。

3 左側には、いままで開いたタブが表示されています。

次へ

◎ タブを切り替える

1 新しいタブは右側に表示されていきます。前に開いたタブを開くには、左側のタブを**タップ**します。

2 タップしたタブの画面に切り替わりました。

タブを閉じる

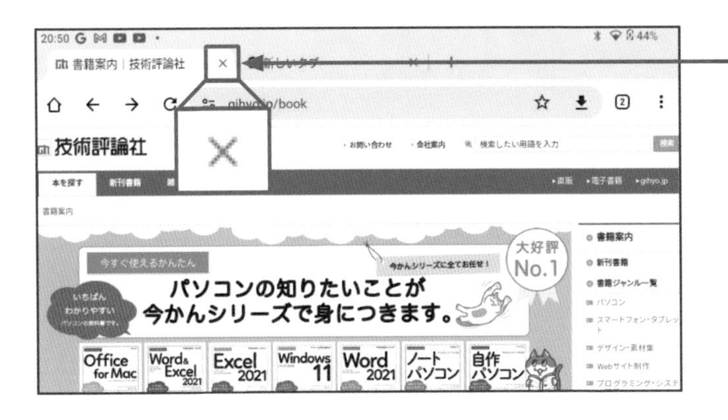

1 ×をタップします。

2 タブが閉じました。

ポイント

たくさんのタブを開くと、Webページの表示が遅くなることがあります。不要なタブは小まめに閉じましょう。

コラム　タブをたくさん開きすぎたときは

タブを大量に開いていくと、上部のスペースに表示しきれなくなってしまいます。タブを左右にスワイプすると、隠れているタブを表示することができます。

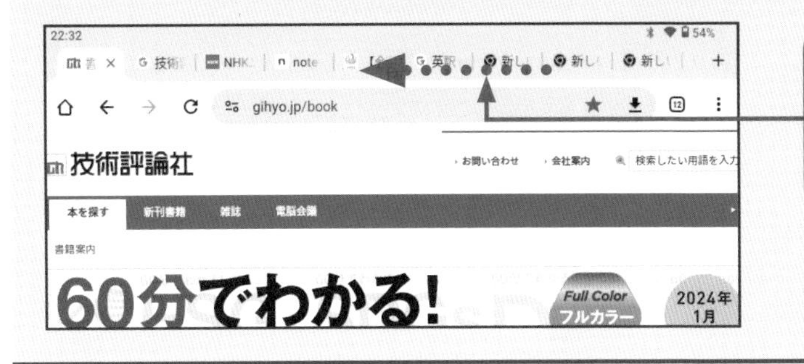

タブを左にスワイプします。

終わり

Section 23 お気に入りのWebページをブックマークしよう

キーワード Webページ・ブックマーク・お気に入り

よく見るWebページや気に入ったWebページはブックマークしておきましょう。あとからでも、好きなページをすぐに見ることができて便利です。

◎ブックマークとは

ブックマークは、Webページをリストにして保存できる機能です。ブックマークしたWebページはすぐに表示することができます。

Webページが表示されています。

20:27 35%
書籍案内｜技術評論社
gihyo.jp/book
技術評論社
お問い合わせ
会社案内
検索したい用語を入力
本を探す
新刊書籍
雑誌
電脳会議
直販
電子書籍
gihyo.jp
書籍案内
今すぐ使えるかんたん
今かんシリーズに全てお任せ！
大好評 No.1
いちばんわかりやすい
パソコンの知りたいことが今かんシリーズで身につきます。
Office for Mac
Word & Excel 2021
Excel 2021
Windows 11
Word 2021
ノートパソコン
自作パソコン
書籍案内
新刊書籍
書籍ジャンル一覧
パソコン
スマートフォン・タブレット
デザイン・素材集
Webサイト制作
プログラミング・システム開発
ネットワーク・UNIX・データベース
資格試験（IT）
資格試験（一般）・大学受験
趣味・実用・デジカメ
ビジネス・マネー
理工・サイエンス
書籍シリーズ一覧
新刊ピックアップ
ロングセラー
電脳会議
定期刊行物一覧
Software Design
WEB+DB PRESS
直販ストア
お知らせ
ご利用ガイド
電子書籍ストア
お知らせ
ご購入方法・読み方
技評書籍・雑誌の購入
法人・学校関係者様へ
書店・販売店の皆様へ
本を探す
ジャンルから探す
検索したい用語を入力
検索
書名（キーワード）またはISBN番号を入力してください
書名（キーワード） 入力例）Windows 11 完全ガイドブック
ISBN番号 入力例）978-4-297-13623-9
サポートページ（ダウンロードや正誤表）を探す
上の検索ボックスにキーワードなどを入力して［検索］ボタンを押してください。検索結果画面の上部に「サポートページを探す」というタブがありますので、これをクリックするとサポートページのみの検索結果が表示されます。
例）「今すぐ使えるExcel2021」を入力して［検索］→「サポートページを探す」をクリック
書籍の内容についてのお問い合わせはコチラ
書籍新刊案内
このほかの新刊一覧
自分で調べるパソコン到達点シリーズ
これからはじめる　ワードの本
［Office 2021/2019/Microsoft 365対応版］
門脇香奈子　著
定価1,760円（本体1,600円＋税10%）　2024年1月4日発売
知りたい！サイエンスシリーズ
科学で迫る勝敗の法則
――スポーツデータ分析の最前線
小中英嗣　著
定価1,960円（本体1,800円＋税10%）　2024年1月4日発売
今すぐ使えるかんたんシリーズ
今すぐ使えるかんたん
Windows 11 2024年最新版 Copilot対応
トピックス
技書博9の開催にあわせて11/25、26の2日間、一部の電子書籍を特別価格で販売
イベント・キャンペーン　2023/11/21
『Unity VFX Graph マスターガイド』出版記念会、9月28日開催
イベント・キャンペーン　2023/9/21
知りたい！サイエンスシリーズ『中学数学からはじめる暗号入門～現代の暗号はどのようにして作られたのか～』の著者　関根章道先生が日本テレビ「午前0時の森」（2023年7月24日深夜放送）に出演なさいました。
その他　2023/7/27
7/17（月）開催！　トークイベント「-これからの「書く」を考える-『レシート探訪』の作り方」
イベント・キャンペーン　2023/7/4
［2023.6.27］量子コンピュータのしくみを数学的に理解しよう！『量子コンピュータの頭の中―計算しながら理解する量子アルゴリズムの世界』刊行記念イベント開催
イベント・キャンペーン　2023/6/1
すべてのトピックスはこちら
重要なお知らせ
『親子で学ぶ 政治のかたち』初版第1刷の不具合と良品への交換につきまして
2023/11/15
『Software Design』紙・電子版，価格変更のご案内
2023/5/8
『WEB+DB PRESS』休刊のお知らせ
2023/5/1

見ているページをブックマークします。

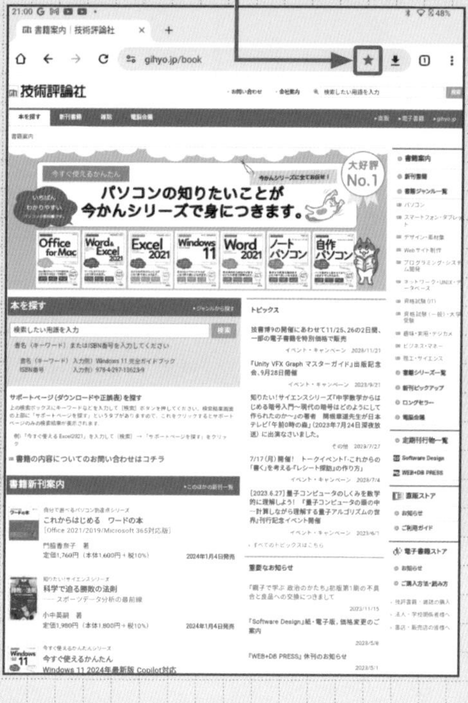

21:00 48%
書籍案内｜技術評論社
gihyo.jp/book
技術評論社
パソコンの知りたいことが今かんシリーズで身につきます。
本を探す
トピックス
書籍新刊案内
これからはじめる　ワードの本
科学で迫る勝敗の法則
今すぐ使えるかんたん
Windows 11 2024年最新版 Copilot対応

Webページをブックマークする

1 ブックマークするWebページを表示します。☆をタップします。

ポイント

機種によっては☆が表示されないことがあります。その場合は、⋮をタップすると☆が表示されます。

2 ☆の表示が変わり、ブックマークが完了します。

ポイント

ブックマークしたWebページで再度手順❶を行うと、ブックマークを編集する画面が表示されます。編集画面では、Webページの名前などの情報を確認・修正できます。

終わり

ブックマークの操作

Section 24

ブックマークした Webページを表示しよう

キーワード Webページ・ブックマークの表示・ブックマークの同期

ブックマークを開くと、今までに登録したWebページの一覧が表示されます。好きなWebページを選んで表示することができます。

◎ブックマークの一覧からWebページを表示する

ブックマークを開くと、登録したWebページの一覧が表示されます。一覧からWebページを選択して表示します。

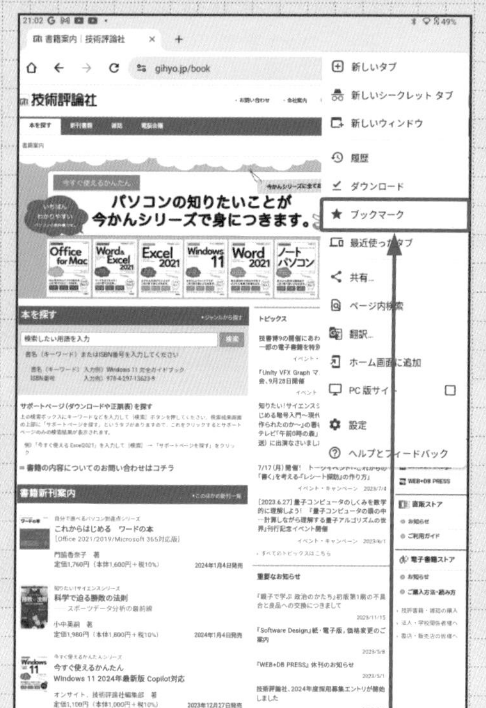

ブックマークを開きます。

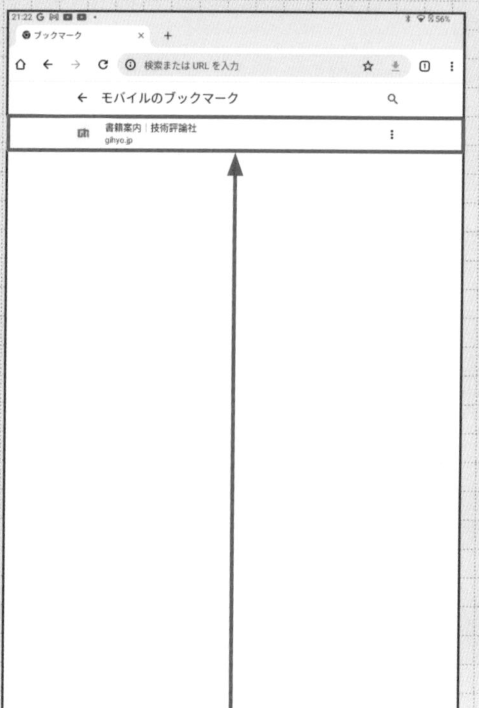

Webページを選択します。

◎ ブックマークしたWebページを表示する

1 ⋮ をタップします。

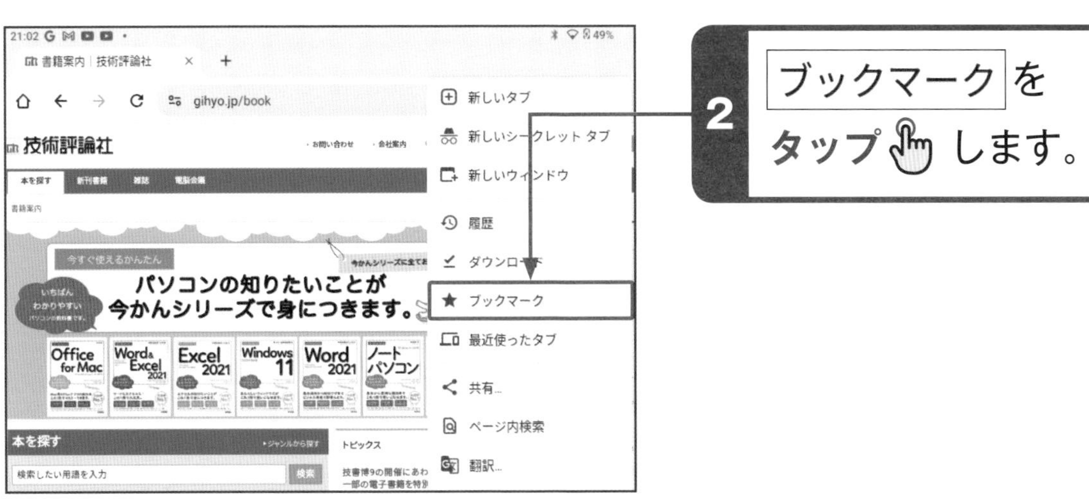

2 ブックマーク をタップします。

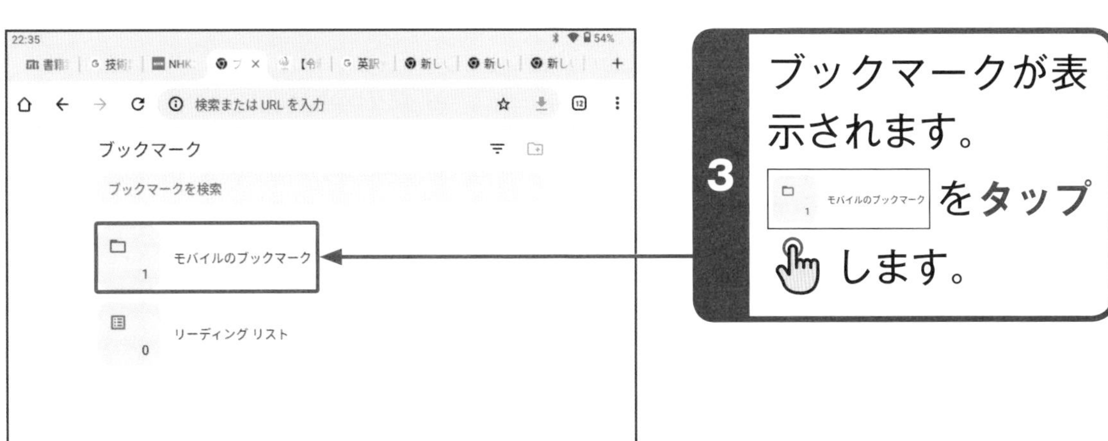

3 ブックマークが表示されます。モバイルのブックマーク をタップします。

次へ

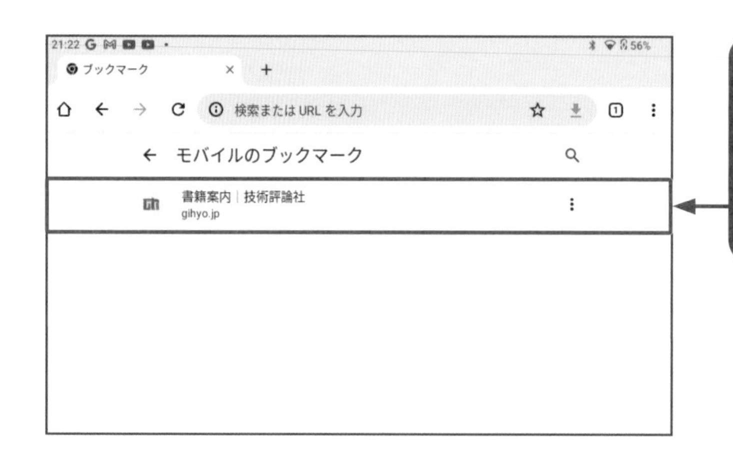

4 表示したいWebページをタップします。

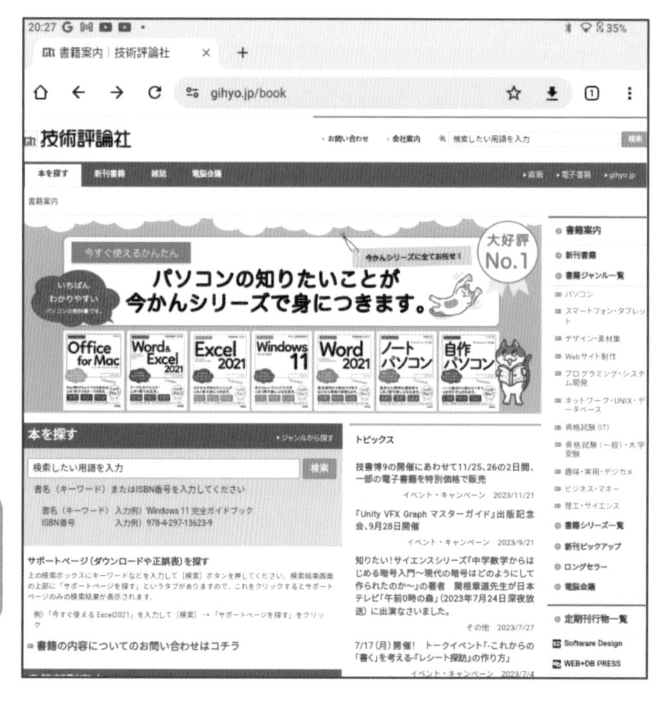

5 選択したWebページが表示されます。

コラム ブックマークの同期

Chromeのブックマークは、Googleアカウントに紐づいています。スマートフォンやPCなどでも同じGoogleアカウントでChromeを使っている場合、ブックマークを同期することができます。

終わり

メールを利用しよう

この章でできること

- メールについて知る
- Gmailを使う
- 受信したメールを読む
- メールを送信する
- メールに返信する

Section 25

Gmailを起動しよう

キーワード メール・Gmail・メールの起動

「Gmail」でメールを利用するには、まずアプリの起動を行います。「Gmail」の起動の方法と、画面の見方を確認しましょう。

◎Gmailの起動画面

「Gmail」はメールを利用するアプリで、起動すると受信トレイが表示されます。「Gmail」を利用するにはGoogleアカウントが必要です。

❶タップするとメニューが表示されます。
❷受信したメールです。メールの送信者名とタイトル、送信した日時などが表示されます。
❸メールを検索することができます。
❹タップすると重要なメールに印を付けることができます。
❺タップすると新しいメールを作成することができます（103ページ参照）。

◎ Gmailを起動する

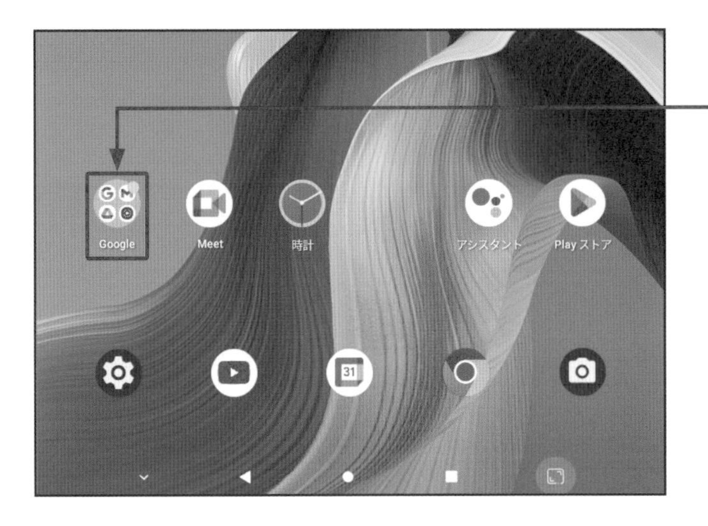

1 Google をタップ します。

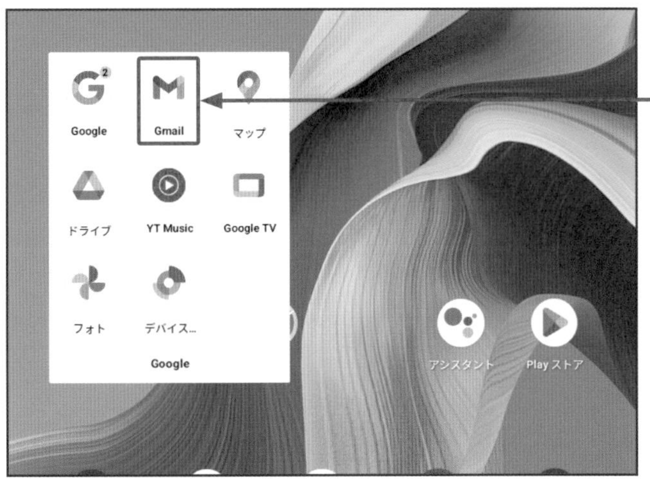

2 Gmail をタップ します。

19:26 ... 93%
メールを検索
メイン
キダユキ 19:26
ピアノ発表会のご案内
技田さんお久しぶりです。キダです。今度、ピアノの発表会に出演することになりました。この日のため...
veaaw174 12月3日
再送のお願い
技田さん すみません、先ほどのデータ再送してください。
veaaw174 12月3日
食事会のお知らせ
技田 諭さん お久しぶりです。鈴木です。お元気ですか？いつもの仲間と食事会を開催いたします。ぜひ...
Google 2 12月3日
セキュリティ通知
Android での新しいログイン gihyo555@gmail.com Android デバイスで、あなたの Google アカウントへの...
The Google Account Team 12月2日

3 「Gmail」が起動しました。

終わり

Section 26

受信したメールを読もう

キーワード Gmail・受信・受信トレイ

誰かがあなた宛にメールを送信すると、「Gmail」の受信トレイにメールがたまっていきます。受信トレイを開いて、新たに届いたメールを読んでみましょう。

◎受信メールを読む

「Gmail」を起動すると受信トレイが開き、メール一覧が表示されます。各メールをタップすると、本文が表示されます。

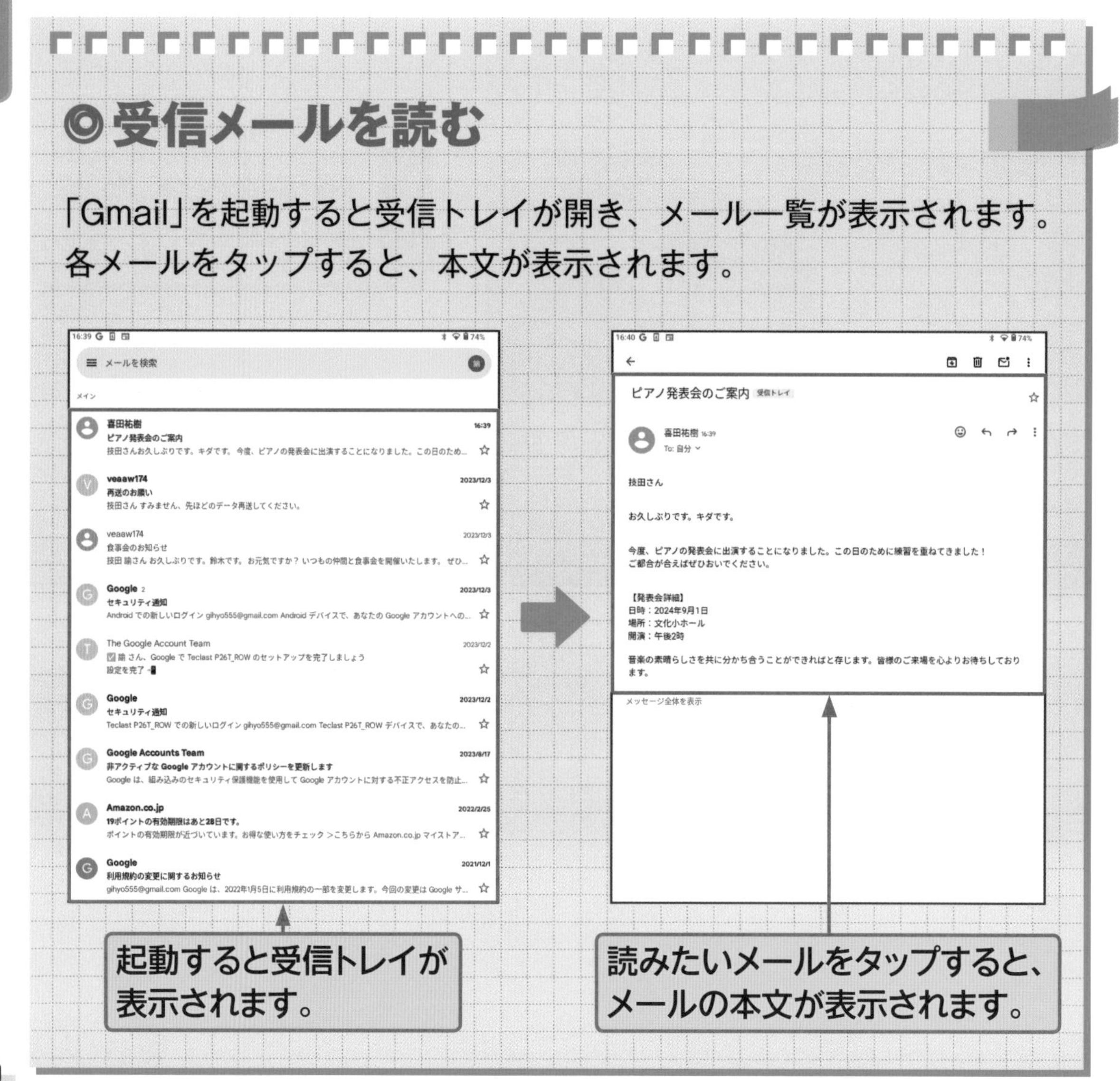

◎ 受信したメールを読む

1 99ページの手順で「Gmail」を起動します。読みたいメールをタップします。

ポイント

まだ本文を読んでいない「未読メール」は、送信者名とメールのタイトルが太字で表示されます。

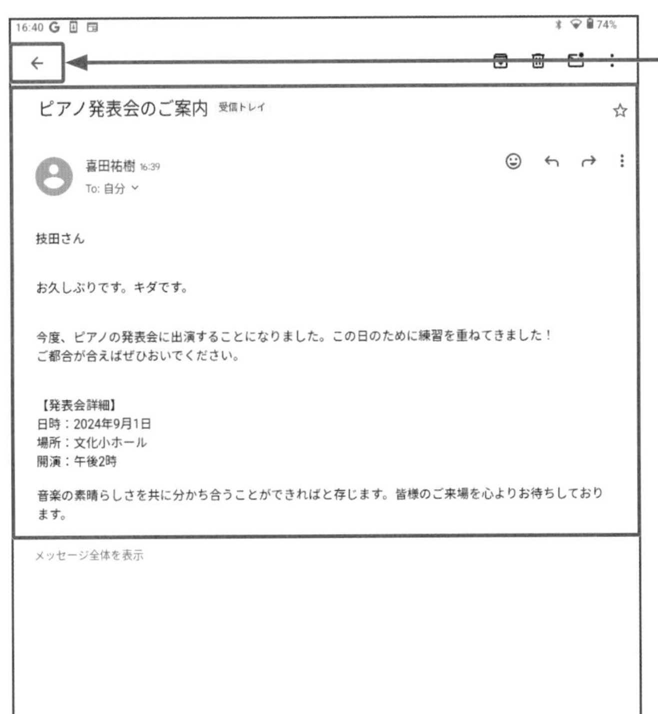

2 メールの本文が表示されました。

3 ← をタップすると、受信トレイの画面に戻ることができます。

終わり

Section 27

メールを送信しよう

キーワード Gmail・メールの送信・メールの作成

新しいメールを作成して送信してみましょう。メールの作成画面を表示して、送信先のメールアドレスとメールの件名、本文を入力して送信します。

◎新しいメールを作成して送信する

新しいメールを作成します。メールの本文や、送信先のアドレス、件名を入力して送信します。

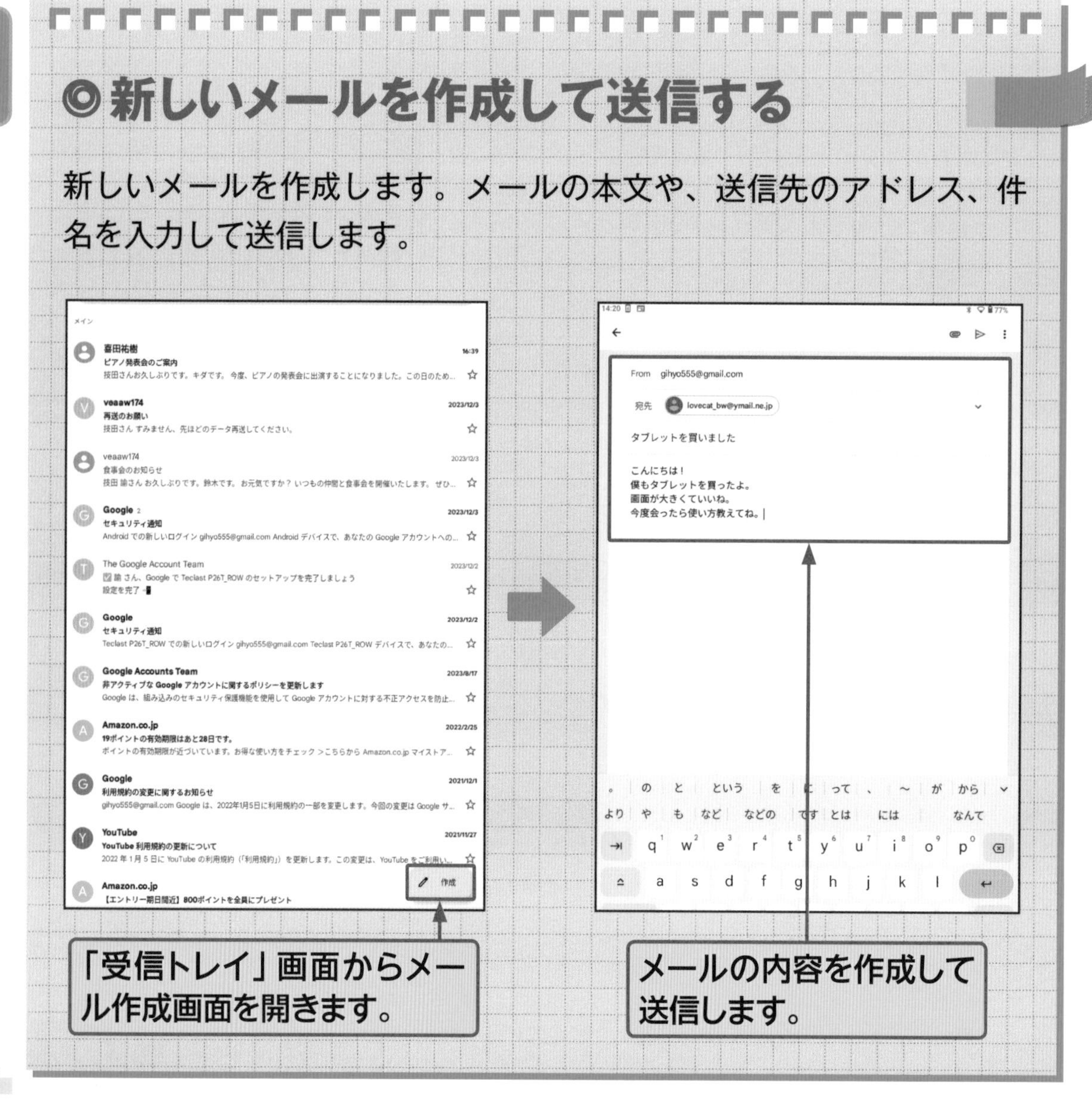

◎ メールを作成して送信する

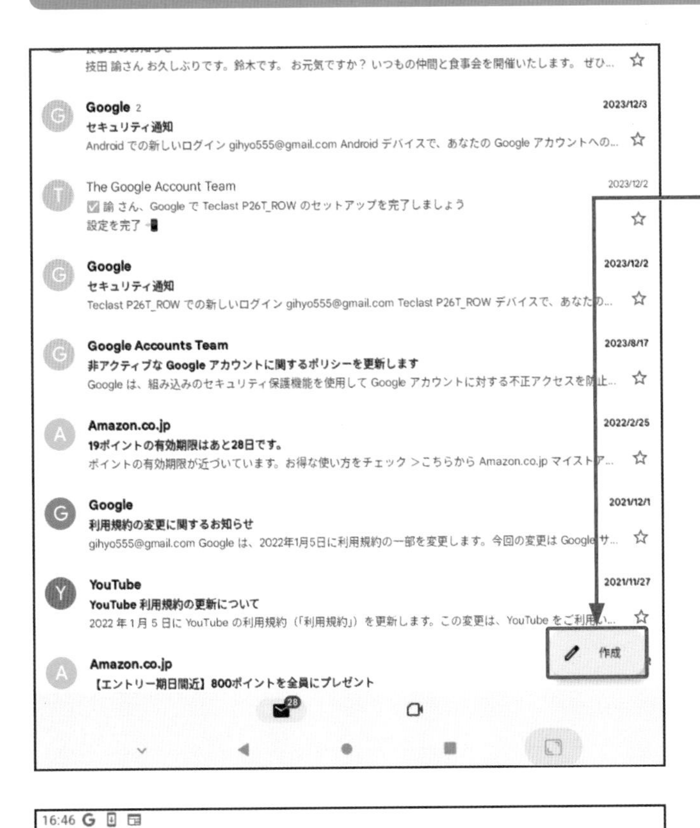

1 99ページの手順で「Gmail」を起動します。 作成 をタップします。

16:46

From gihyo555@gmail.com

宛先

件名

メールを作成

2 新しいメールの作成画面が表示されました。

3 送信先アドレス欄をタップします。

次へ

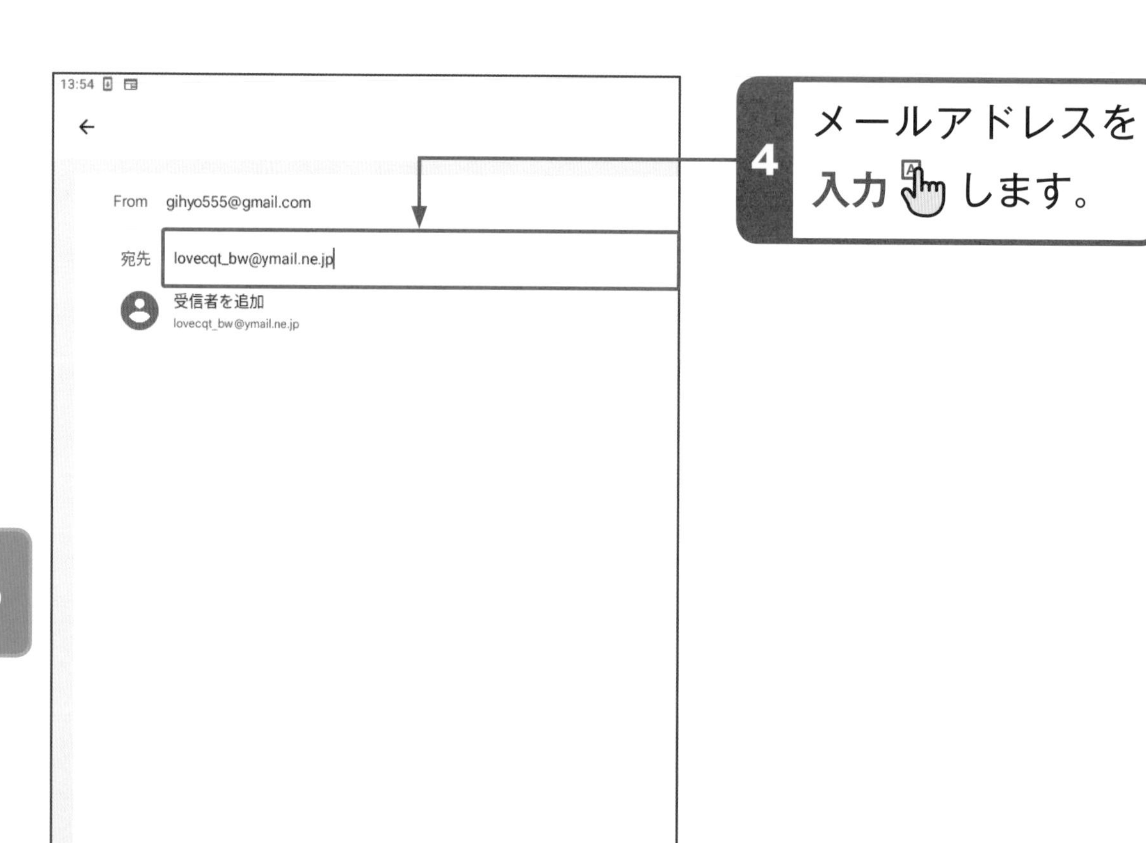

4 メールアドレスを入力 します。

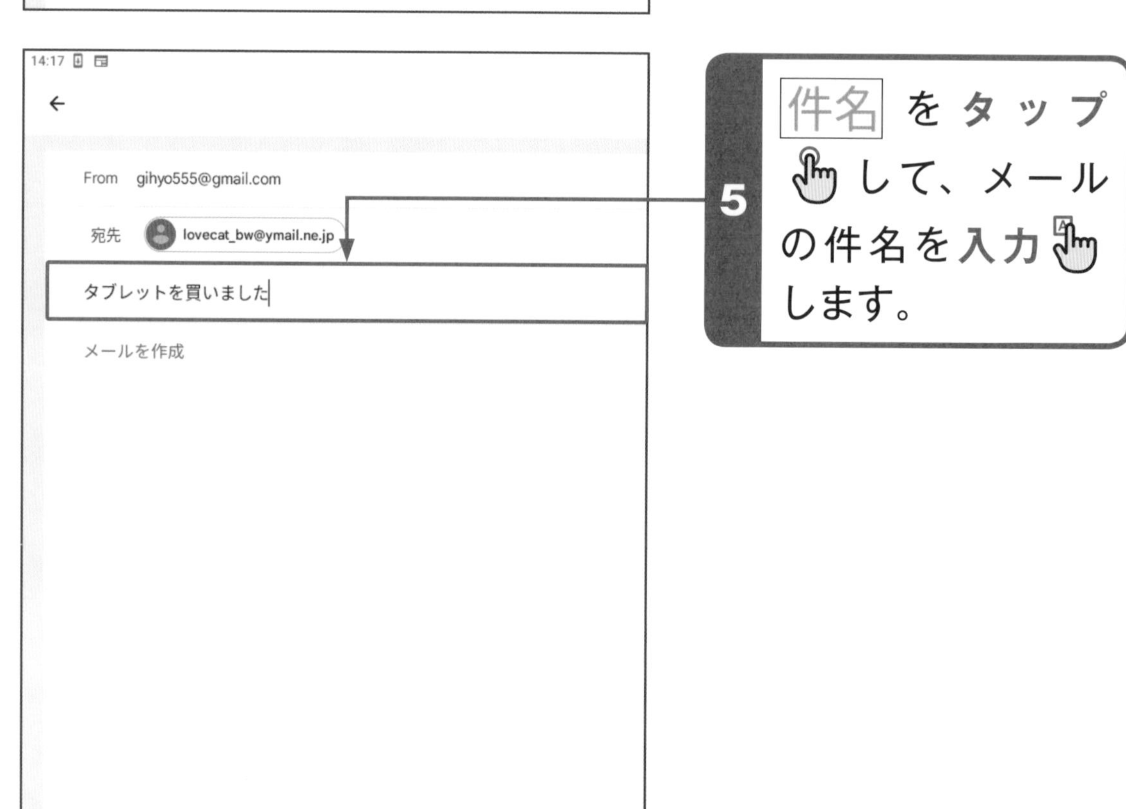

5 件名 をタップ して、メールの件名を入力 します。

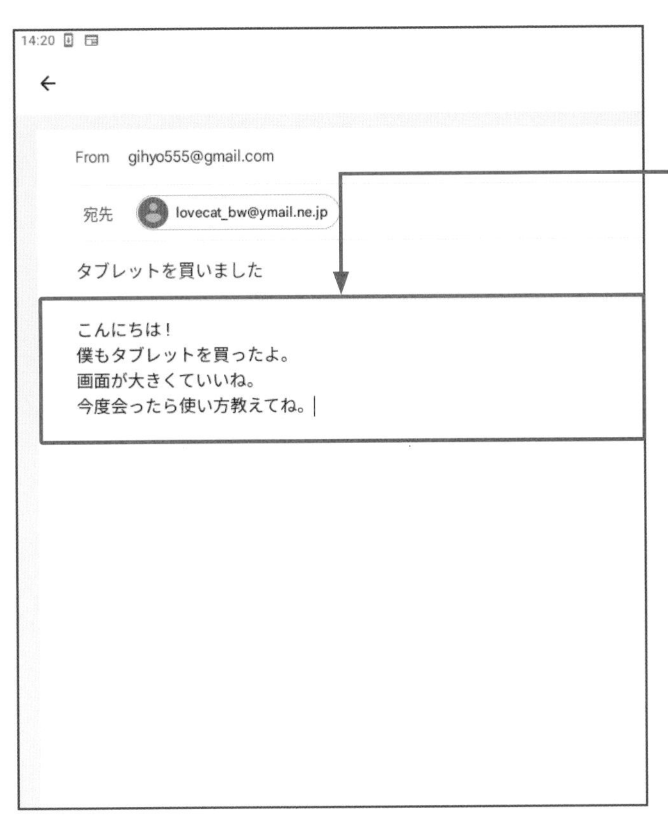

6 メールを作成 をタップして、本文を入力します。

7 送信 ▷ をタップすると、メールが送信されます。

ポイント

送信したメールは「受信トレイ」画面で左上の ☰→「送信済み」の順にタップすると表示できます。

終わり

メールの返信

Section 28

受信したメールに返信しよう

キーワード Gmail・返信・メールの作成

受信したメールに対して返信しましょう。相手のメールアドレスや件名があらかじめ入力されたメールが作成され、メールをくれた相手に返事を送ることができます。

◎メールに返信する

受信したメールを表示して「返信」をタップすると、相手のメールアドレスや件名が入ったメールが新たに作成されます。

タップすると、返信メールが作成されます。

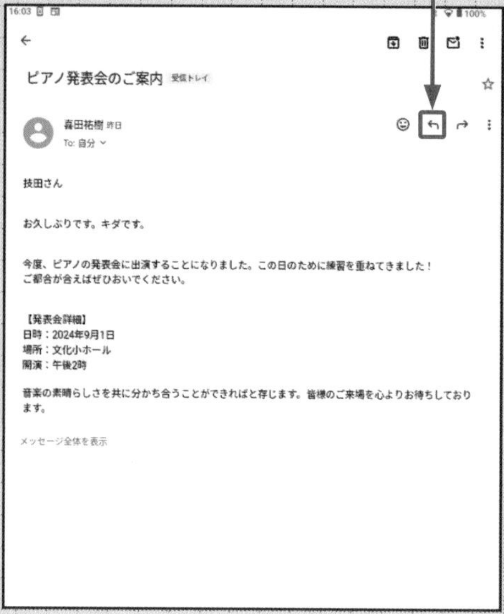

返信先のメールアドレスや件名があらかじめ入力されています。

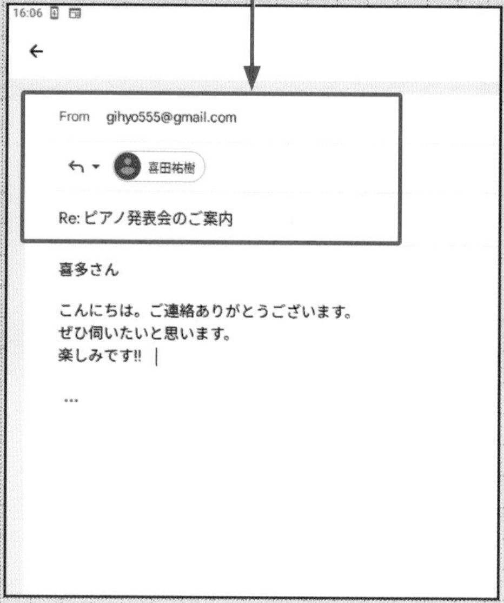

ピアノ発表会のご案内 受信トレイ

喜田祐樹 昨日
To: 自分

技田さん

お久しぶりです。キダです。

今度、ピアノの発表会に出演することになりました。この日のために練習を重ねてきました！
ご都合が合えばぜひおいでください。

【発表会詳細】
日時：2024年9月1日
場所：文化小ホール
開演：午後2時

音楽の素晴らしさを共に分かち合うことができればと存じます。皆様のご来場を心よりお待ちしております。

メッセージ全体を表示

From gihyo555@gmail.com

喜田祐樹

Re: ピアノ発表会のご案内

喜多さん

こんにちは。ご連絡ありがとうございます。
ぜひ伺いたいと思います。
楽しみです!!

◎ 受信したメールに返信する

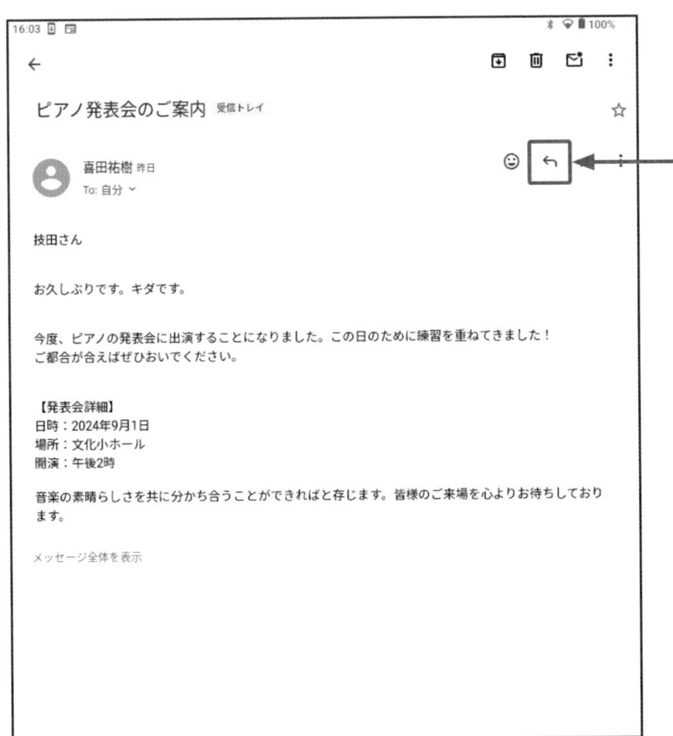

1 101ページの手順で受信メールの本文を表示します。返信をタップします。

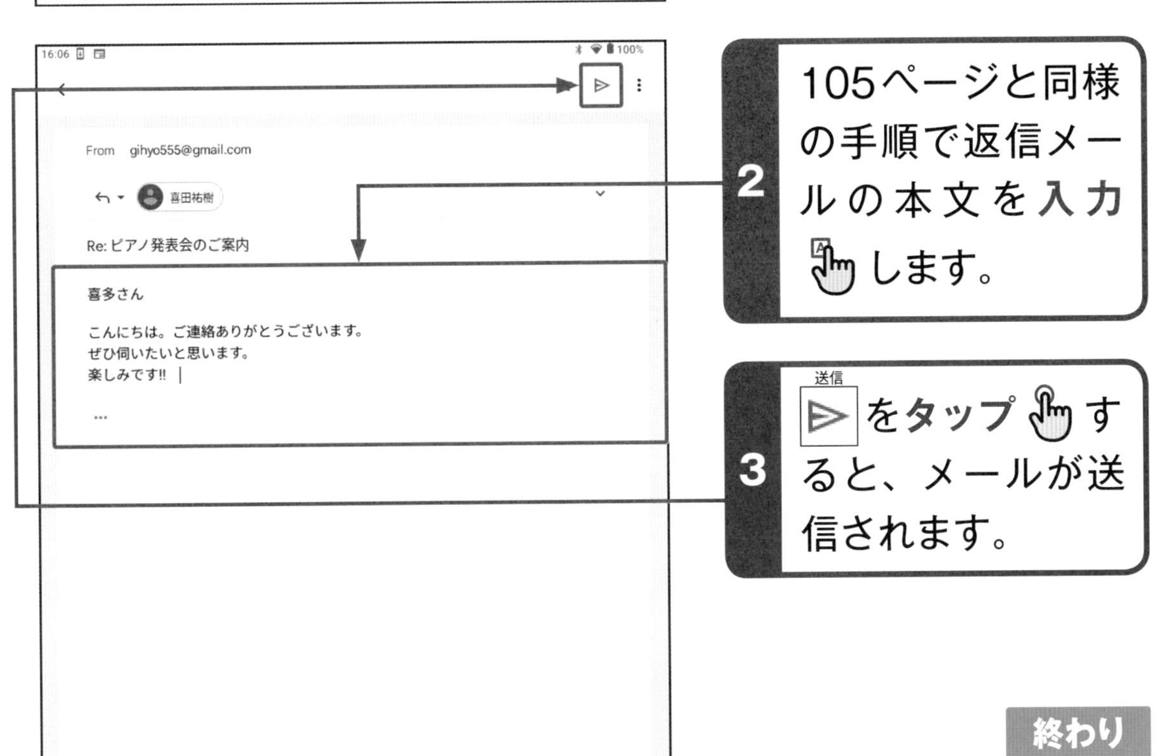

2 105ページと同様の手順で返信メールの本文を入力します。

3 送信をタップすると、メールが送信されます。

終わり

コラム　メールが見つからないないときは

Gmailでは、届いたメールを自動的にいろいろな受信トレイに振り分けるようになっています。メールが見つからない場合は、「すべてのメール」や「迷惑メール」を確認してみましょう。

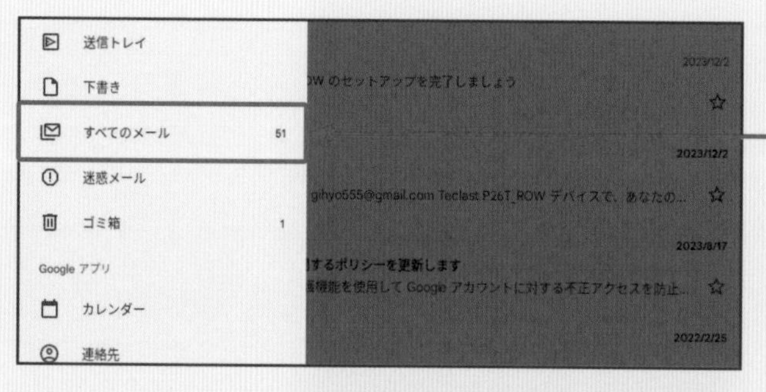

すべてのメール をタップすると、すべてのメールが表示されます。

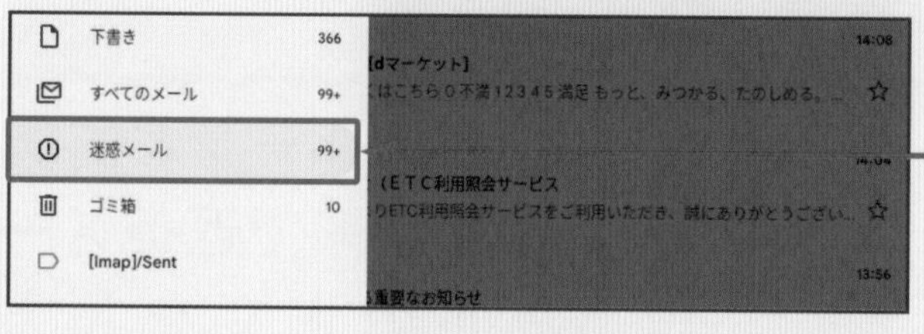

迷惑メール をタップすると、迷惑メールに振り分けられたメールが表示されます。

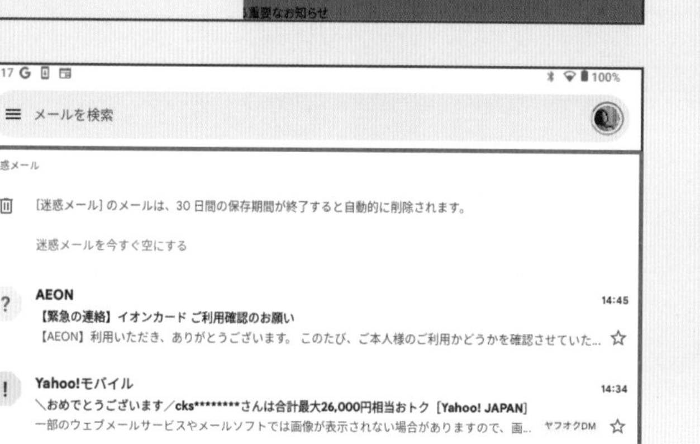

※楽天やAmazonなどの通販サイト、銀行、カード会社などを装った悪質なメールが送られてくることが多いので注意しましょう。

アプリを追加しよう

この章でできること

- アプリの追加について知る
- アプリを検索して追加する
- アプリの詳細を確認する
- アプリを削除する
- 人気のアプリを知る

Playストア

Section 29 アプリの追加について知ろう

キーワード アプリ・Playストア・アプリの料金

タブレットにアプリを追加すると、いろいろな機能を使えるようになります。面白そうなアプリを見付けたら追加してみましょう。必要がなくなったアプリは削除できます。

アプリを追加するには

アプリの追加は、Googleのアプリ配信サービスである「Playストア」から行います。
Playストアにはたくさんのアプリが登録されています。そこから使いたいアプリを選択して、自分のタブレットにインストールし、タブレットの機能を増やすことができます。
Playストアはホーム画面の「Playストア」アプリを起動すると表示されます。

ポイント

Playストアは「Google Play」「Google Playストア」と表示されることもあります。

◎ アプリの料金について

アプリには有料のものと無料のものがあります。料金はアプリの詳細ページに明記されています。
本書では、基本的に無料で使えるアプリを紹介しています。

コラム 「アプリ内課金あり」とは

一部のアプリには詳細ページ(115ページ参照)に「アプリ内課金あり」と記載されています。
これらのアプリは、基本的には無料で使えますが、機能やアイテムを追加する際に、課金が必要となる場合があります。

終わり

アプリの検索

Section 30 Playストアでアプリを検索しよう

キーワード Playストア・アプリ・アプリ検索

アプリを追加したいときは、「Playストア」アプリを起動して、キーワードで検索を行います。検索結果で表示されるアプリの詳細ページを見ると、アプリの説明や評価を確認できます。

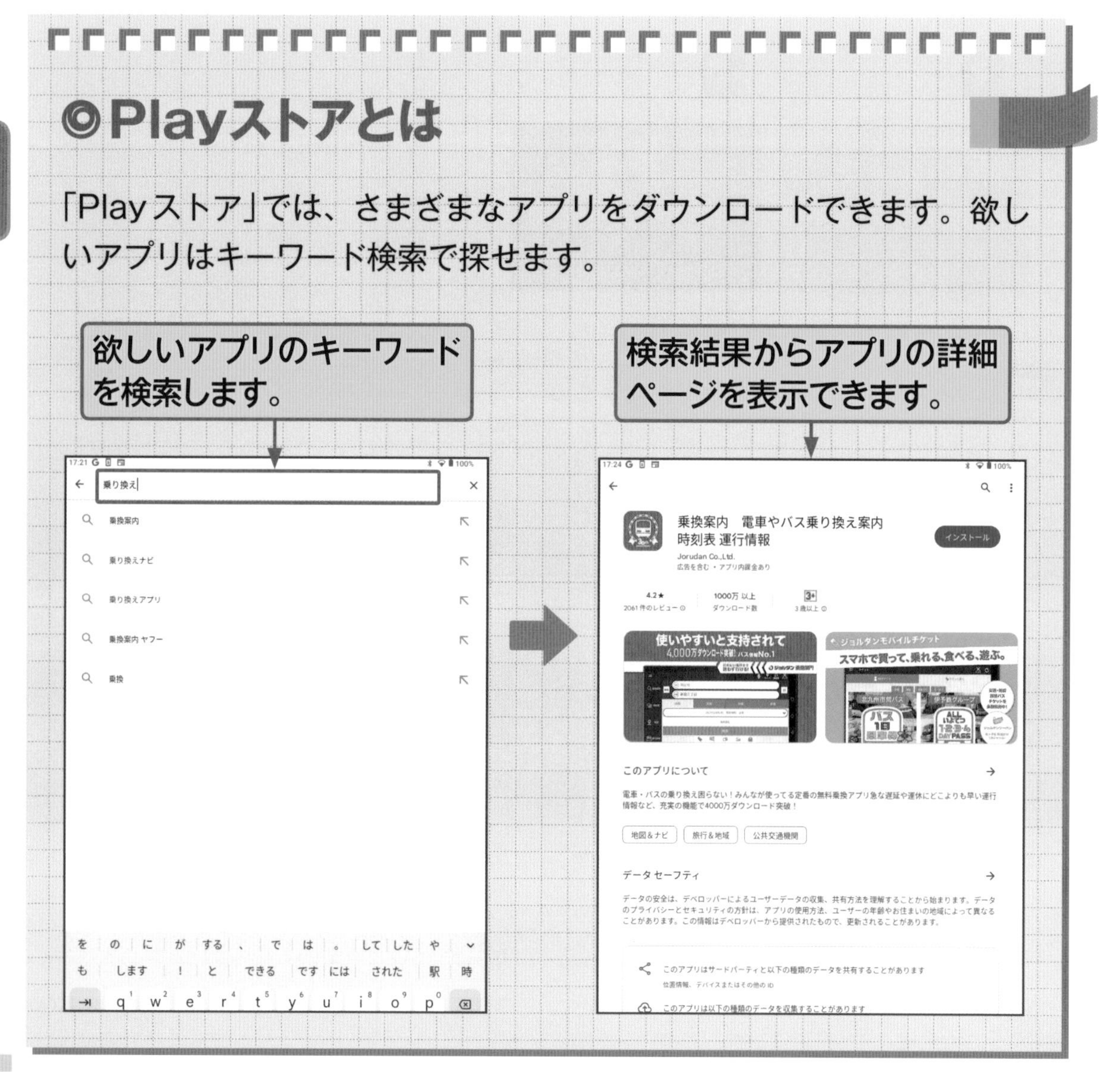

◎Playストアとは

「Playストア」では、さまざまなアプリをダウンロードできます。欲しいアプリはキーワード検索で探せます。

◎ Playストアでアプリを検索する

1 Playストア ▶ をタップ 👆 します。

2 「Playストア」の画面が表示されます。検索欄をタップ 👆 します。

次へ

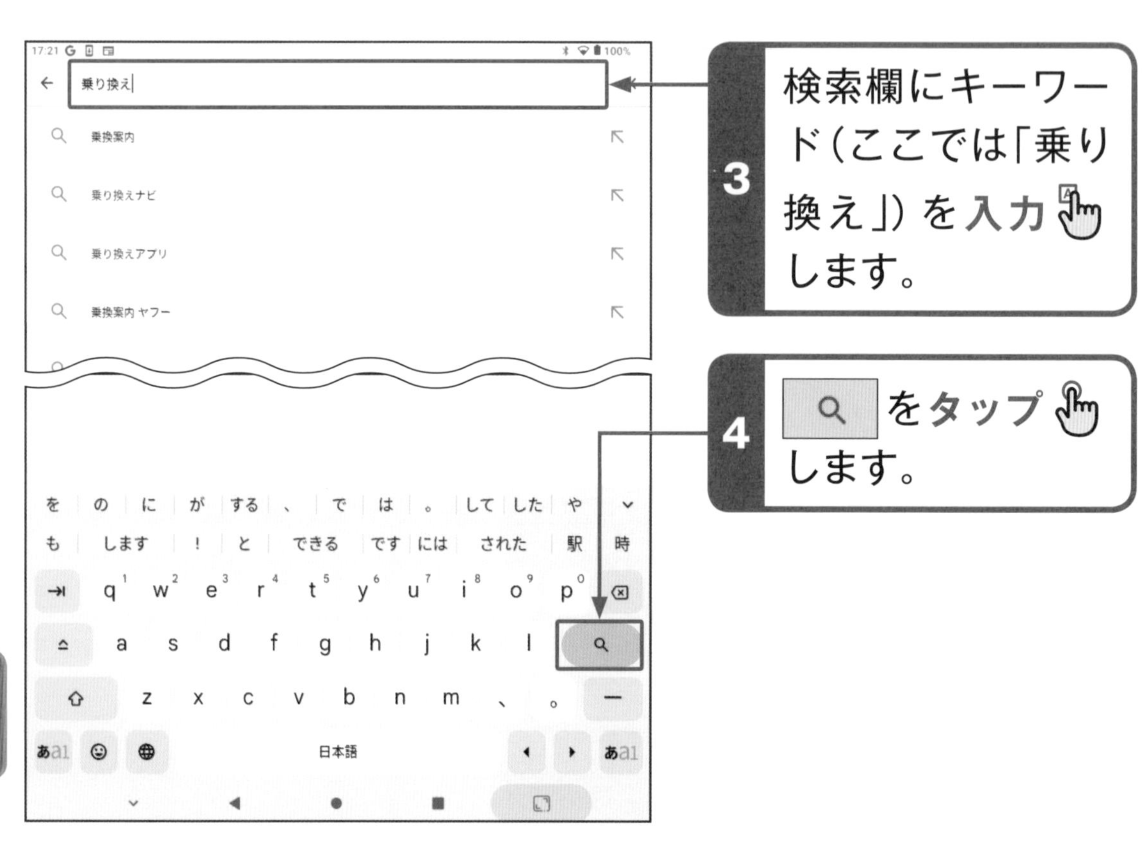

3 検索欄にキーワード（ここでは「乗り換え」）を**入力**します。

4 🔍 を**タップ**します。

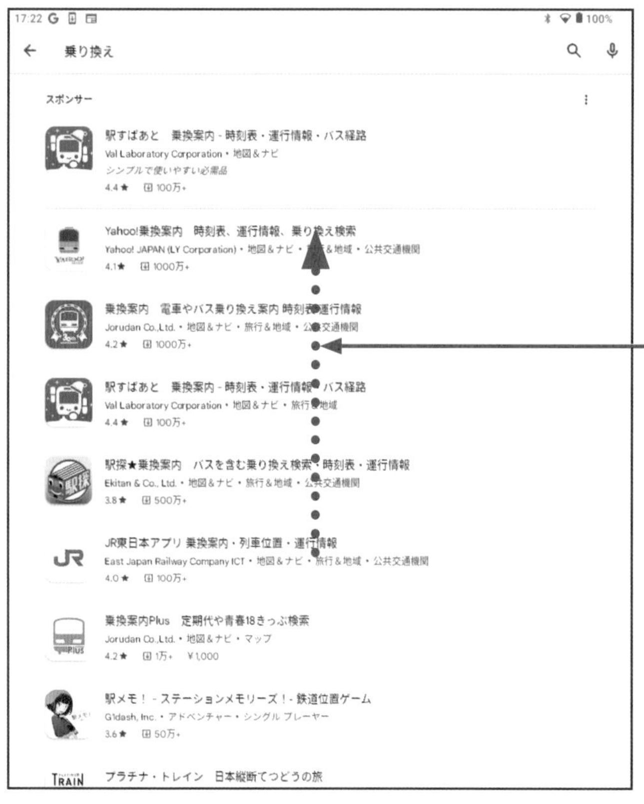

5 キーワードに合致するアプリが表示されます。上に**スワイプ**すると、さらにアプリが表示されます。

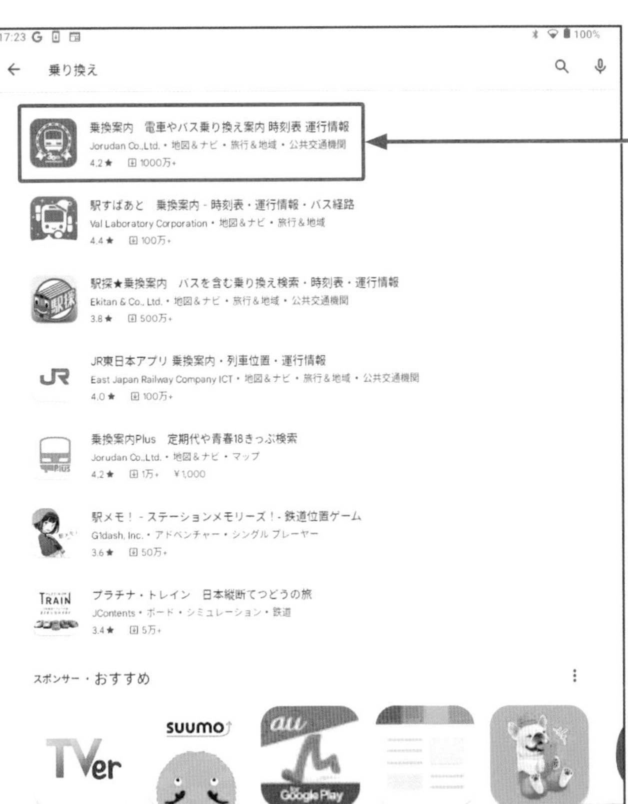

6 検索結果一覧から目的に合いそうなアプリを探し、アプリ名をタップ👆します。

7 アプリの詳細ページが表示されました。詳細ページではデベロッパー（開発者）やアプリの説明、利用者の評価などを確認できます。

ポイント

左上の←をタップすると、検索結果一覧に戻ります。

終わり

アプリの追加

Section 31

検索したアプリを追加しよう

キーワード Playストア・アプリ詳細画面・インストール

アプリを自分のタブレットに追加するためには、「インストール」という操作を行います。インストールは「Playストア」のアプリ詳細ページから行います。

◎アプリをインストールする

「Playストア」では、アプリごとに詳細ページが用意されています。アプリに関する情報を確認して、インストールすることができます。

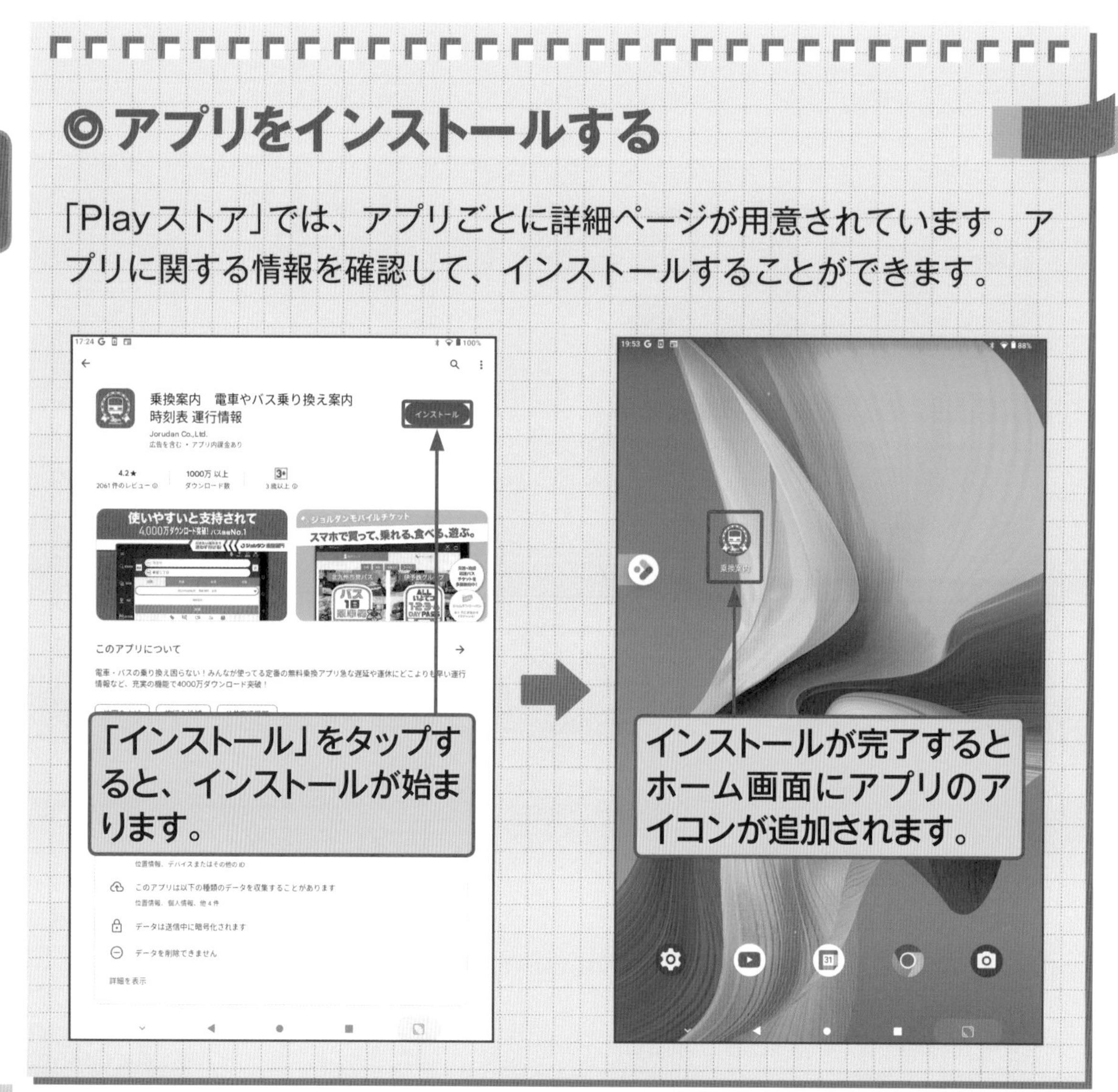

◎ 検索したアプリを追加する

112～115ページを参考にアプリの詳細ページを表示します。

1 インストール をタップします。

ポイント

有料アプリの場合は、デベロッパー表示の下に金額が表示されます。

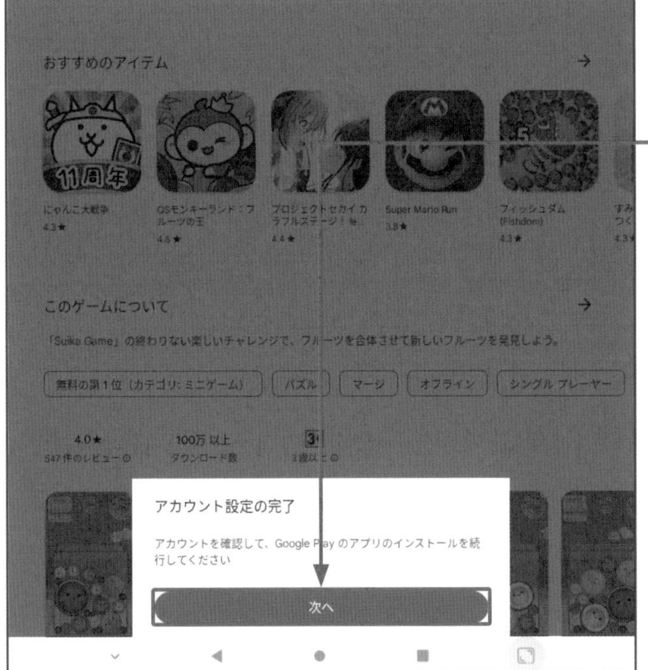

2 アカウントの確認画面が表示されたら、次へ をタップします。

ポイント

一度アプリをインストールしたあとは、この手順を経ずに次のページの手順❸に進みます。

次へ

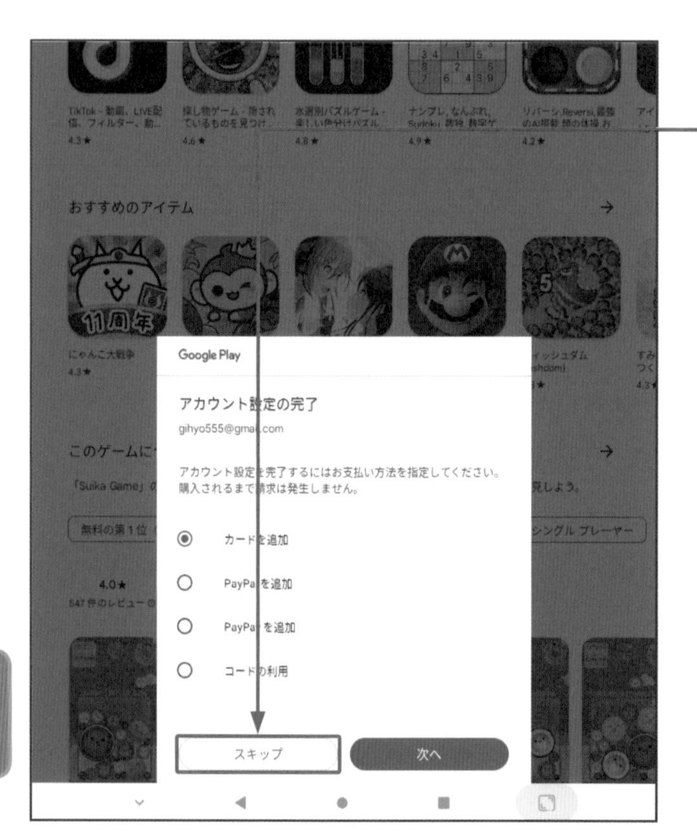

3 スキップ をタップします。

ポイント

スキップを選ぶと、この後アプリのインストール画面が表示されなかったり、Playストアの表示が英語になる場合があります。その場合はいったんPlayストアを終了して、最初からインストールを行ってください。

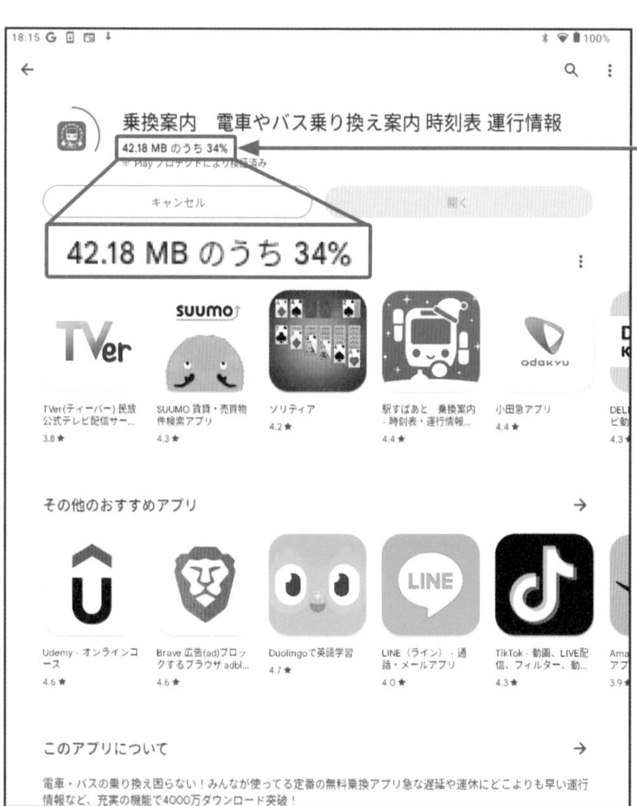

4 ダウンロードが開始し、ダウンロード状況が表示されます。そのまま待ちます。

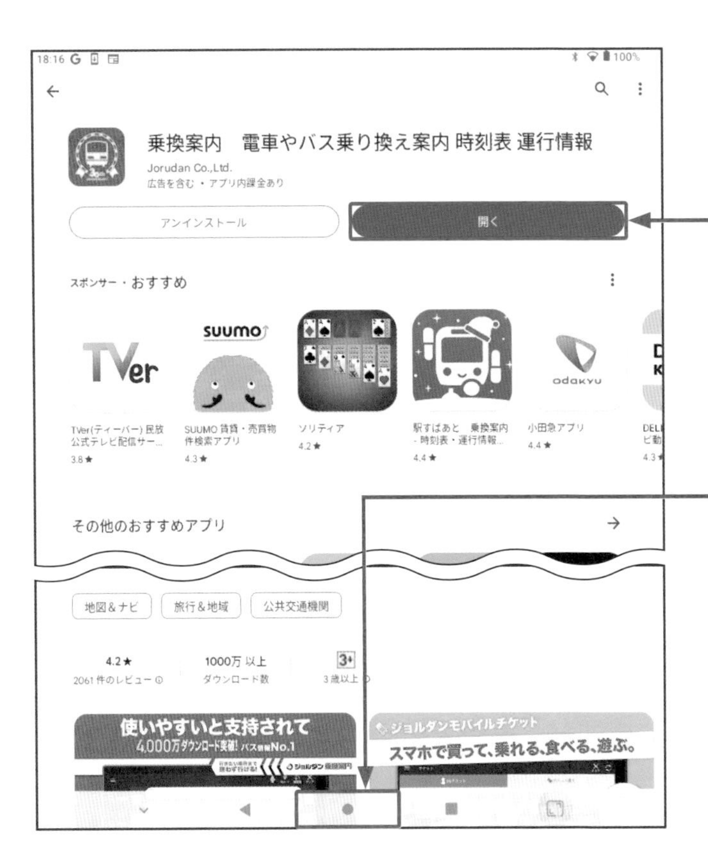

5 ダウンロードが完了すると、「インストール」の表示が「開く」に変わります。

6 ホームキーをタップします。

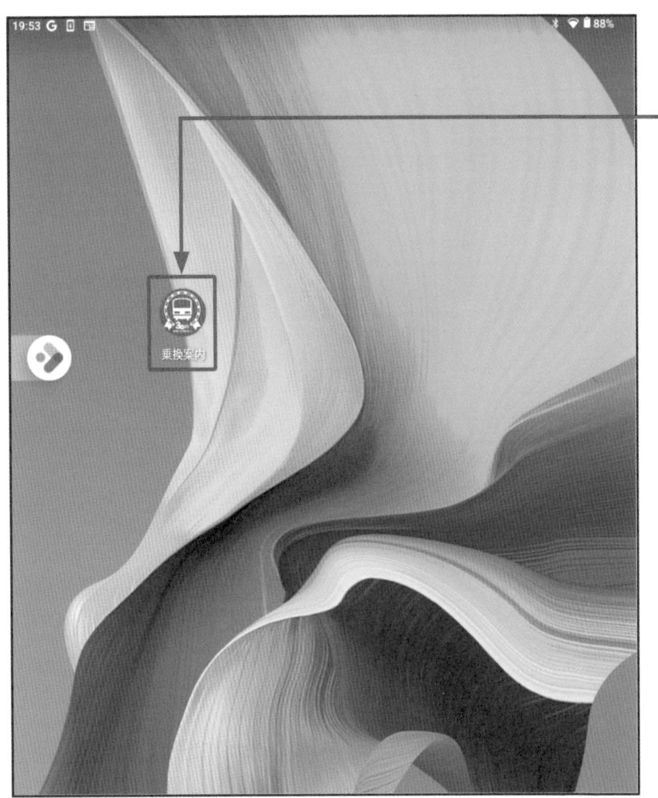

7 ホーム画面にアプリのアイコンが追加されました。

ポイント

追加されたアプリをホーム画面で見つけられない場合は、アプリの一覧から探してみましょう（52ページ参照）。

終わり

アプリの削除

Section 32

不要なアプリを削除しよう

キーワード アプリの管理・アンインストール・Playストア

タブレットに追加したアプリが不要になったら、削除しましょう。アプリの削除は「アンインストール」と呼び、「Playストア」から行います。

◎アプリをアンインストールする

アプリの削除は「アンインストール」と呼びます。「Playストア」を表示し、「インストール済み」から行います。

「インストール済み」のアプリ一覧を表示して、削除したいアプリをタップします。

「アンインストール」をタップすると、タブレットからアプリが削除されます。

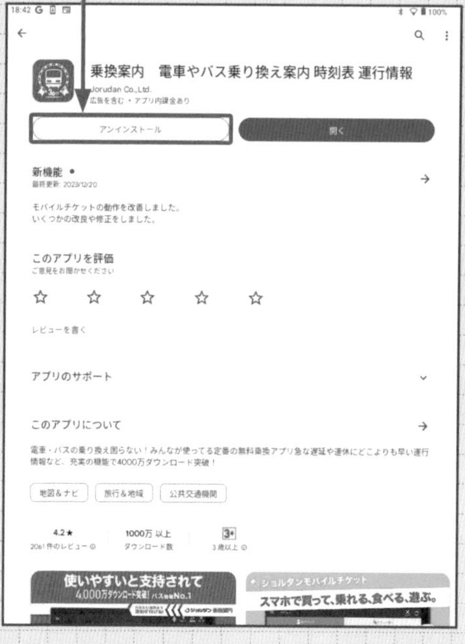

◎ 不要なアプリを削除する

1 113ページの手順で「Playストア」を起動します。検索欄の右にあるアイコンをタップします。

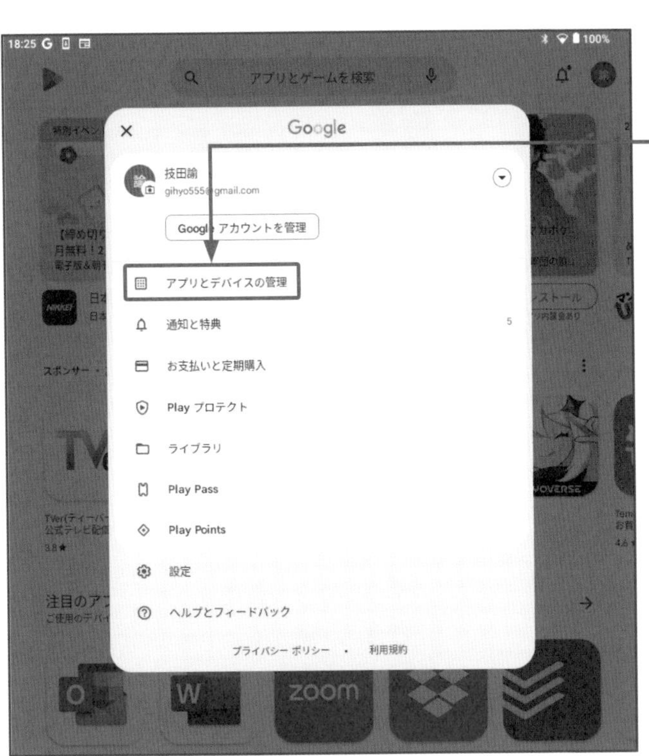

2 「アプリとデバイスの管理」をタップします。

次へ

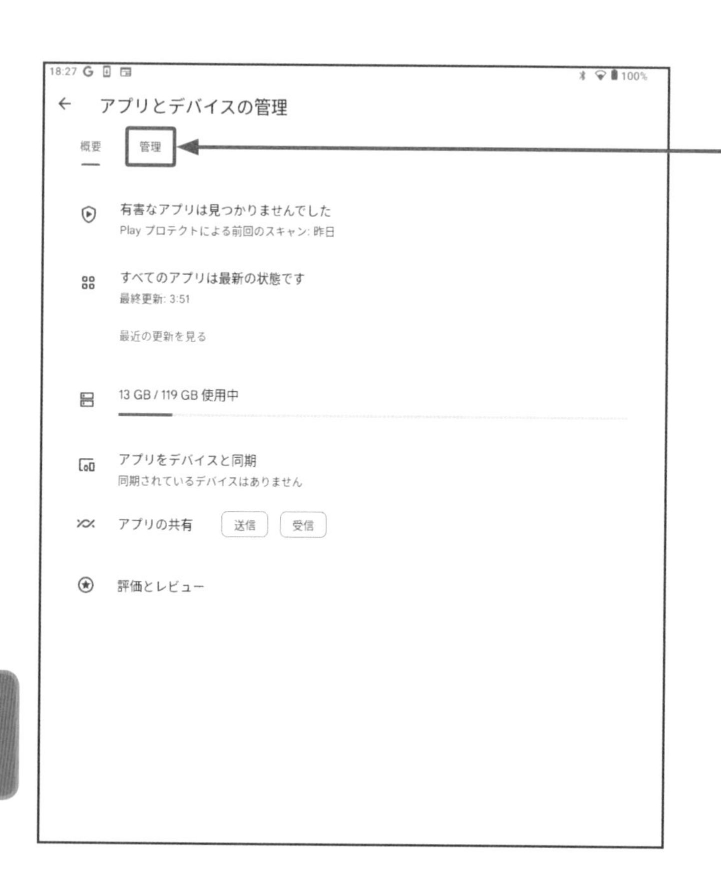

3 「アプリとデバイスの管理」画面が表示されます。管理をタップします。

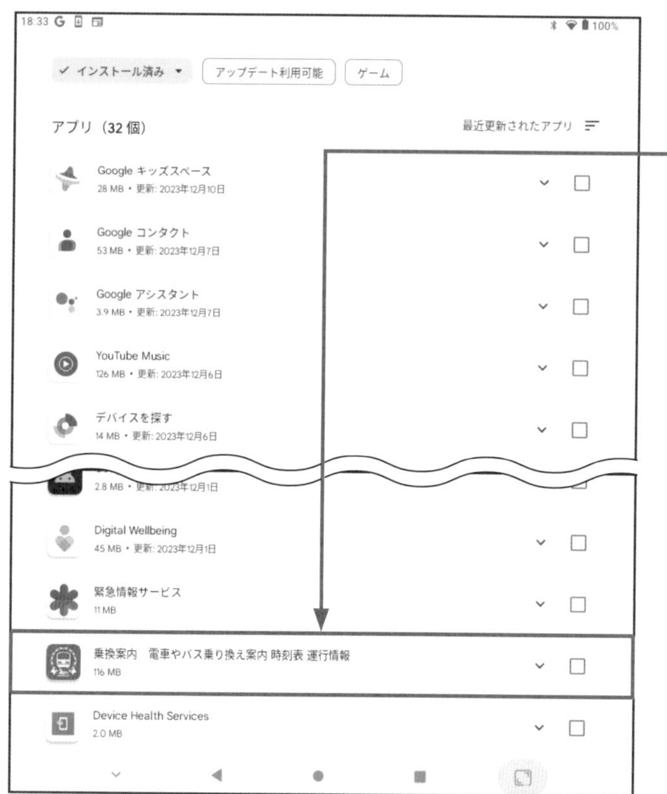

4 削除したいアプリ（ここでは「乗換案内」）をタップします。

ポイント

インストールしたアプリの数が多い場合は、画面を上にスワイプすると、さらにアプリが表示されます。

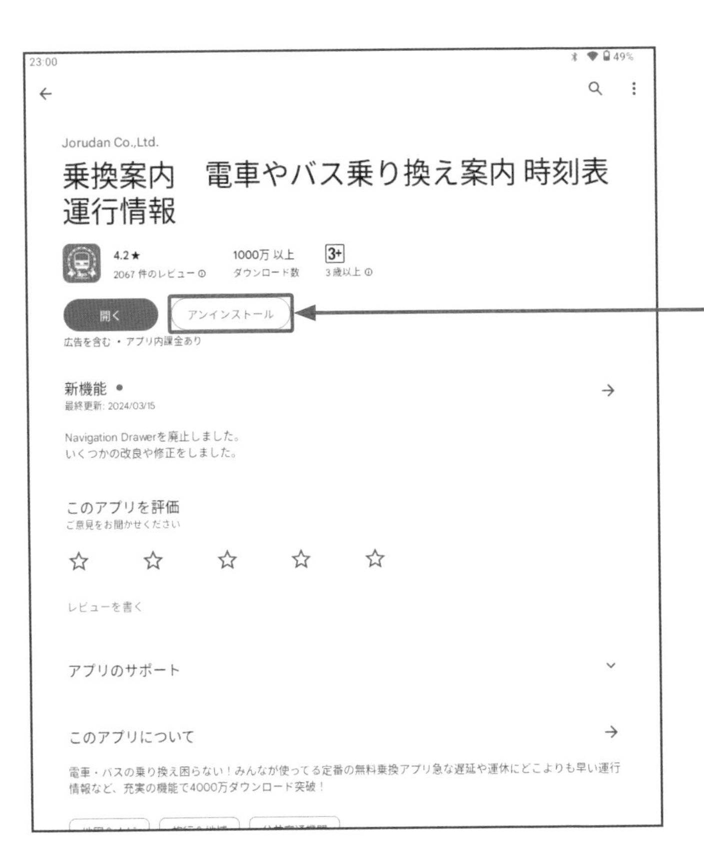

5 アプリの詳細画面が表示されます。アンインストールを**タップ**します。

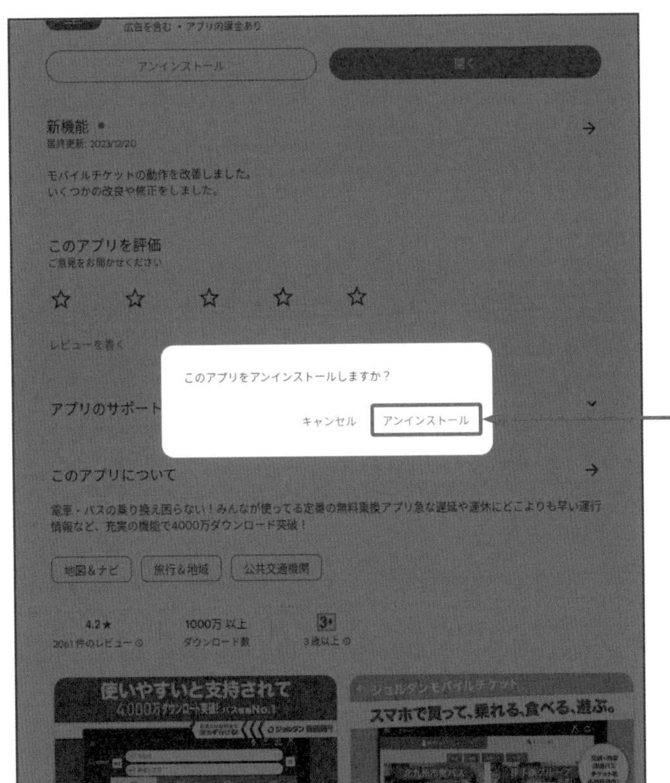

6 確認メッセージが表示されます。アンインストールを**タップ**すると、アンインストールが実行されて、ホーム画面からアイコンが削除されます。

終わり

コラム ゲームを楽しもう

タブレットでゲームを楽しみたいときは、Playストアからゲームのアプリをインストールします。スマホに比べて画面が大きいタブレットは、ゲームにも向いています。好みのゲームを探して遊んでみましょう。

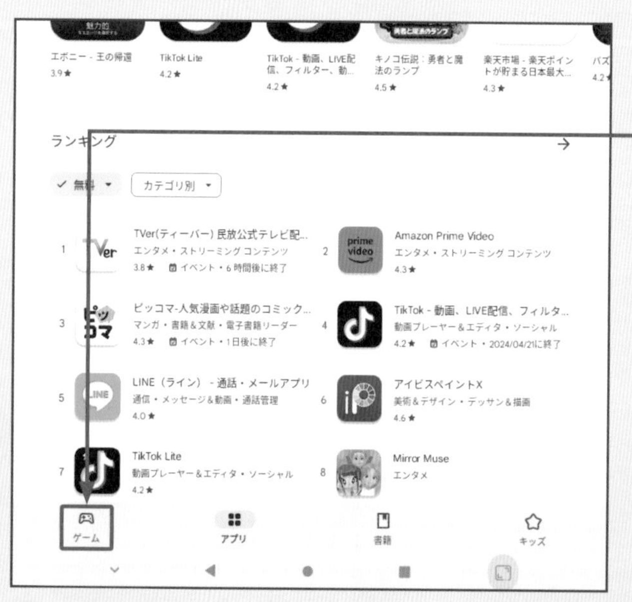

Playストアを表示し、ゲームタブをタップします。

ゲームアプリが表示されます。ランキングや新着おすすめゲームの中から選んだり、カテゴリ別に表示するなどして、好みのゲームを探しましょう。

いろいろな情報を調べよう

この章でできること

- 地図を利用する
- 地図で目的地までの道順を確認する
- 乗り換えを調べる
- 天気予報を見る

Section 33

地図を利用しよう

キーワード 地図・マップ・現在地

「マップ」は、今いる場所の周辺の地図をすぐに表示できるアプリです。地図の拡大や縮小もでき、常に最新の情報を見ることができます。

◎マップで地図を利用する

Googleの地図アプリ「マップ」を起動して、地図を利用してみましょう。

店舗や施設、駅名、道路名などが表示されます。

現在地は●で表示されます。

◎ マップを起動する

1 ホーム画面で、Google をタップします。

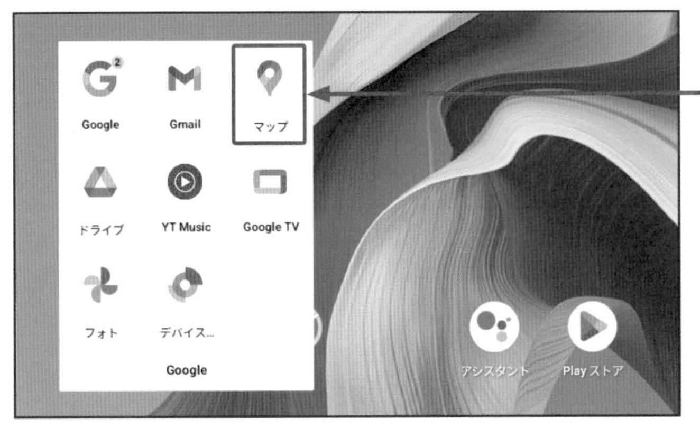

2 マップ をタップします。

3 「マップ」が起動して、現在地の周辺の地図が表示されます。

次へ

◎ 地図を操作する

地図上を**スワイプ**すると、表示されていない部分が表示されます。

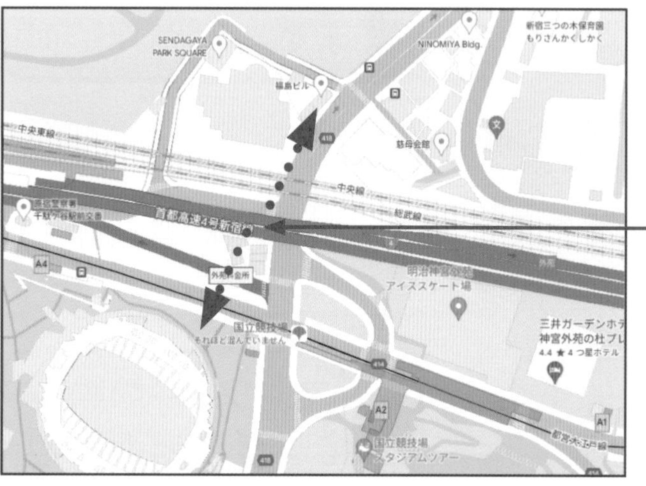

ピンチアウトすると、地図が拡大します。

ピンチインすると、地図が縮小します。

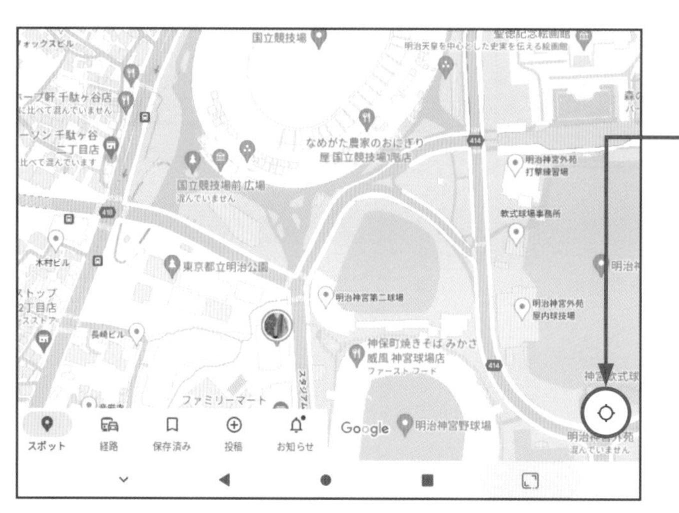

をタップすると、現在地が中心に表示されます。

コラム 地図系アプリに必須の位置情報設定

マップや乗換案内など、地図系のアプリを初めて使うときには、「位置情報へのアクセスの許可」を求める確認画面が表示されます。Androidには位置情報機能が搭載されており、タブレットやスマートフォンの現在地を取得できます。位置情報へのアクセスを許可することで、アプリ内での現在地の表示や、現在地を利用したルート検索ができるようになります。

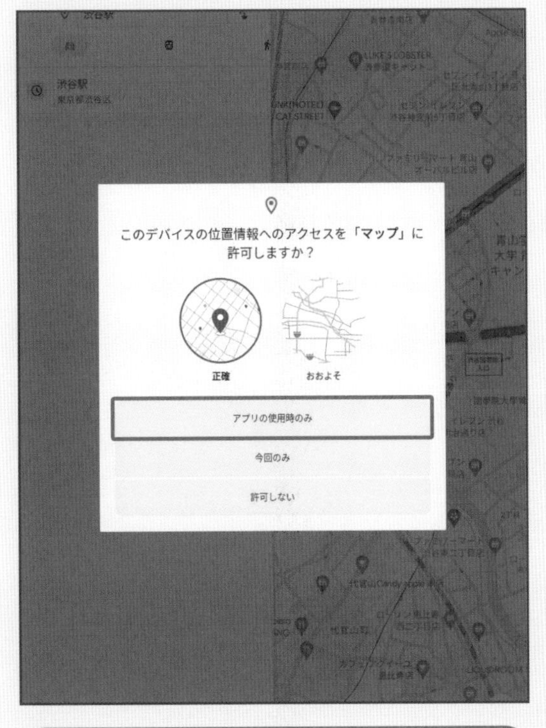

「アプリの使用時のみ」をタップして、位置情報のアクセスを許可しておきましょう。

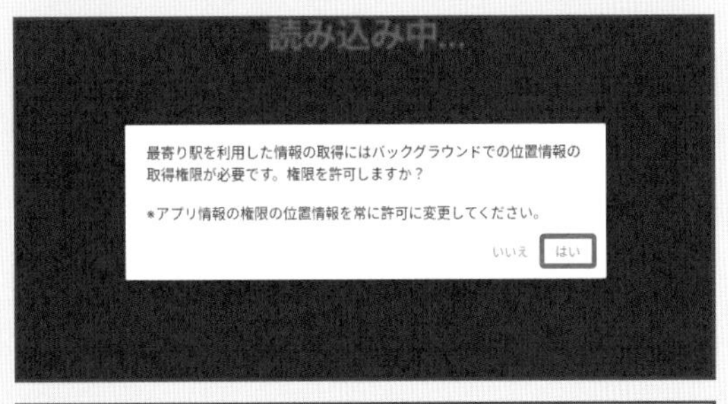

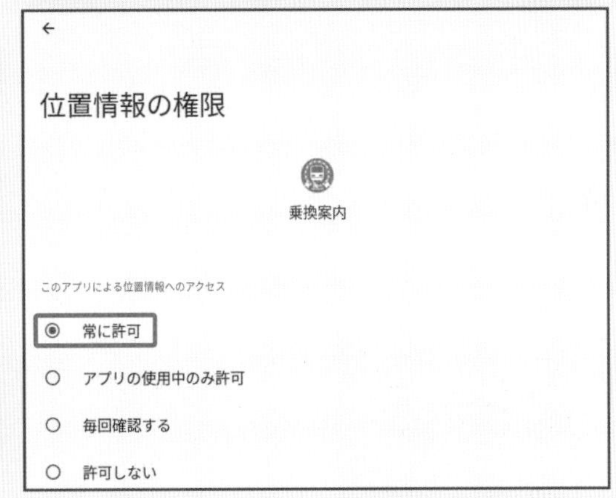

「乗換案内」で最寄り駅を利用するには、位置情報の利用を「常に許可」に設定する必要があります。

終わり

経路検索

Section 34

地図で目的地までの道順を確認しよう

キーワード マップ・目的地を検索・経路検索

「マップ」で出発地から目的地までの経路を検索して、道順を表示してみましょう。いくつかのルートが提案され、比較することもできます。

◎経路検索をする

「マップ」では、目的地を検索して周辺地図を表示できます。また、目的地と出発地を指定して経路の検索もできます。

目的地の地図を検索して表示できます。

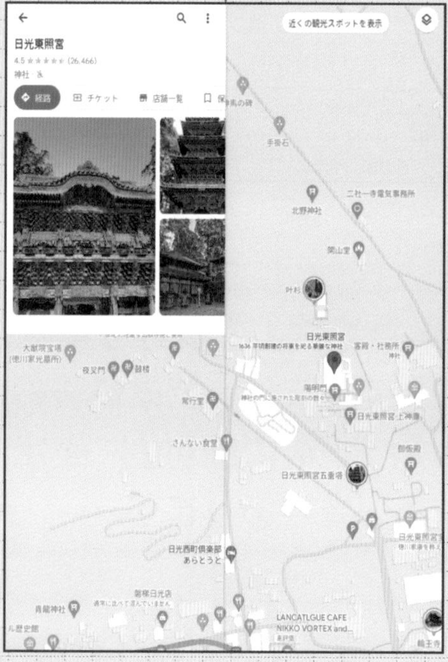

目的地までの経路も表示できます。

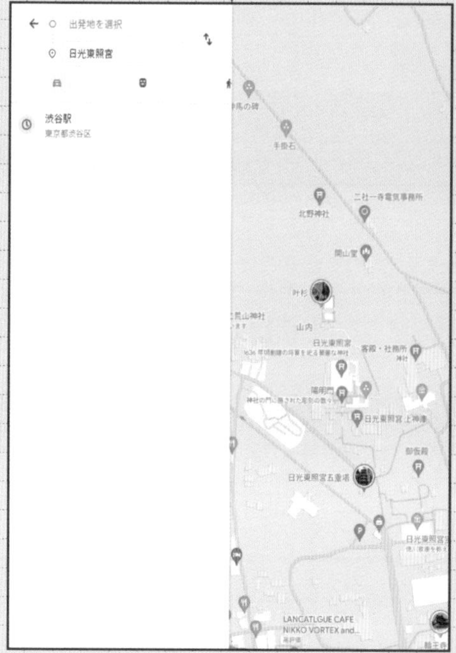

◎目的地を検索して道順を確認する

1 127ページの手順で「マップ」を起動します。検索欄をタップします。

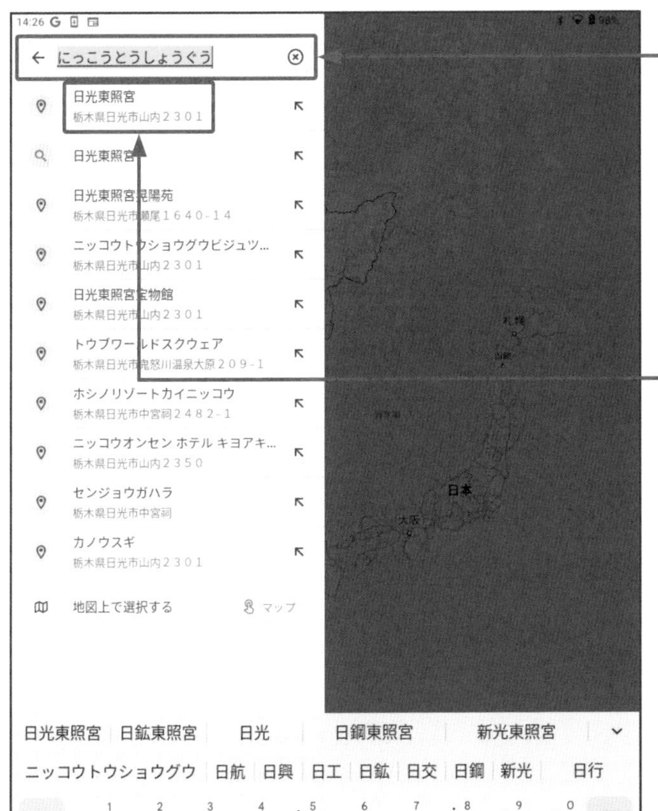

2 目的地を入力すると、該当する場所が表示されます。

3 表示された候補から、目的地を選んでタップします。

ポイント

目的地には、施設名等のほか、住所を直接入力することもできます。

次へ

4 目的地周辺の地図が表示されます。 経路 をタップします。

5 現在地から目的地までの経路が表示されます。車、公共交通機関、徒歩 をタップすると、移動手段を変えることができます。

ポイント

左にスワイプすると 徒歩 が表示されます。

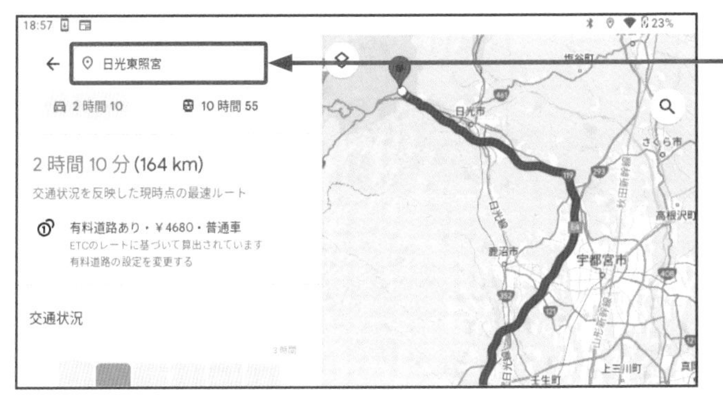

6 出発地を変更することができます。目的地をタップします。

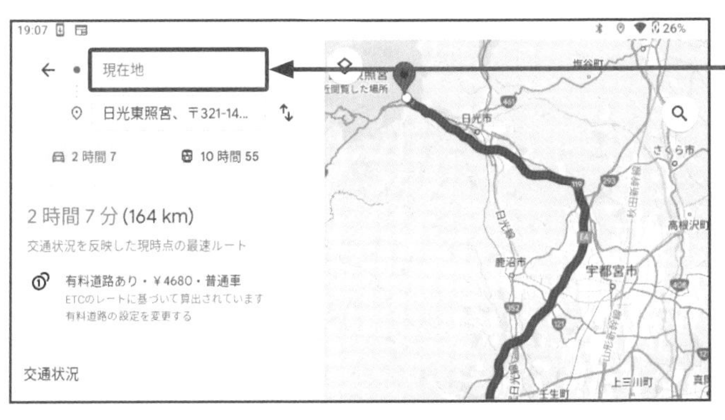

7 現在地 をタップします。

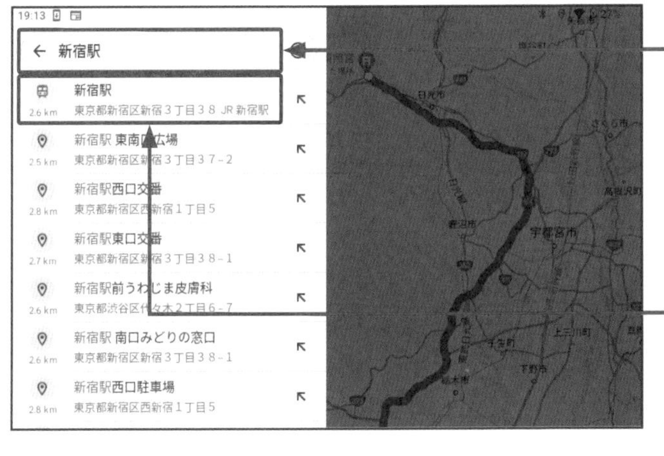

8 出発地を入力します。

9 候補から、出発地を選んでタップします。

10 指定した出発地からの経路が表示されます。

終わり

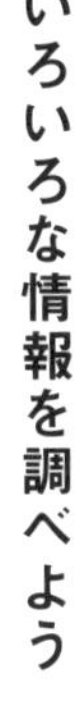

Section 35 電車やバスの乗り換えを調べよう

キーワード 乗換案内・出発地・到着地

電車やバスなどの公共交通機関を使った外出のときに、どんなルートで行ったらいいかを調べてみましょう。ここでは専用のアプリ「乗換案内」を使います。

◎乗換案内で公共交通機関のルートを調べる

「乗換案内」を使って乗り換えルートを調べます。あらかじめ、「Play ストア」から「乗換案内」のアプリをインストールしておきます。

出発・到着する駅やバス停を指定して、乗り換えルートを検索します。

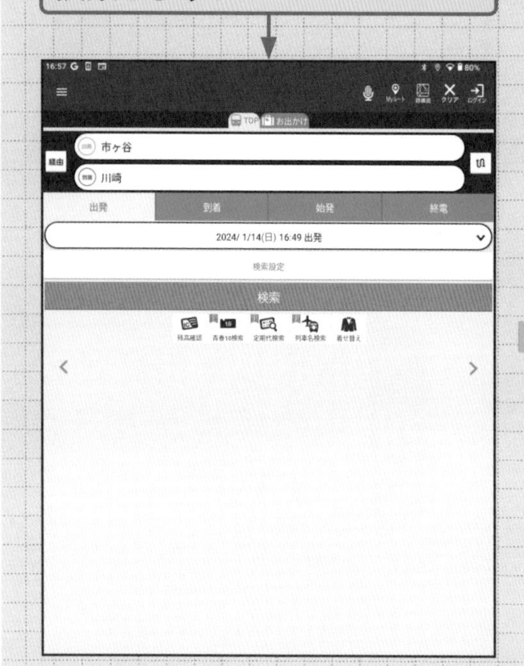

出発駅から到着駅までのさまざまなルートが表示されます。

◎ 電車のルートを調べる

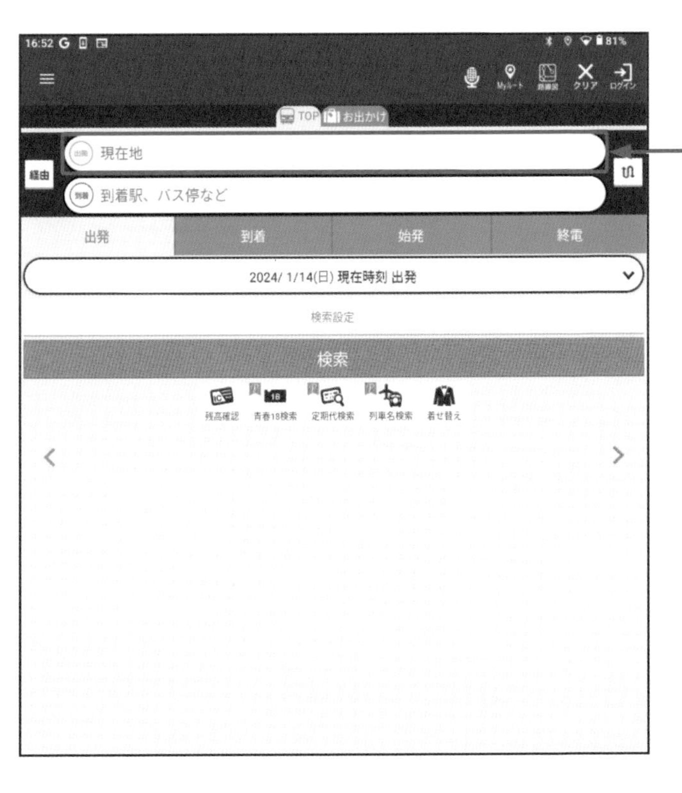

1 ホーム画面で 乗換案内 をタップして、アプリを起動します。
出発 現在地 をタップします。

2 駅名やバス停名を入力します。

3 表示される候補から、出発する駅やバス停を選択してタップします。

次へ

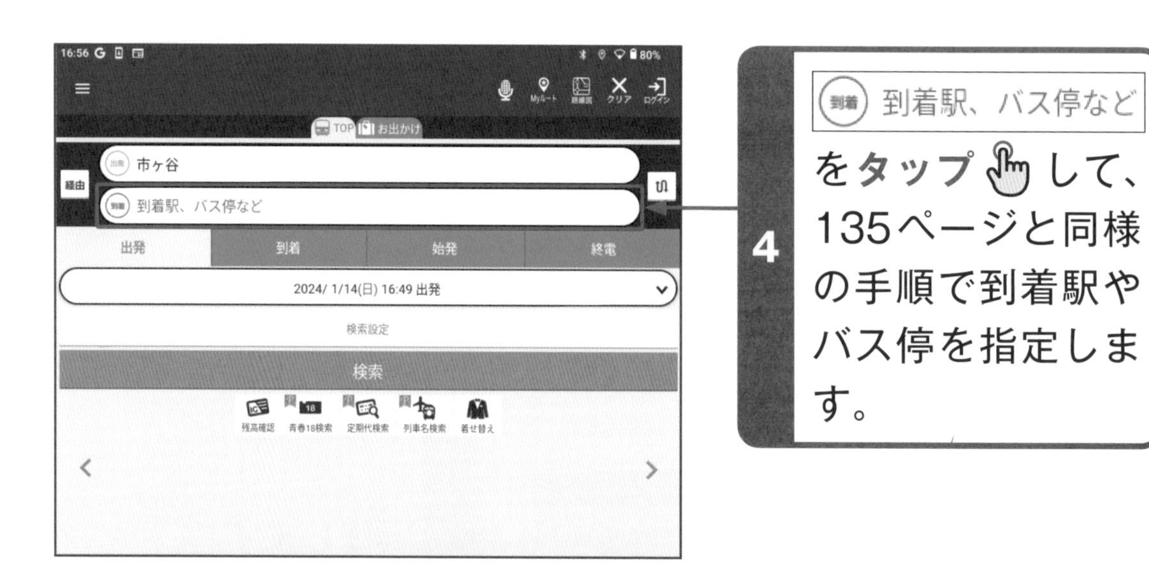

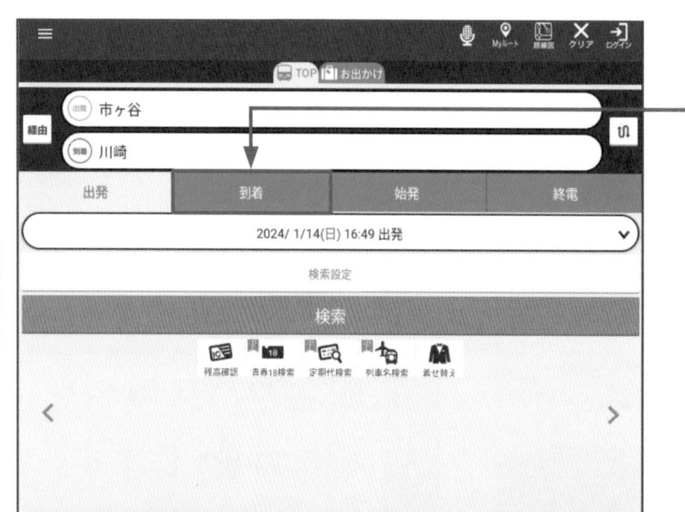

5 到着 をタップ します。

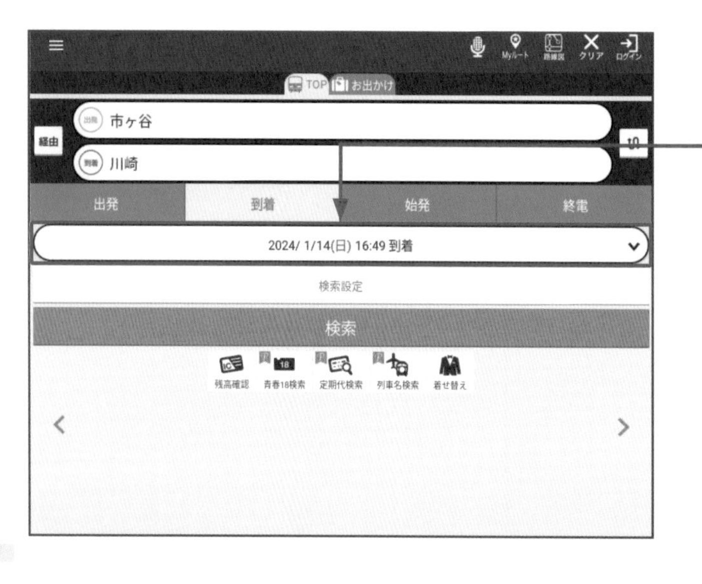

6 20XX/X/X（曜日）/X:XX 到着 をタップ します。

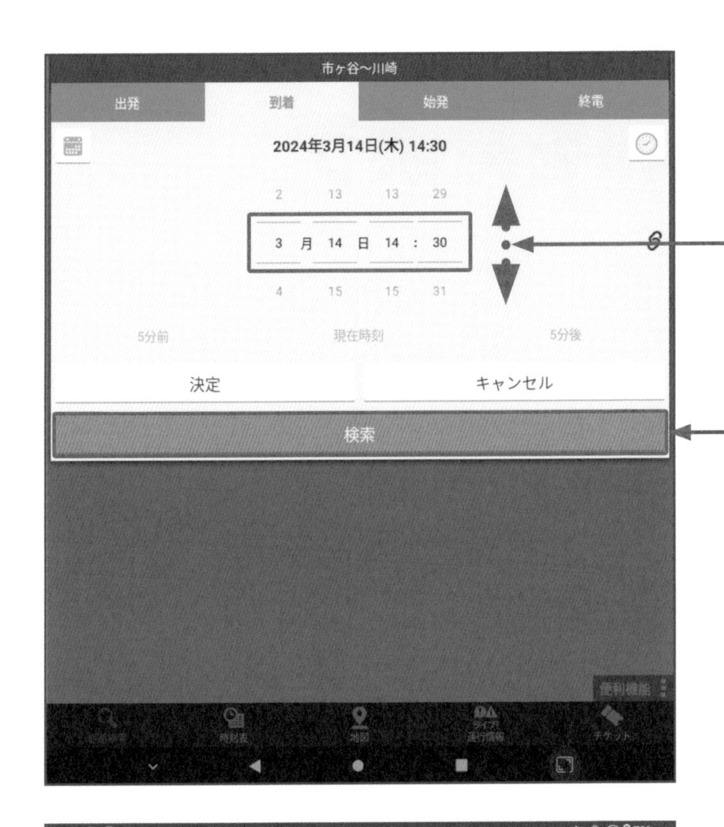

7 数字をスワイプして、到着時間を指定します。

8 検索 をタップします。

ポイント

出発 をタップすると、出発時間を設定して検索できます。

9 乗り換えのルートが表示されました。

ポイント

上部のタブをタップすると、いろいろなルートが表示されます。「早」は早く着くルート、「安」は運賃が安いルート、「楽」は乗り換えが少ないルートを表します。

終わり

Section 36

天気予報を見よう

キーワード tenki.jp・天気予報・災害情報

日本気象協会のアプリ「tenki.jp」を使って、天気予報や災害情報を調べてみます。天気や気温、降水確率、降水量などについて知ることができます。

◎tenki.jpで天気予報を調べる

「tenki.jp」を使って天気予報を調べます。あらかじめ、「Playストア」から「tenki.jp」のアプリをインストールしておきます。

地域ごとの詳しい天気予報を知ることができます。

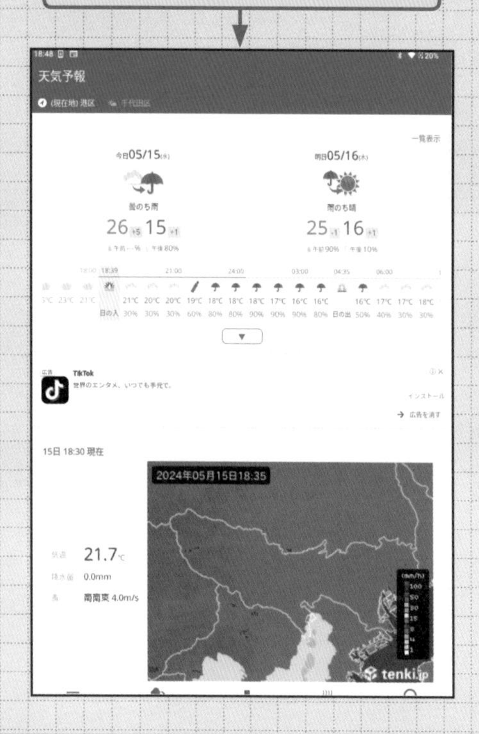

雨雲レーダーで降雨状況を調べられます。

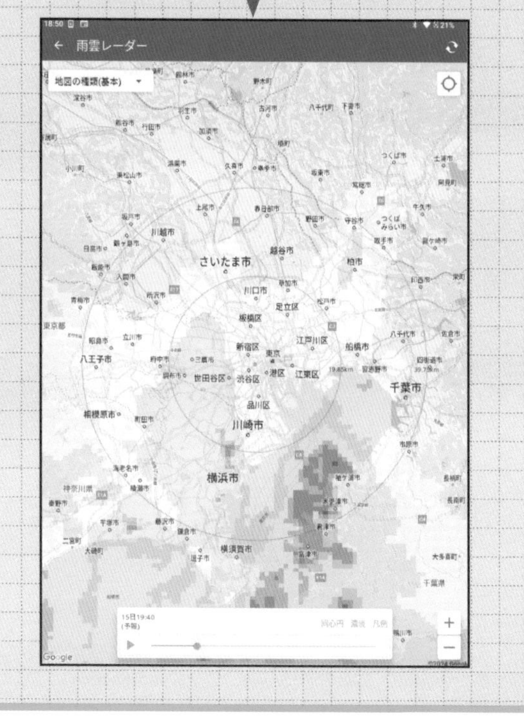

◎日ごと・時間ごとの天気予報を調べる

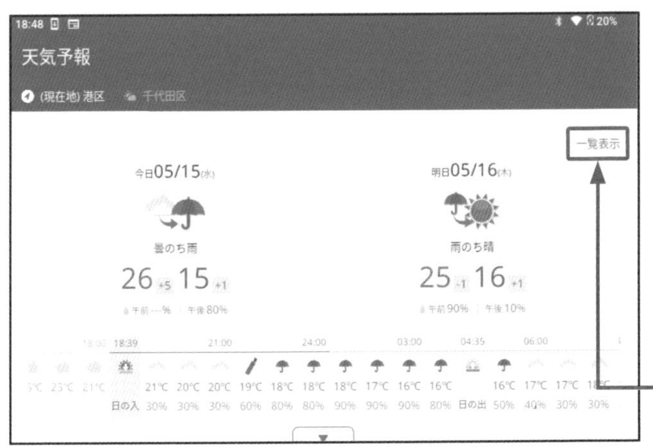

ホーム画面で tenki.jp をタップします。日ごとの天気予報が表示されます。

一覧表示 をタップすると、11日後までの時間ごとの天気予報が表示されます。

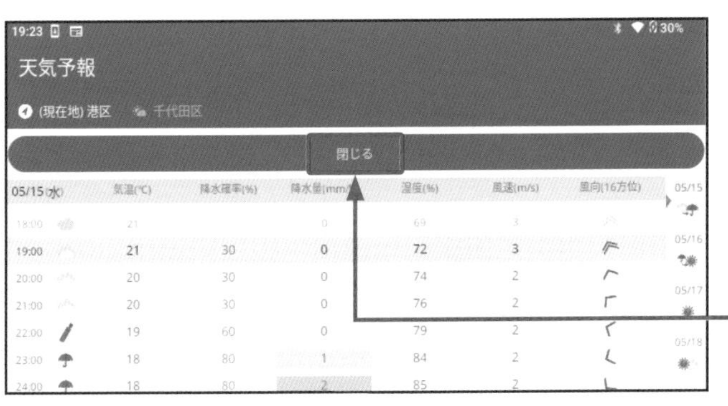

閉じる をタップすると、前の画面に戻ります。

コラム 初期設定について

アプリを初めて使うときに、利用規約への同意や初期設定、利用ガイドなどの画面が表示されることがあります。ここで紹介しているtenki.jpの場合、最初に[利用規約に同意する]をタップしたあと、説明にしたがって「位置情報」や「プッシュ通知」、「地点の確認」などの手続きを進めると、ホーム画面が表示されるようになります。

次へ

◎ 雨雲レーダーを表示する

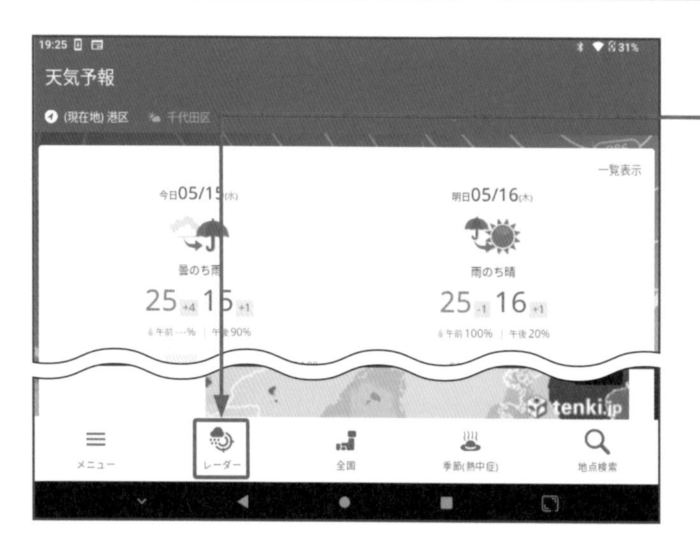

1 レーダーをタップします。

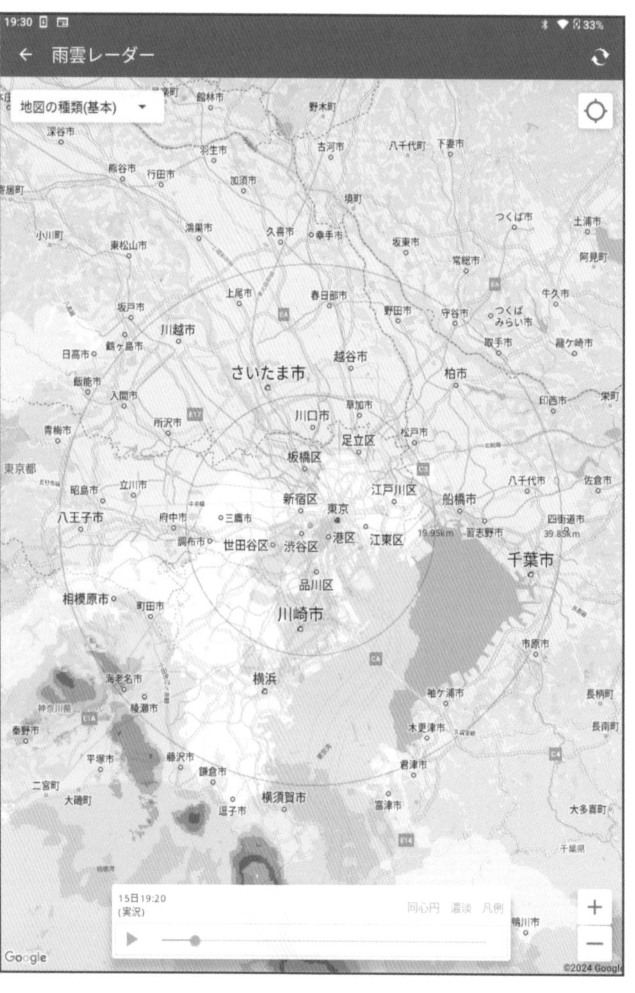

2 雨雲レーダーが表示されます。ピンチアウトで地図を拡大、ピンチインで地図を縮小して表示できます。

ポイント

手順❶のメニューをタップすると、天気図や地震情報などさまざまな情報を選ぶことができます。

終わり

写真や動画を楽しもう

この章でできること

- 写真を撮影する
- 動画を撮影する
- 写真を閲覧する
- YouTubeで動画を見る

Section 37

写真を撮影しよう

キーワード 写真・カメラ・撮影

「カメラ」アプリを使って写真を撮影してみましょう。タブレットなら、いつでもどこでも気軽に撮影することができます。

◎写真を撮る

「カメラ」アプリを起動して、写真を撮影してみましょう。なお、「カメラ」の画面は端末によって違いがあります。

❶写真撮影に切り替えます。「写真」「画像」と表示されている場合もあります。
❷動画撮影に切り替えます。「動画」と表示されている場合もあります。
❸タップすると撮影します。
❹インカメラとアウトカメラを切り替えます。
❺設定画面を表示します。

◎ カメラで撮影する

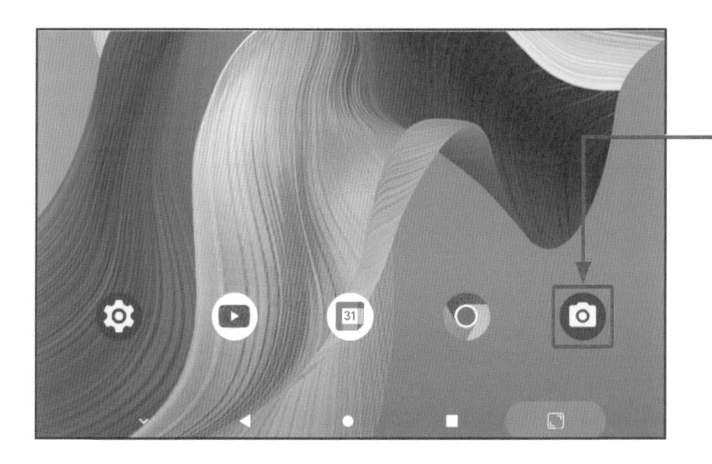

1 カメラ をタップして、「カメラ」アプリを起動します。

2 [auto]（写真、画像の場合もあります）をタップします❶。

3 ピントや明るさを合わせたい場所をタップします❷。

4 をタップすると撮影します❸。

ポイント

をタップすると、インカメラとアウトカメラを切り替えできます。

終わり

Section 38

動画を撮影しよう

キーワード カメラ・ビデオ・動画

「カメラ」アプリではビデオカメラのように動画を撮影することもできます。写真撮影するときと同様に「カメラ」を起動したら、動画撮影ボタンをタップします。

◎動画を撮影する

動画を撮影するときは、「カメラ」アプリを起動して、動画撮影ボタンをタップします。

動画を撮影する

1 143ページと同様の手順で「カメラ」アプリを起動します。ピントを合わせたい場所をタップします。

2 をタップすると、動画の撮影が始まります。

ポイント

撮影中に画面をタップして、ピントを合わせなおすこともできます。

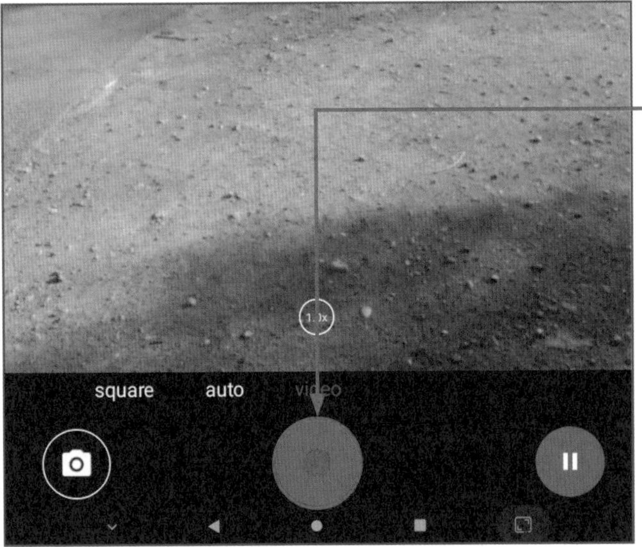

3 をタップすると、撮影を終了します。

ポイント

撮影中は画面の上部に録画時間が表示されます。

終わり

Section 39

「フォト」アプリの準備をしよう

キーワード 写真・Googleフォト・バックアップと同期

撮影した写真を見たり管理したりするには、「フォト」を使うと便利です。まずはバックアップの設定など、利用の準備を行います。

◎「フォト」アプリとは

「フォト」は、Googleが提供する写真管理サービスのアプリです。ネットワーク上に写真データを保存しておくことができます。

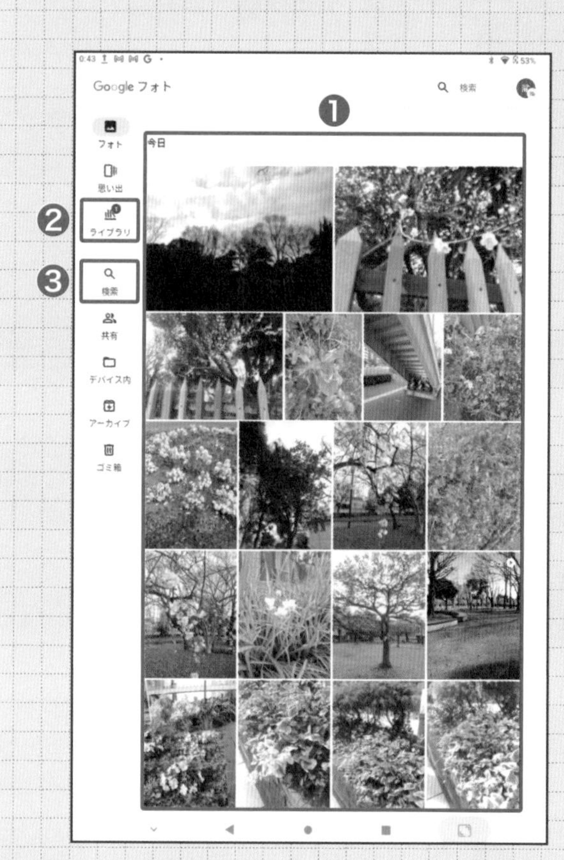

❶写真や動画の一覧です。上にスワイプすると、古い写真が表示されます。
❷撮影した写真以外の、画面キャプチャー画像などを表示することができます。
❸タップすると、写真や動画の検索ができます。

◎「フォト」アプリの設定をする

1 をタップしします。

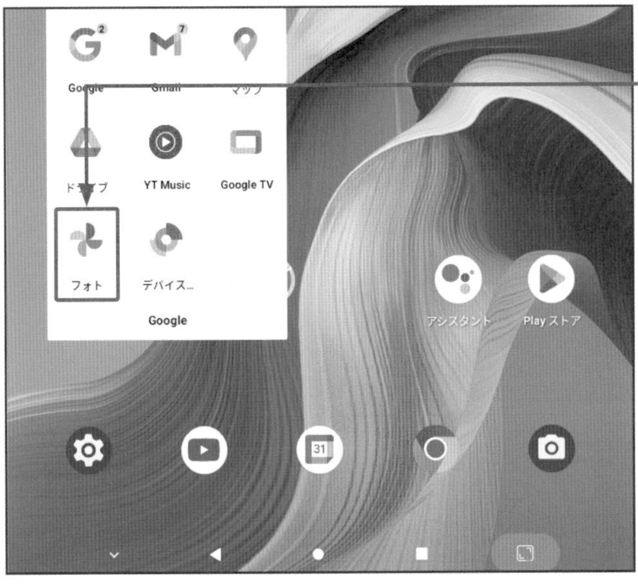

2 をタップしします。

コラム 不要な写真は削除しよう

「フォト」に保存した写真が増えると、必要な写真をみつけるのに時間がかかるようになります。151ページ手順❶の画面で不要な写真を長押しして選択し、削除をタップすると削除できます。

次へ

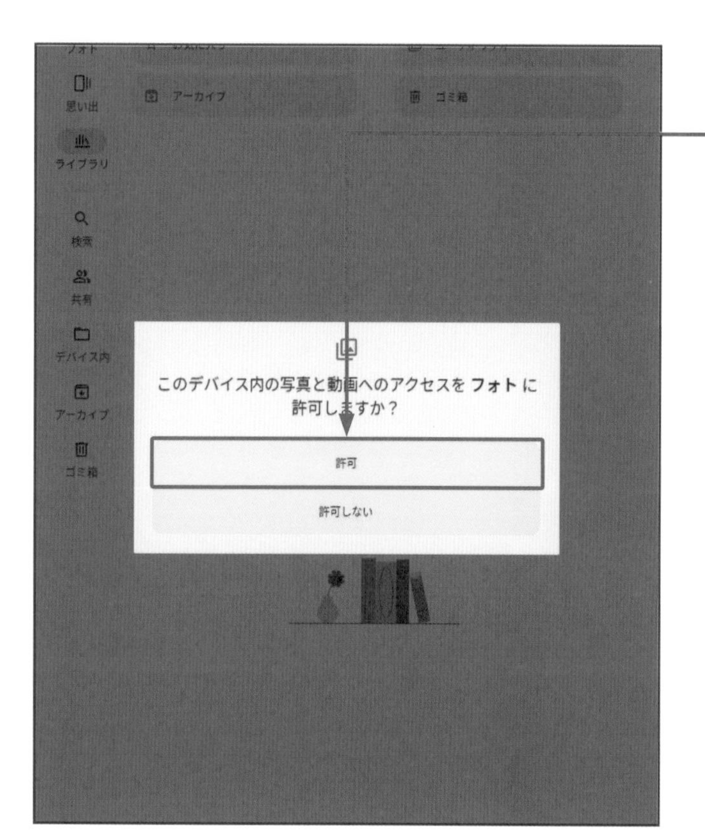

3 許可 をタップします。

ポイント

許可しない をタップすると、タブレットに保存されている写真のデータを「フォト」が読み取れず、写真を表示できません。

4 「フォト」アプリが起動します。 フォト をタップすると、写真が表示されます。

第8章 写真や動画を楽しもう

コラム 「バックアップと同期」の設定をしよう

「バックアップと同期」をオンにしておくと、タブレットで撮影した写真を、Wi-Fiに接続しているときに自動でネットワーク上(GoogleDrive)にバックアップしてくれるようになります。Androidタブレットを買い替えても、同じGoogleアカウントを利用すれば、バックアップした写真を表示できるので安心です。最初に設定しておきましょう。
「フォト」アプリを起動したら、右上のアイコンをタップします❶。続いて バックアップをオンにする をタップし❷、 バックアップをオンにする をタップします❸。Wi-Fiにつながる環境にいれば、バックアップがすぐに始まり、「バックアップが完了しました」と表示されます。これで設定は完了です。

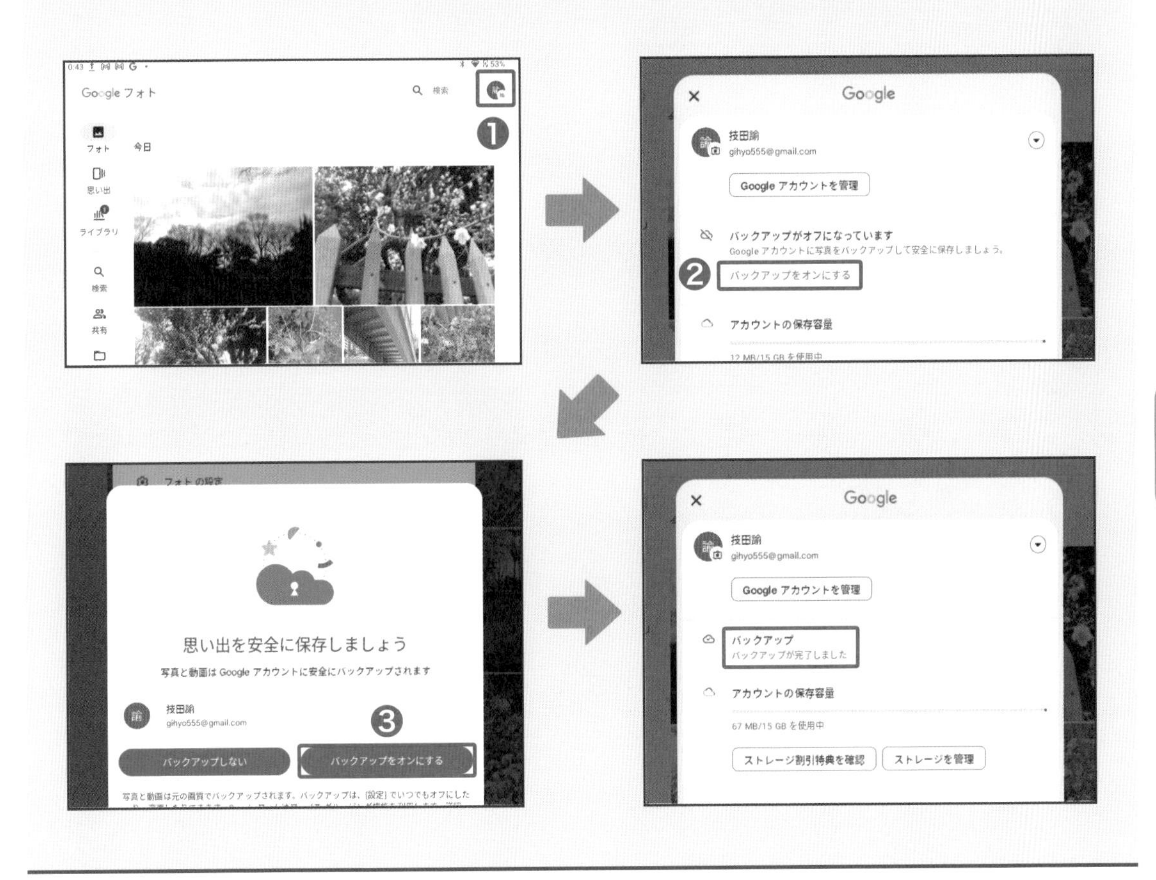

終わり

Section 40

写真や動画を閲覧しよう

キーワード フォト・写真の閲覧・動画の再生

今までに撮影した写真や動画を「フォト」で閲覧しましょう。一覧を表示したり、写真の一部を拡大して表示することもできます。

◎撮影した写真や動画を閲覧する

「フォト」を起動すると、撮影した写真と動画の一覧が表示されます。タップすると拡大して見られます。

撮影した写真と動画の一覧が表示されます。

ひとつひとつの写真は拡大して表示できます。

◎ 写真を閲覧する

1 147～148ページの手順で、撮影した写真と動画の一覧を表示します。写真をタップすると、大きく表示されます。

2 写真をピンチアウトすると拡大されます。

3 写真をピンチインすると縮小されます。

ポイント

動画の場合は自動で再生が始まります。画面上をタップすると、再生停止ボタンが表示されます。

4 右にフリックすると、古い写真が表示されます。

5 左にフリックすると、新しい写真が表示されます。

6 ←をタップすると、写真と動画の一覧に戻ります。

コラム　いろいろな撮影の方法

タブレットのカメラには、いろいろな写真撮影したり、写真に効果を加えたりするための機能が備わっています。ここでは、それらの一部を紹介します。

●横長の写真を撮影する

タブレットを横にすると、横長サイズの写真を撮影することができます。ただし、画面の自動回転をオンにしておく必要があります（設定方法は44～46ページ参照）。

●自撮りする

インカメラ（画面側のカメラ）を使って、画面を見ながら自撮りすることができます。

●さまざまな効果を加える

セピア調やモノクロにするなど、さまざまな効果を加えた写真を撮影できます。

終わり

Section 41

YouTubeで無料動画を楽しもう

キーワード YouTube・無料動画・動画再生

「YouTube」(ユーチューブ)は、世界中の人が投稿した動画を無料で見られるサービスです。キーワードで検索して、お目当ての動画を探して楽しんでみましょう。

◎無料で動画が見られるYouTube

「YouTube」を起動して、キーワードで動画を検索します。動画が見つかったら再生してみましょう。

キーワードを入力して動画を検索します。

検索結果から好きな動画を選んで再生します。

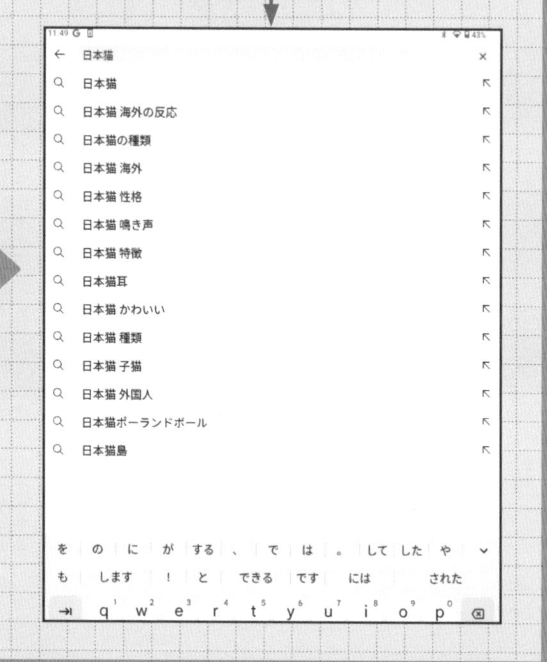

◎ YouTubeで動画を再生する

1 YouTube ▶ をタップします。

2 「YouTube」が起動しました。🔍 をタップします。

次へ

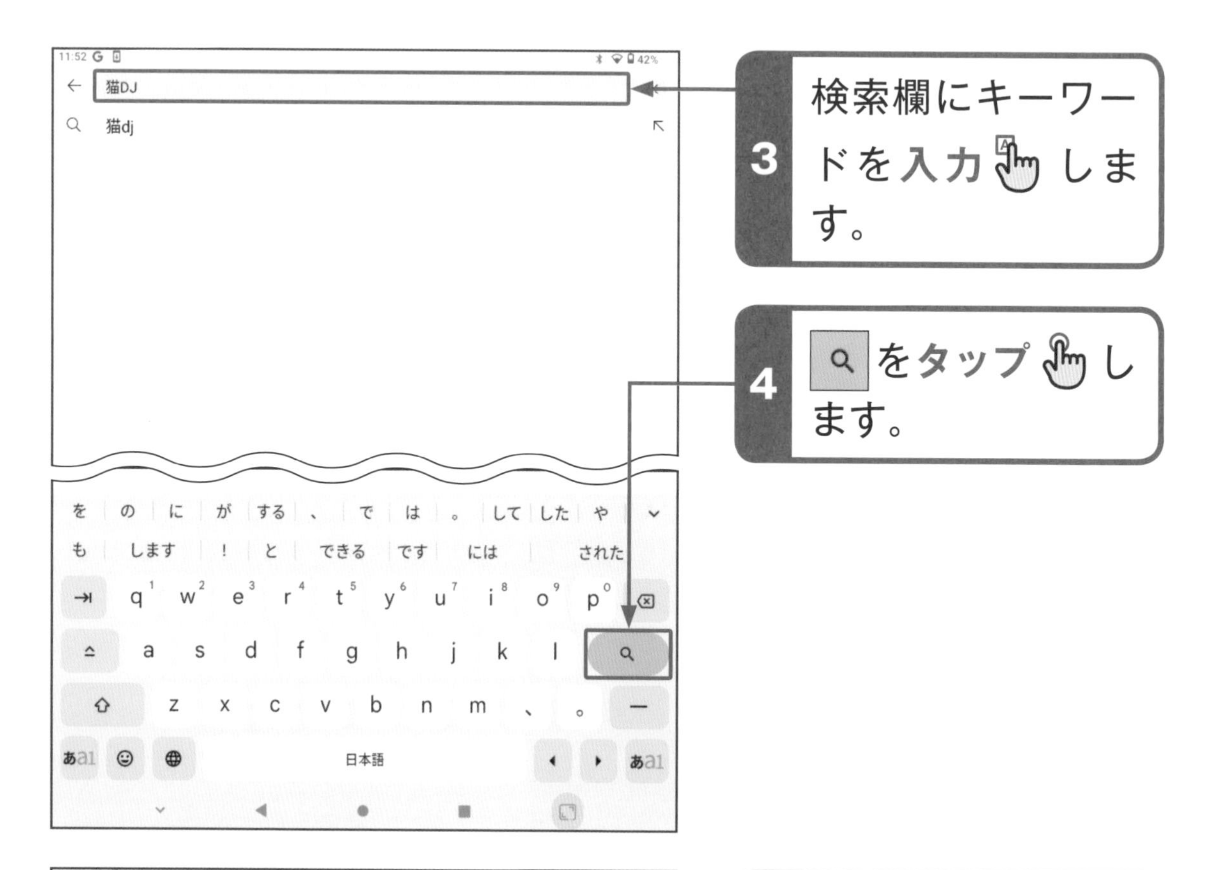

3 検索欄にキーワードを**入力**します。

4 [🔍]を**タップ**します。

5 検索結果が表示されます。再生したい動画を**タップ**します。

ポイント

上下にスワイプすると、さらに検索結果が表示されます。

6 自動で動画の再生が始まります。再生画面をタップします。

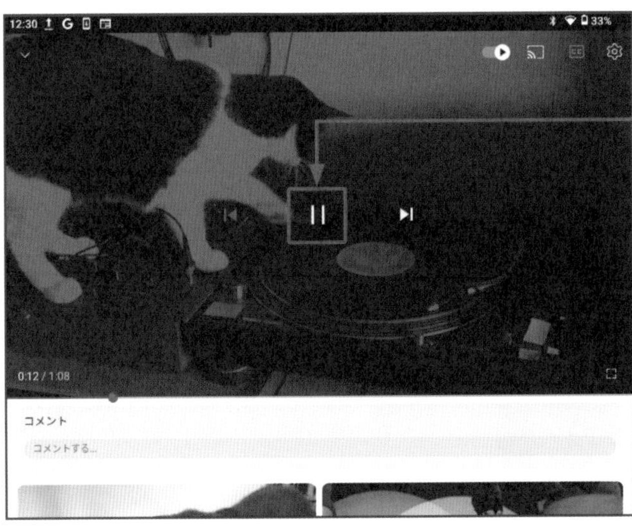

7 一時停止 をタップすると、再生が一時停止します。

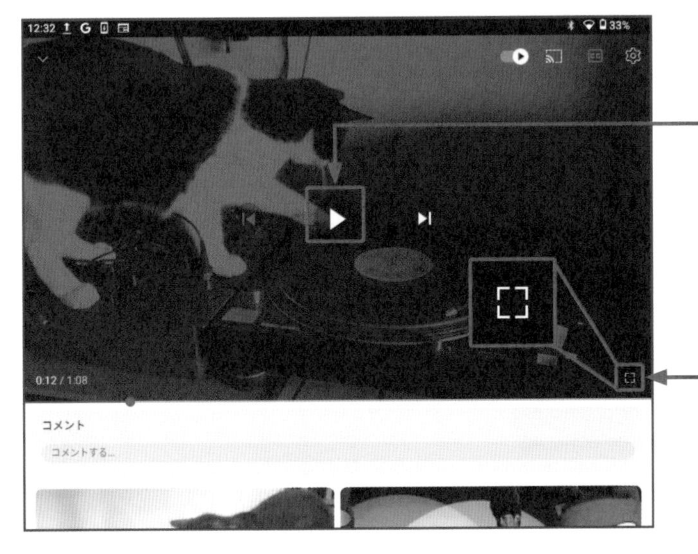

8 再生 をタップすると、再び動画が再生されます。

9 をタップします。

次へ

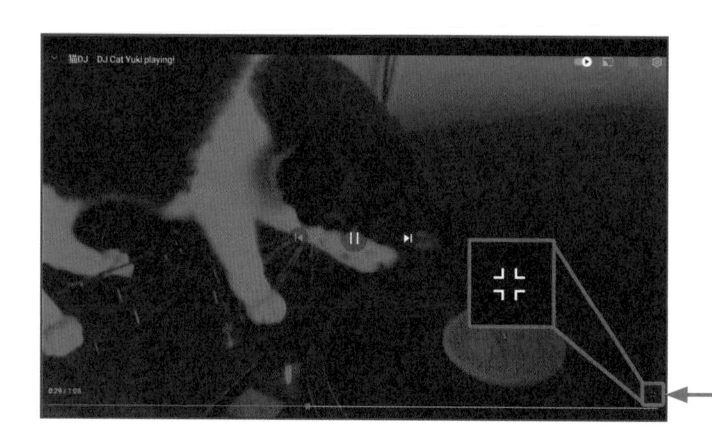

10 タブレットを横向きにすると、動画が全画面で表示されます。

11 をタップすると、全画面表示を中止します。

ポイント

タブレットを横向きにしても画面が回転しない場合は、クイック設定パネルを表示して、自動回転をオンに設定しましょう（44～46ページ参照）。

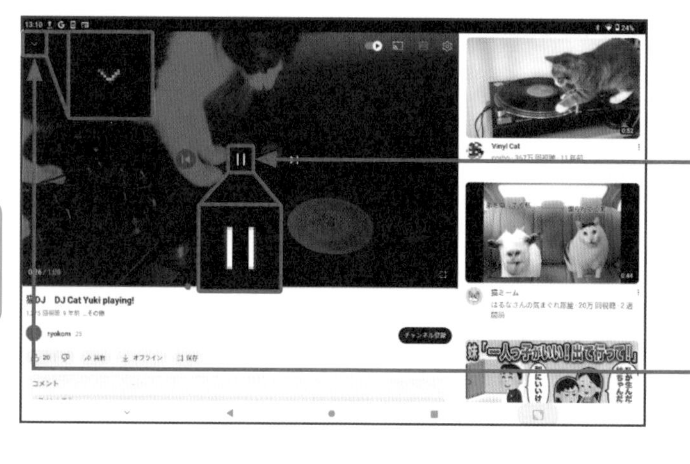

12 再生画面をタップして、一時停止をタップします。

13 をタップします。

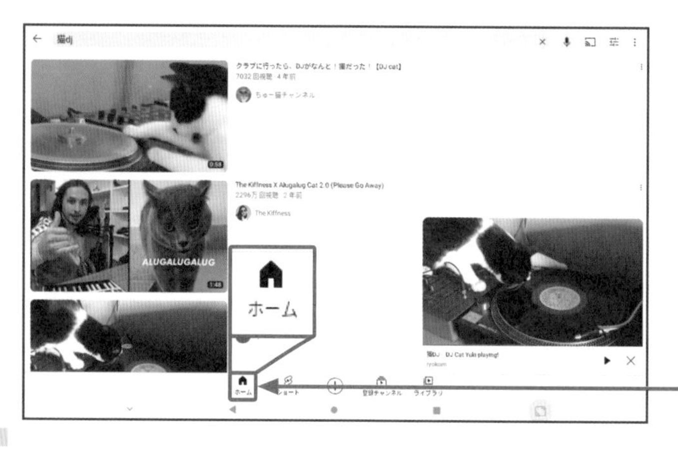

14 ホームをタップすると、ホーム画面が表示されます。

終わり

第8章 写真や動画を楽しもう

Amazonのサービスを利用しよう

この章でできること

- Amazonのサービスについて知る
- Amazonに会員登録する
- Amazonで買い物をする
- 電子書籍を買う
- Kindleで電子書籍を読む

Section 42

Amazonのサービスを知ろう

キーワード Amazon・デジタルコンテンツ・会員登録

Amazon（アマゾン）は、アメリカ生まれのオンラインショッピングサービスです。家電や日用品、電子書籍や映像配信に至るまで、さまざまなジャンルの商品を取り扱っています。

Amazonで買えるもの

書籍販売からスタートしたAmazonですが、今では多種多様な商品を扱っています。利用履歴を元にしたおすすめ商品の表示など、便利な機能も数多く用意されています。

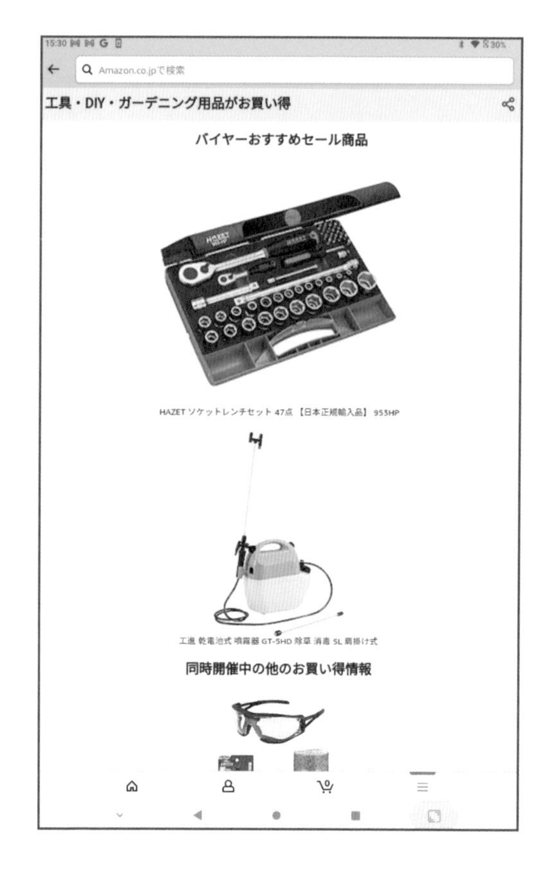

電子書籍や映像配信も利用できる

物品の購入以外に、電子書籍や映像配信などのデジタルコンテンツも扱っています。タブレットなら、作品を買ってすぐに楽しむことができます。

Amazonを利用するには

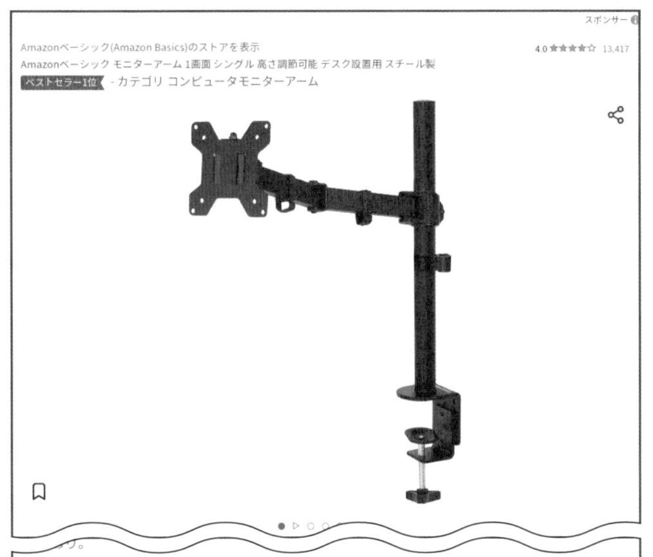

Amazonで買い物をするには、会員登録が必要です。一度登録してしまえば、次回からはいちいち情報を入力する手間もなく、簡単に買い物をすることができます。

終わり

Section 43

会員登録をしよう

キーワード Amazon・アカウント作成・インストール

Amazonを利用するための準備をしましょう。まずはアプリをインストールしたうえで、会員登録を行います。会員登録にはメールアドレスを利用します。

◎会員登録をする

「Playストア」から「Amazonショッピングアプリ」をインストールし、Amazonの会員登録を行います。

◎ アプリをインストールして起動する

1 Playストアで「Amazonショッピングアプリ」を検索し、インストールをタップしてインストールします（第6章参照）。

2 インストール後、●をタップします。

3 タブレットのホーム画面で、Amazonショッピングアプリのアイコン（Amazon）をタップして起動します。

ポイント

初回は通知の確認画面が表示されます。[許可][許可しない]のどちらを選んでもOKです。

次へ

◎ Amazonに会員登録する

1 アプリが起動したら、[…新規登録してください]を**タップ**します。

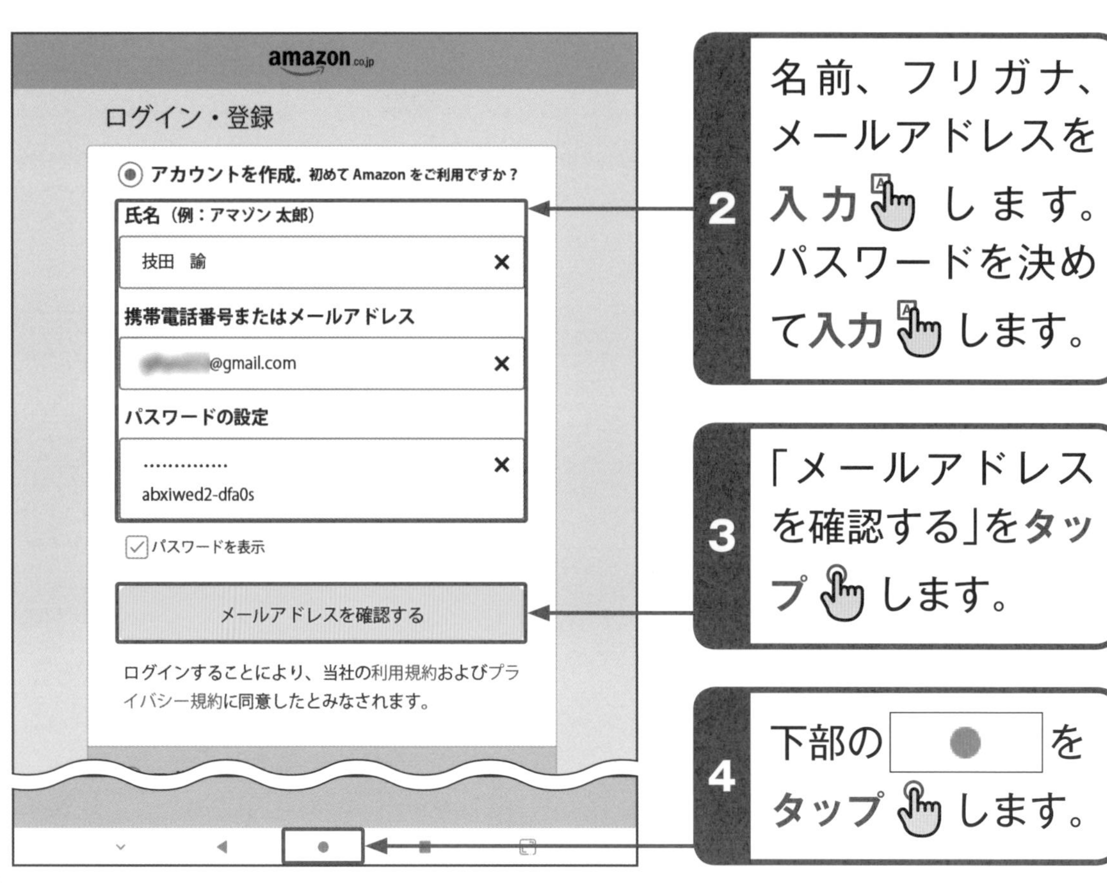

2 名前、フリガナ、メールアドレスを**入力**します。パスワードを決めて**入力**します。

3 「メールアドレスを確認する」を**タップ**します。

4 下部の ● を**タップ**します。

5 タブレットのホーム画面に戻り、Google をタップします。

6 Gmail をタップして「Gmail」を起動します。

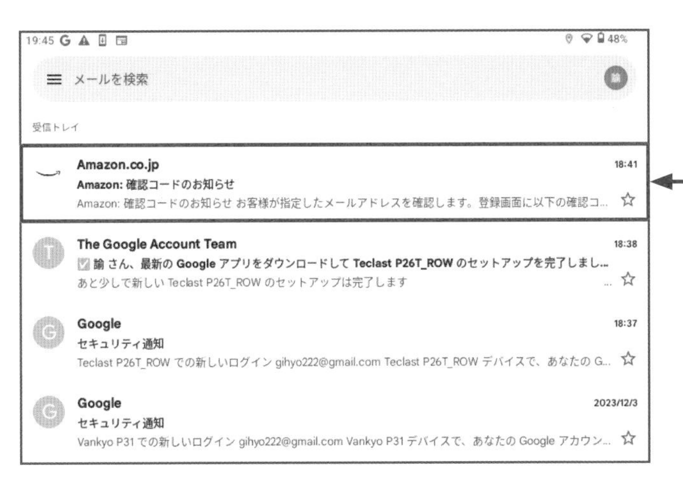

7 「Amazon.co.jp」が差出人のメールをタップします。

次へ

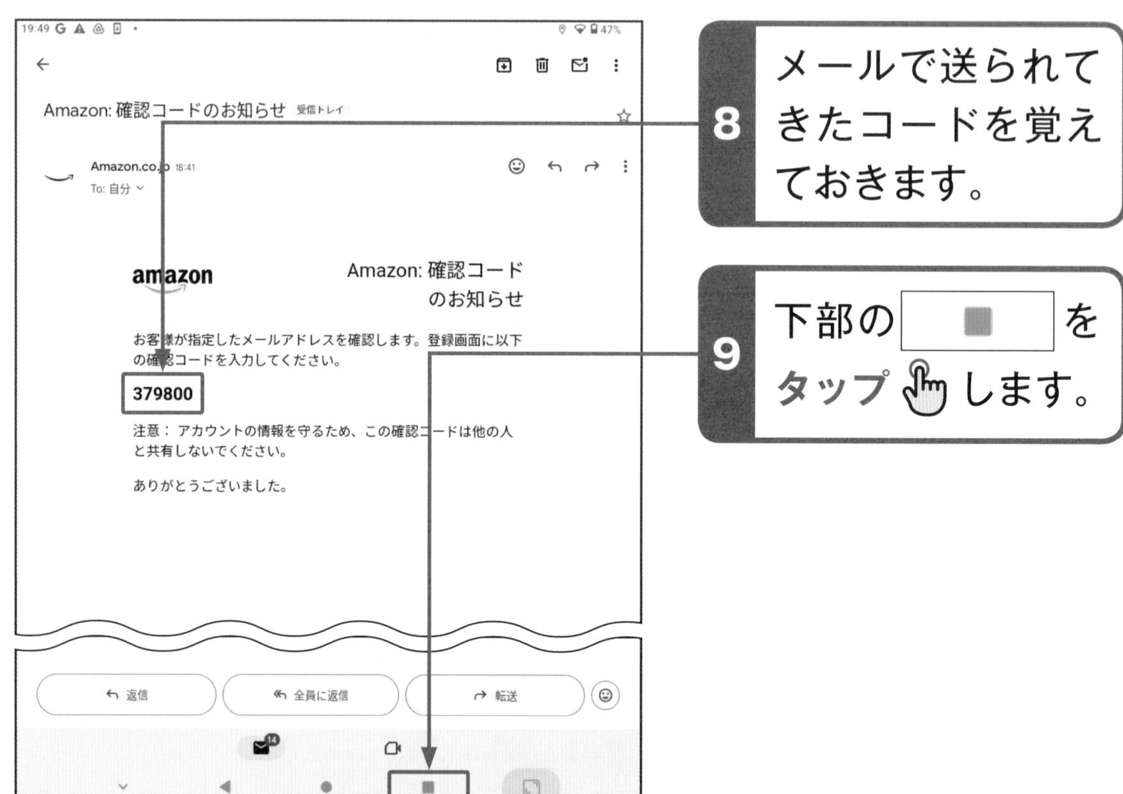

8 メールで送られてきたコードを覚えておきます。

9 下部の ■ をタップします。

10 Amazonアプリをタップします。

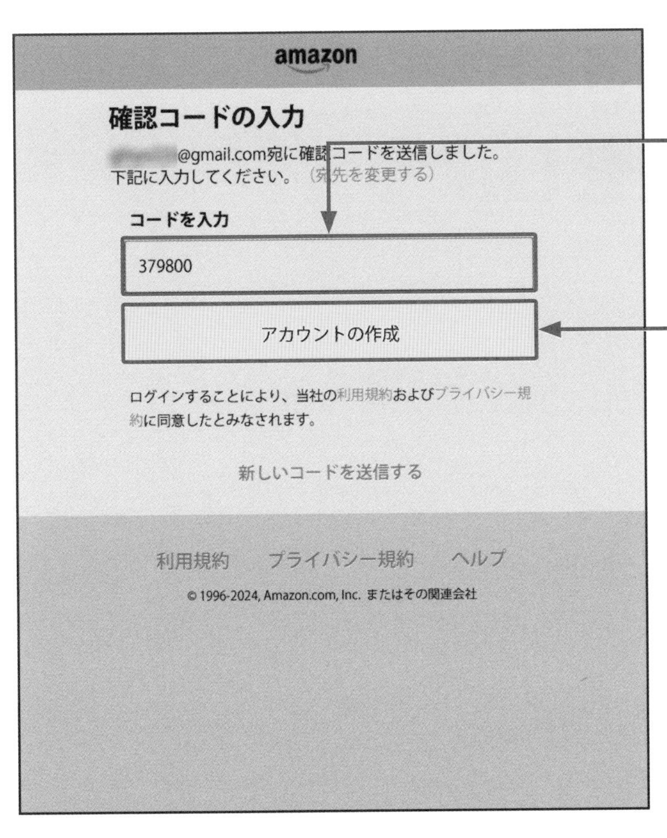

11 手順❽で覚えておいたコードを**入力**します。

12 「アカウントの作成」を**タップ**します。

13 Amazonのホーム画面が表示されます。これで会員登録ができました。

終わり

Section 44

Amazonで買い物をしよう

キーワード Amazon・購入・検索

Amazonのショッピングサービスを利用して、商品を購入してみましょう。商品を検索し、送付先の登録や支払い方法の設定を行います。

◎ Amazonショッピングアプリで買い物をする

Amazonショッピングアプリを起動して商品を検索し、欲しい商品が見つかったらカートに追加して、決済を行います。

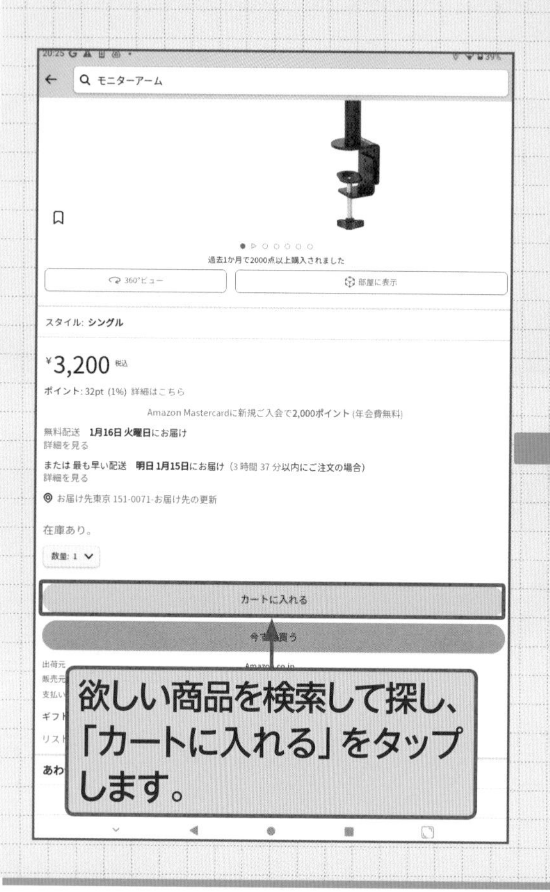

欲しい商品を検索して探し、「カートに入れる」をタップします。

カートの中身を確認して、決済を行います。

◎ 商品を検索してカートに入れる

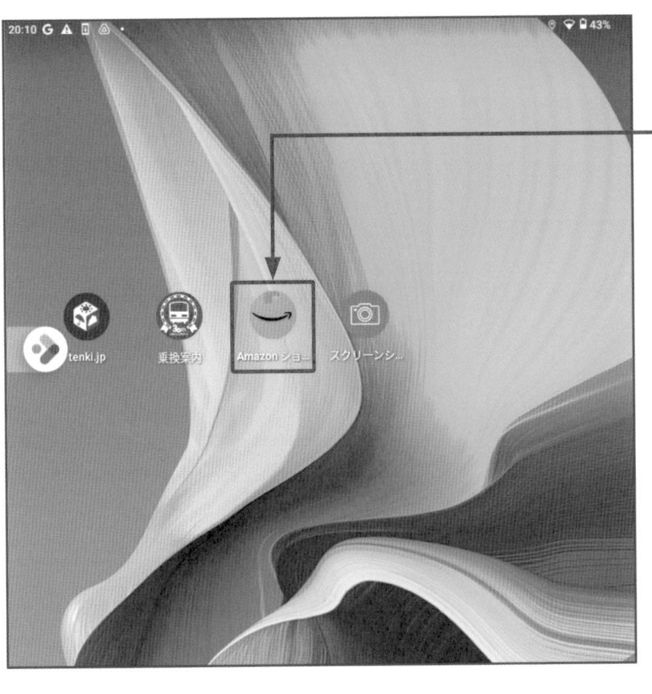

1 タブレットのホーム画面で をタップ します。

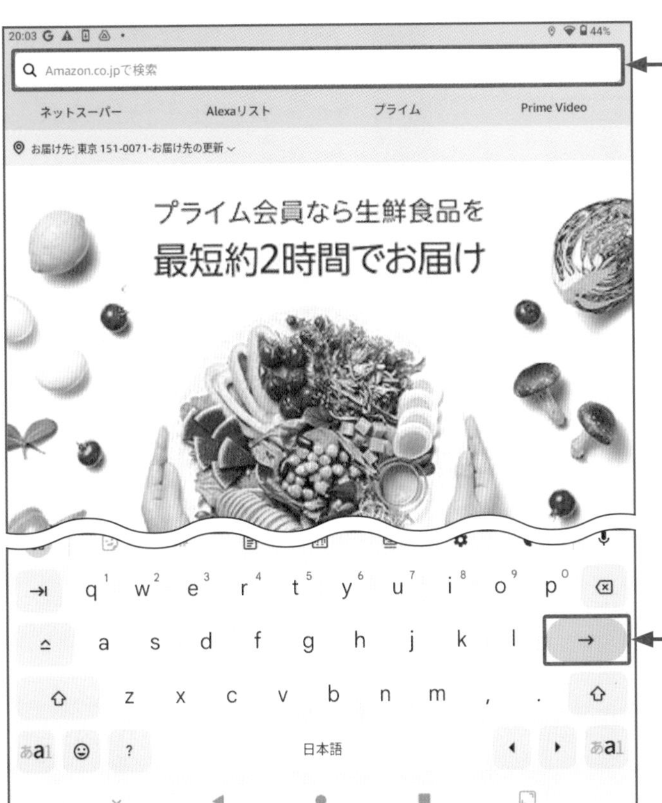

2 Amazonショッピングのホーム画面が表示されます。「Amazonで検索」をタップして、商品名やキーワードを入力 します。

3 → をタップ します。

次へ

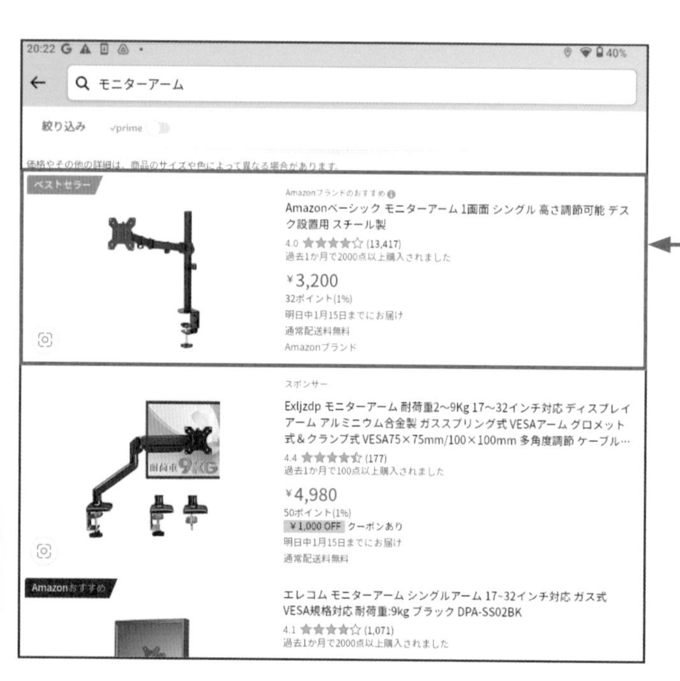

4 商品名や価格、商品の種類などが表示されています。目的に合いそうなものを選んで**タップ**します。

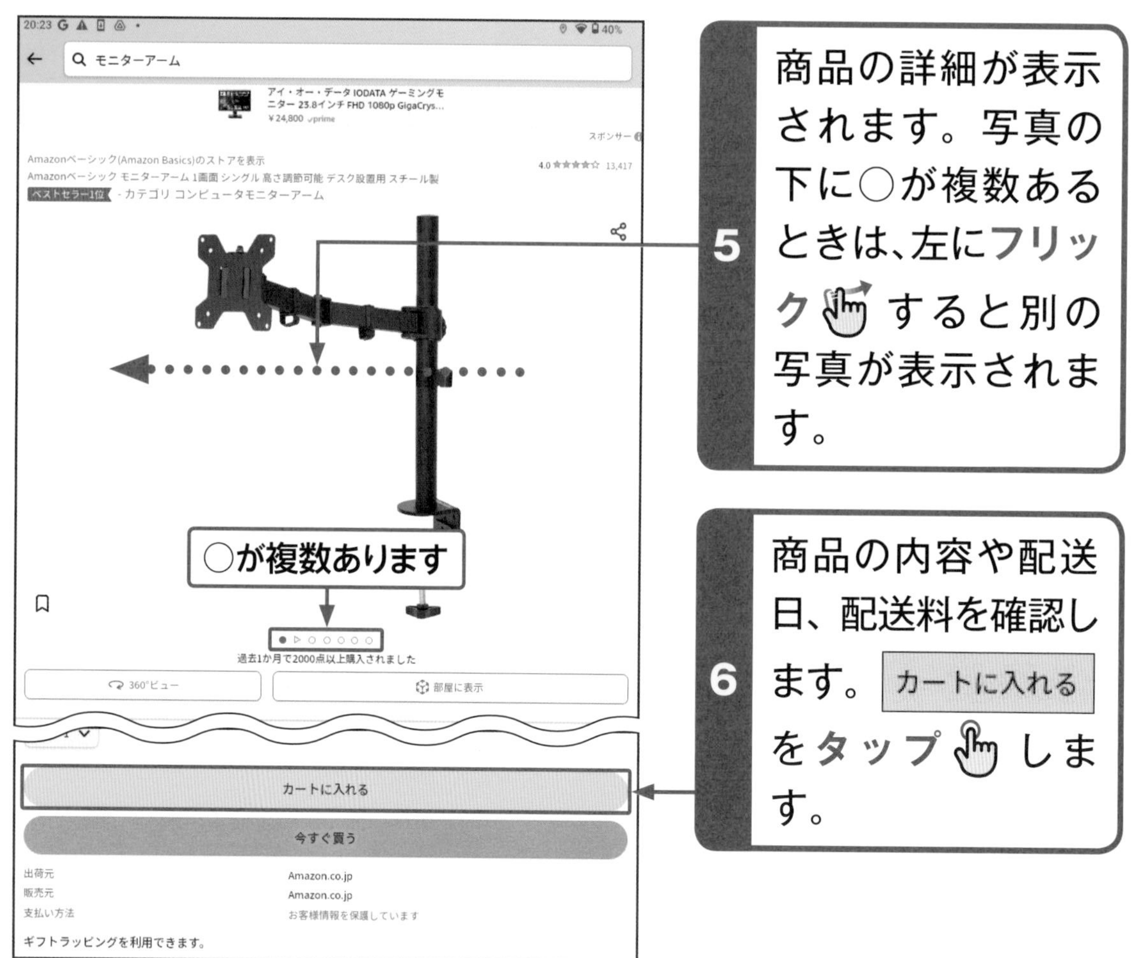

5 商品の詳細が表示されます。写真の下に○が複数あるときは、左に**フリック**すると別の写真が表示されます。

6 商品の内容や配送日、配送料を確認します。 カートに入れる をタップします。

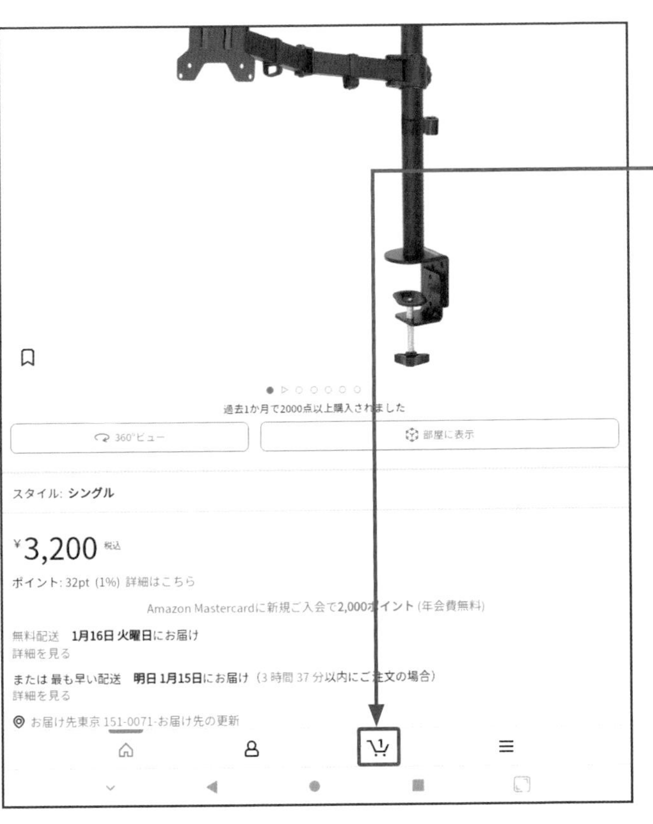

7 画面の下部に、数字の「1」が表示されます。 をタップします。

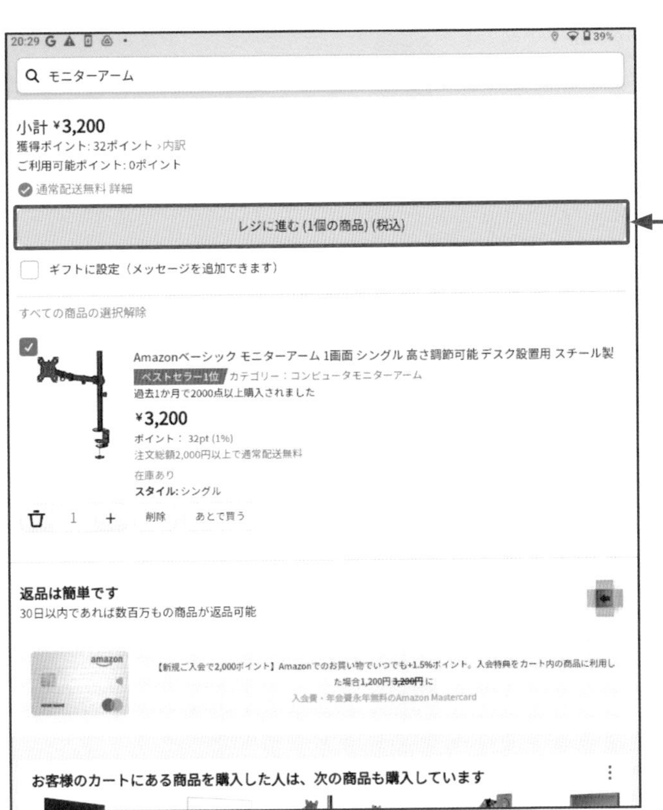

8 現在カートに入っている商品が表示されます。内容を確認して、 レジに進む (1個の商品) (税込) をタップします。

ポイント

削除 をタップすると、カートから削除することができます。

次へ

◎ 配達先と支払い方法を設定する

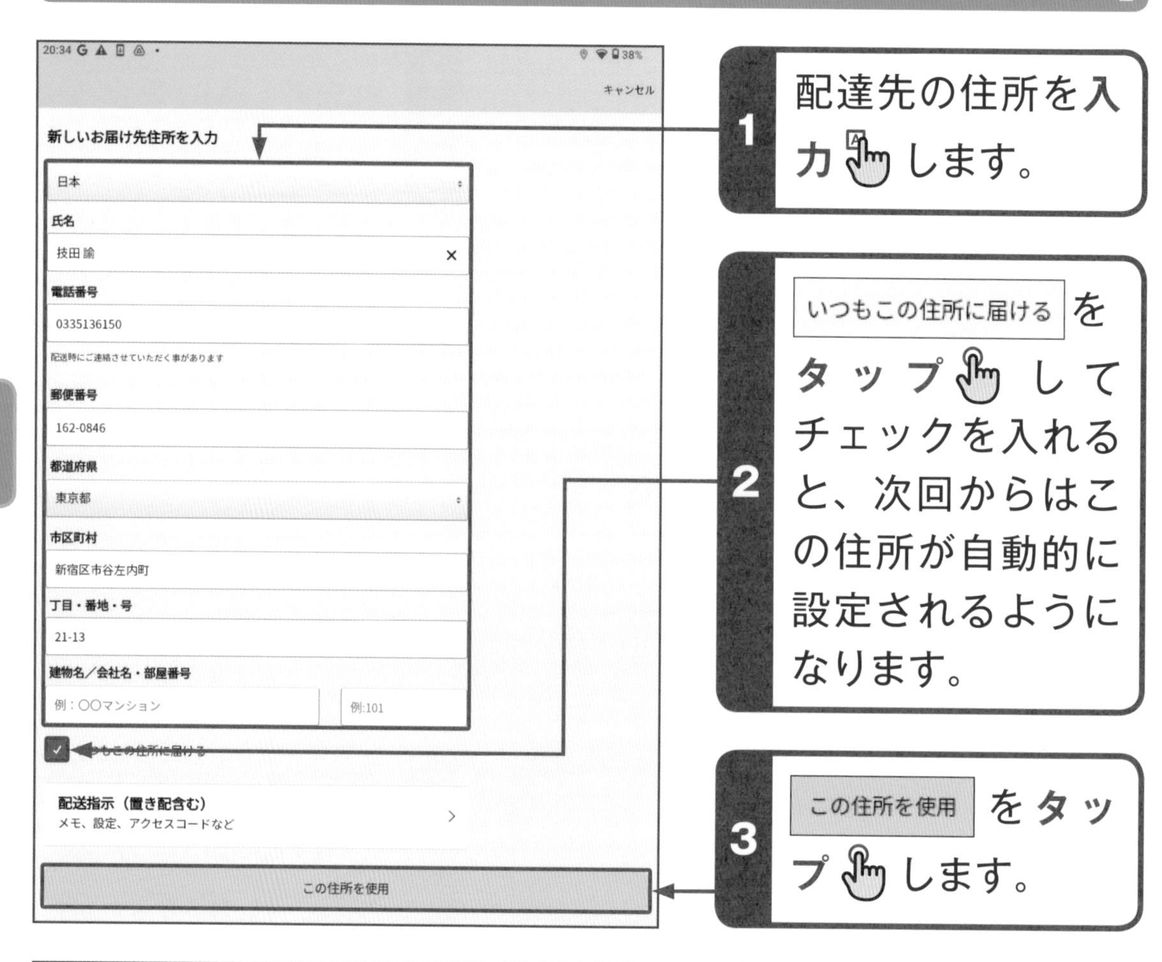

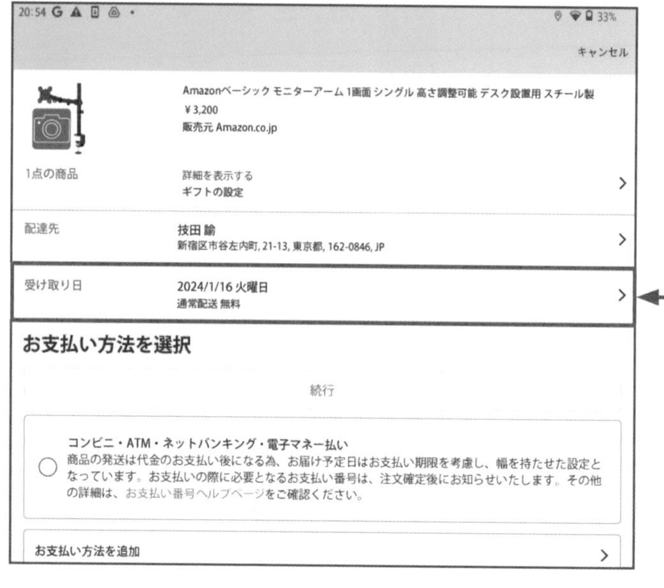

4 商品の内容やお届け先を確認します。「受け取り日」を選ぶと、配送時間を指定することができます。候補から、出発地を選んでタップします。

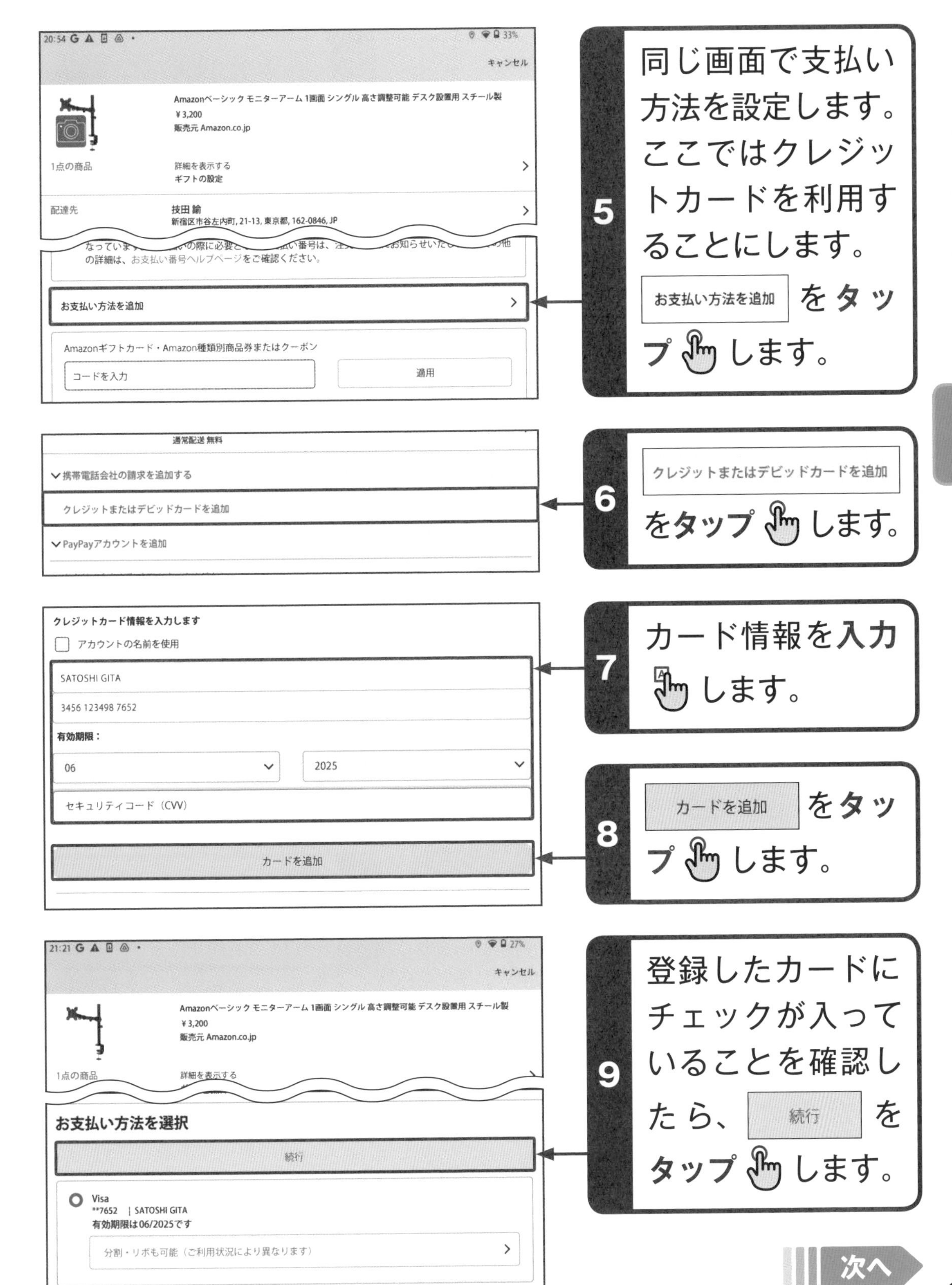
5
同じ画面で支払い方法を設定します。ここではクレジットカードを利用することにします。お支払い方法を追加をタップします。
6
クレジットまたはデビッドカードを追加をタップします。
7
カード情報を入力します。
8
カードを追加をタップします。
9
登録したカードにチェックが入っていることを確認したら、続行をタップします。
キャンセル
Amazonベーシック モニターアーム 1画面 シングル 高さ調整可能 デスク設置用 スチール製
¥3,200
販売元 Amazon.co.jp
1点の商品
詳細を表示する
ギフトの設定
配達先
技田 諭
新宿区市谷左内町, 21-13, 東京都, 162-0846, JP
の詳細は、お支払い番号ヘルプページをご確認ください。
お支払い方法を追加
Amazonギフトカード・Amazon種類別商品券またはクーポン
コードを入力
適用
通常配送 無料
携帯電話会社の請求を追加する
クレジットまたはデビッドカードを追加
PayPayアカウントを追加
クレジットカード情報を入力します
アカウントの名前を使用
SATOSHI GITA
3456 123498 7652
有効期限：
06
2025
セキュリティコード（CVV）
カードを追加
お支払い方法を選択
続行
Visa
**7652 | SATOSHI GITA
有効期限は06/2025です
分割・リボも可能（ご利用状況により異なります）

次へ

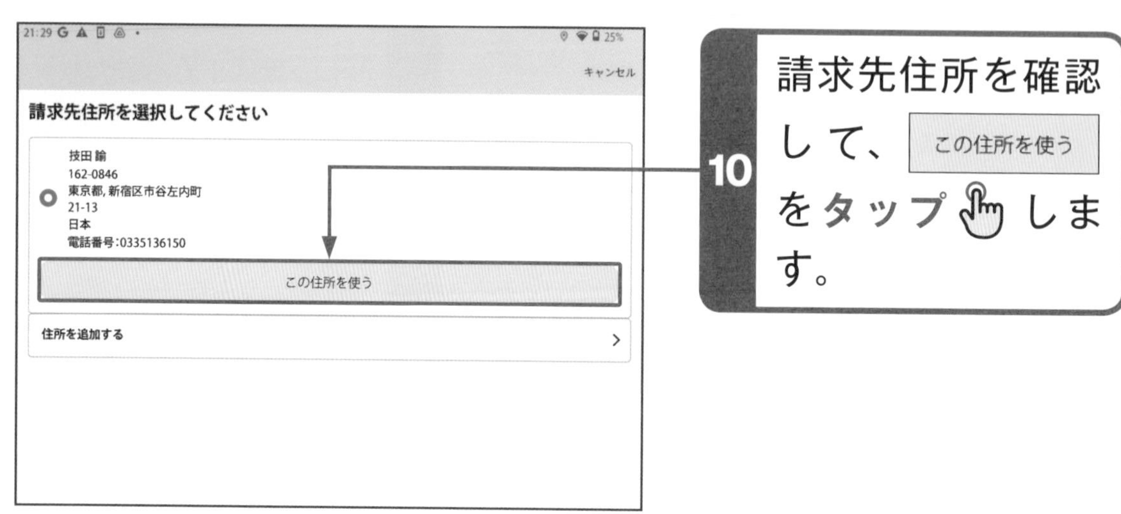

10 請求先住所を確認して、この住所を使うをタップします。

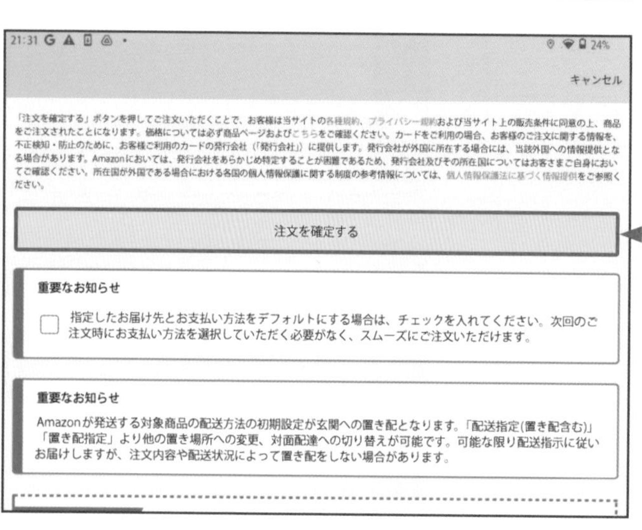

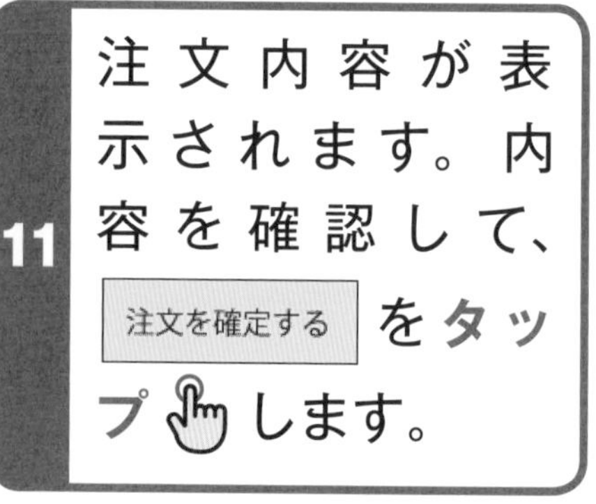

11 注文内容が表示されます。内容を確認して、注文を確定するをタップします。

12 決済されて、注文が確定しました。

◎ 注文を確認する

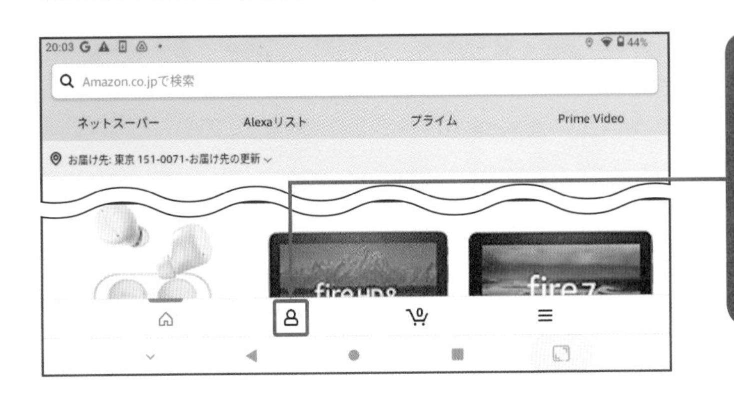

1 Amazonショッピングのホーム画面下部にある 👤 をタップします。

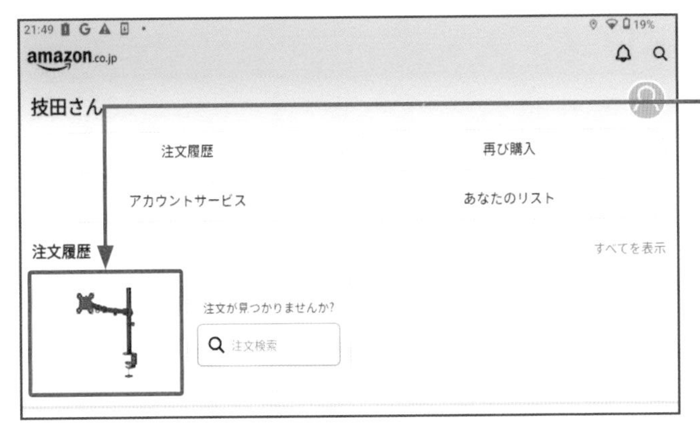

2 購入した商品をタップします。

3 注文した商品が表示されます。 配送状況を確認 をタップすると、現在の状況がわかります。

ポイント

発送前であれば、 商品をキャンセル をタップすると注文をキャンセルできます。

終わり

Section 45 Kindleアプリで電子書籍を探してみよう

キーワード Amazon・Kindle・電子書籍

Amazonで売っている電子書籍を利用するには、電子書籍用の専用アプリ「Amazon Kindle」を使います。読みたい本を探してリストに登録しておくと、購入する際に役に立ちます。

◎Kindleで電子書籍を探す

「Kindle」アプリをインストールして起動し、電子書籍を探してリストに登録します。試し読みもできます。

「Kindle」アプリを検索し、インストールします。

電子書籍を探して、リストに登録します。

◎ Kindleアプリをインストールして起動する

1 Playストアでアプリ「Amazon Kindle」を検索し、インストールします（第6章参照）。

2 ホームキーをタップしてホーム画面に戻ります。

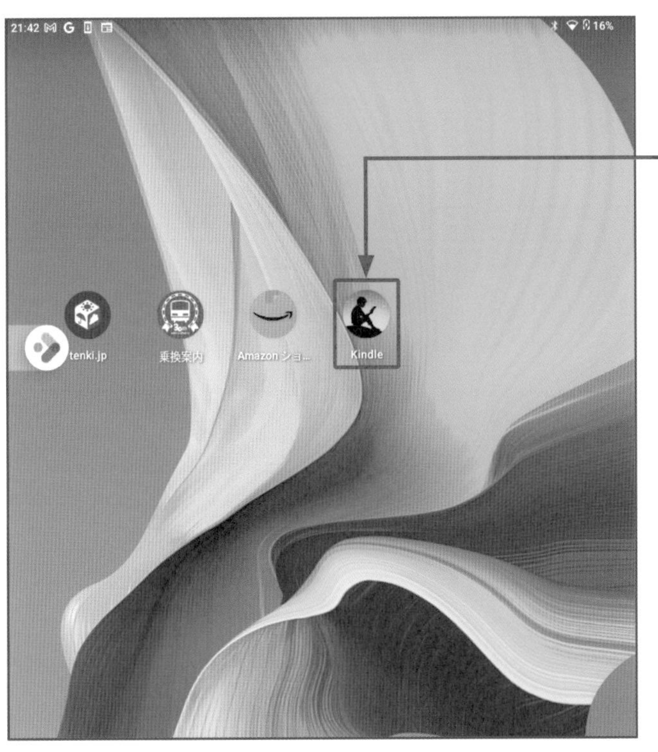

3 タブレットのホーム画面から、Kindle をタップして起動します。

次へ

4 自分のアマゾンアカウントの名前が表示されていることを確認します。

5 読み始める をタップします。

6 Kindleのホーム画面が表示されます。

7 カタログ をタップして、カタログ画面を表示します。

◎ 本を検索してリストに追加する

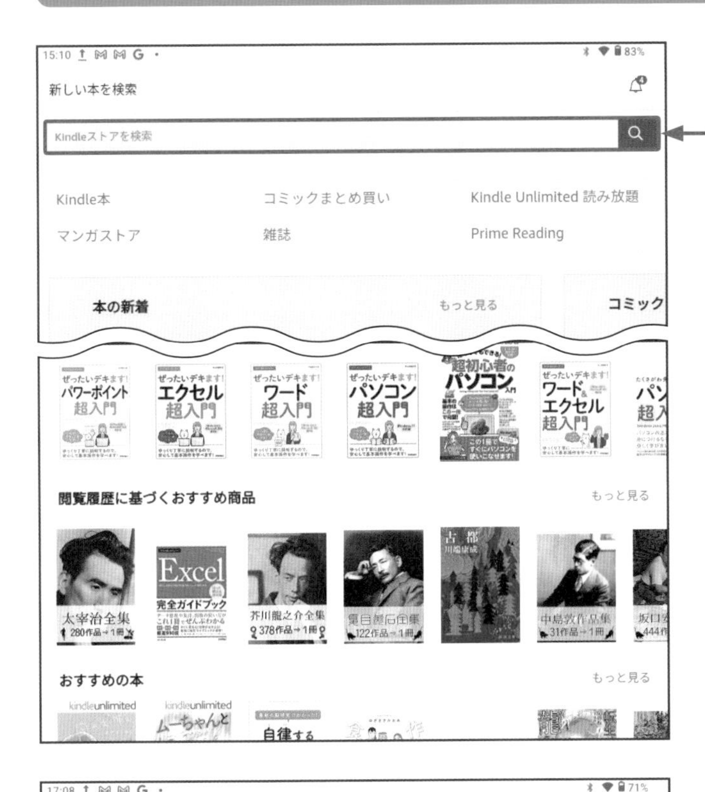

1 前ページの操作で、Kindleのカタログ画面を表示します。検索欄をタップします。

ポイント

画面を上にスワイプするとおすすめの本が表示されるので、その中から選ぶこともできます。

2 検索したいキーワードを入力します。

3 → をタップします。

ポイント

本のタイトルやシリーズ名、著者名などで検索できます。

次へ

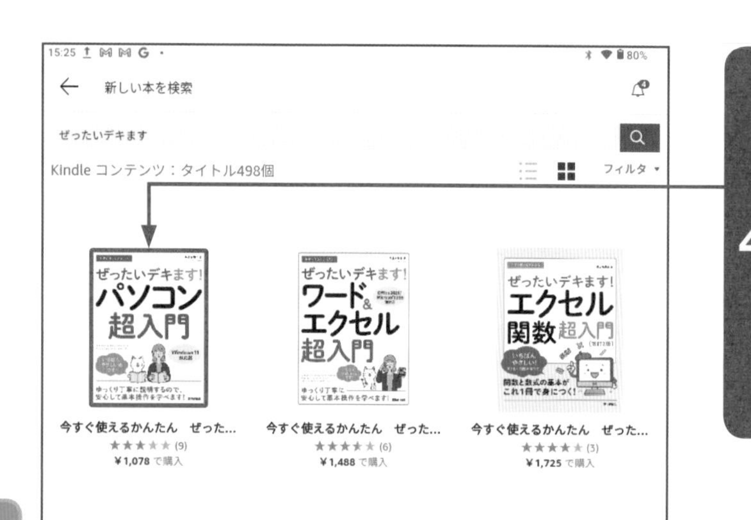

4 検索キーワードに該当する本の一覧が表示されます。詳細を見たい本の表紙をタップします。

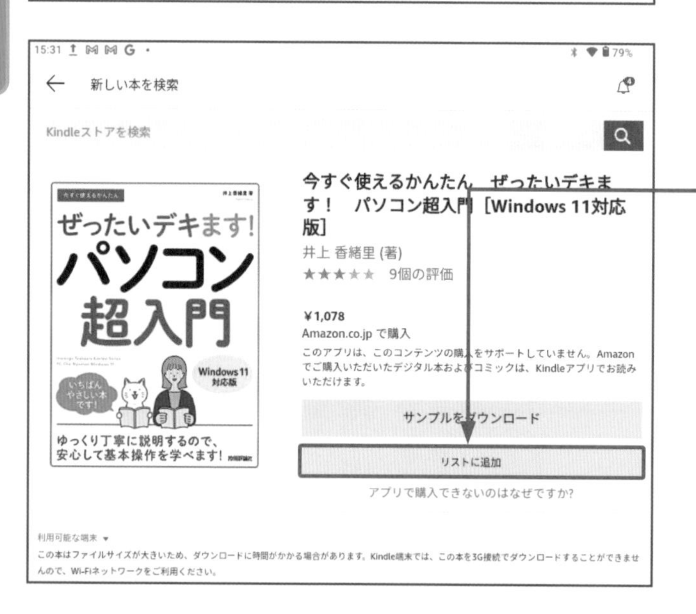

5 本の詳細が表示されます。気に入ったら リストに追加 をタップします。

ポイント

リストに追加しておくと、後から購入するときに簡単になります。

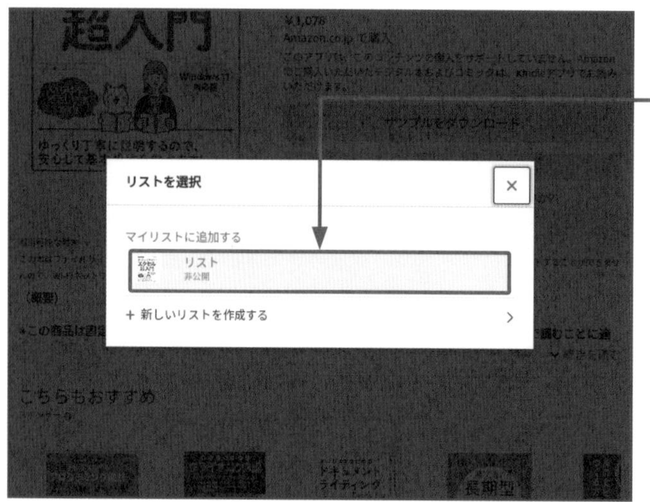

6 リスト 非公開 をタップします。

◎ サンプルを試し読みする

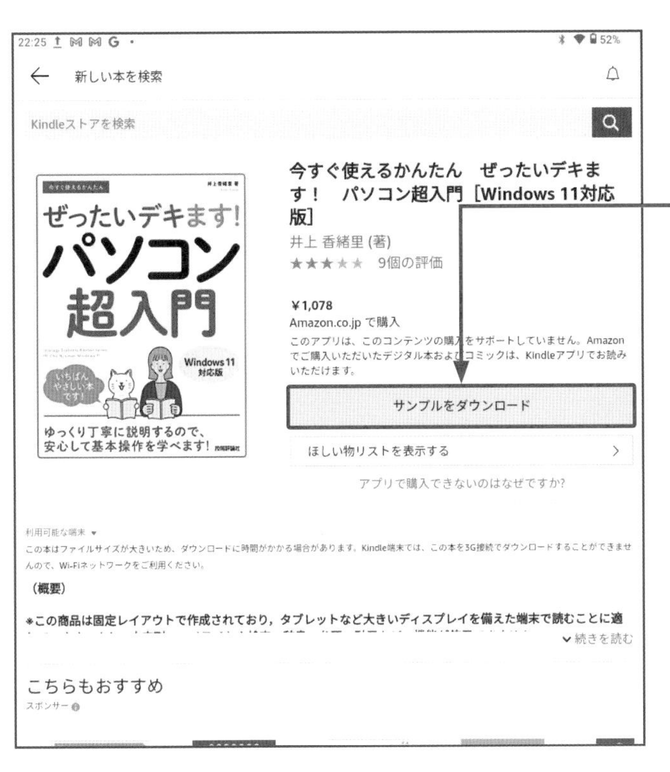

1 本の中身を見るには、前ページ手順❺の画面で サンプルをダウンロード をタップします。

2 今すぐ読む をタップします。

次へ

3 本の表紙が表示されます。横書きの本は左に、縦書きの本は右にフリックします。

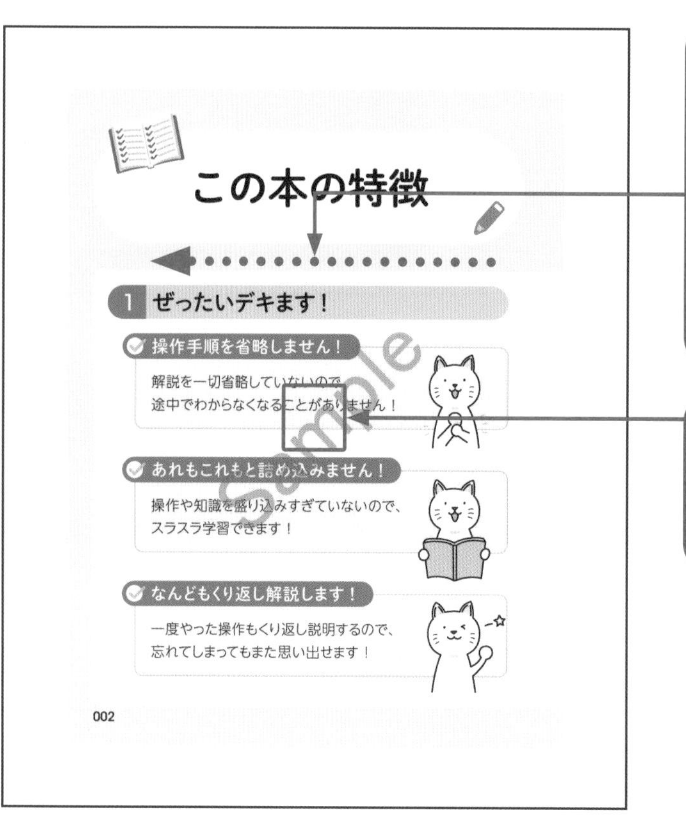

4 本を試し読みすることができます。左右にフリックするとページをめくれます。

5 画面の中央をタップします。

6 〈 をタップします。

7 画面の一番下にある ホーム をタップすると、ホーム画面に戻ります。

終わり

Section 46 電子書籍を買ってみよう

キーワード Amazonを検索・ログイン・リストを表示・購入

Section45でリストに追加した電子書籍を買ってみましょう。電子書籍の購入は「Kindle」アプリからはできません。「Chrome」アプリを使ってKindleストアで購入します。

◎電子書籍を購入する

「Chrome」アプリを起動し、リストに登録した電子書籍を購入します。

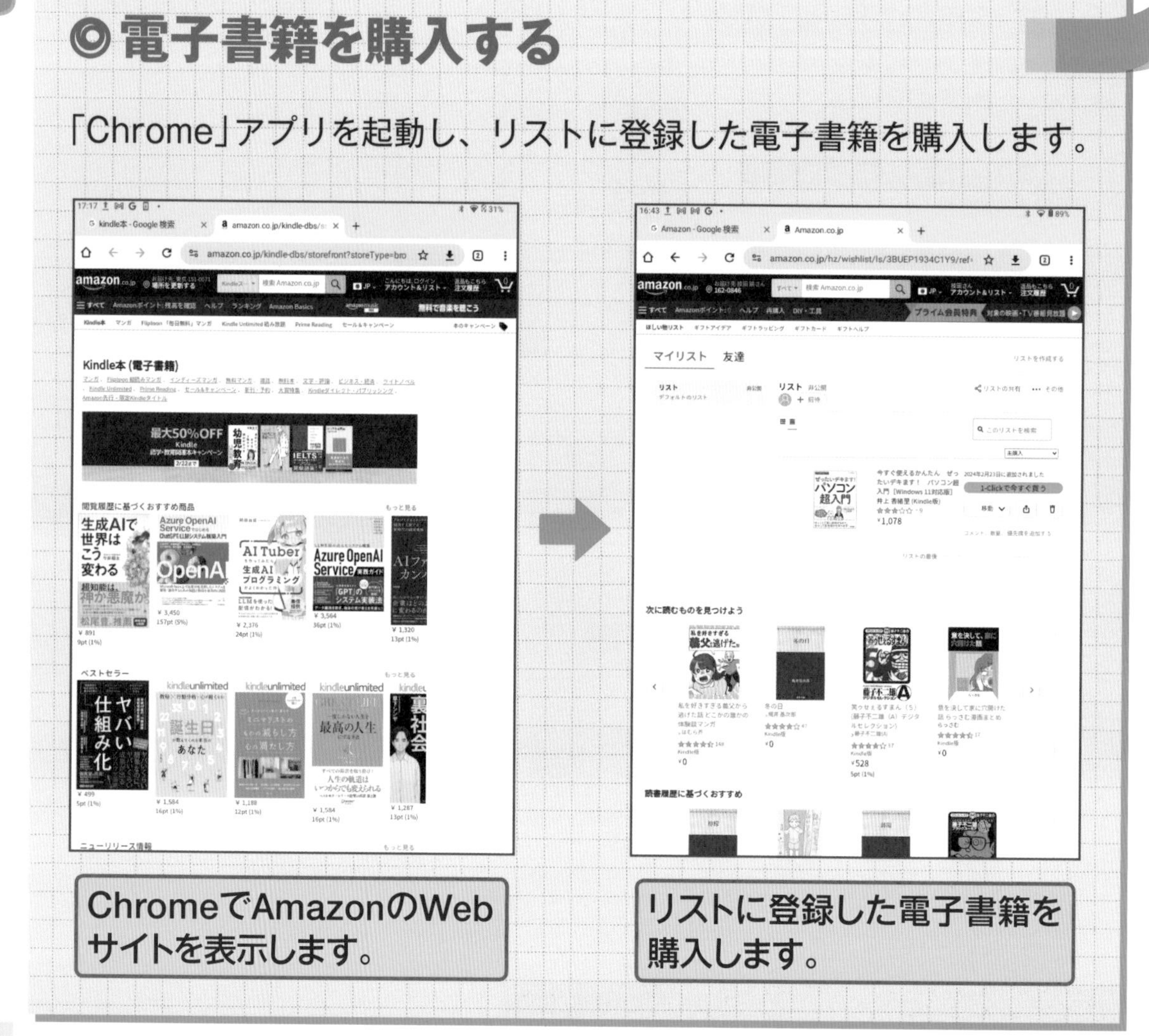

ChromeでAmazonのWebサイトを表示します。

リストに登録した電子書籍を購入します。

リストに登録した電子書籍を購入する

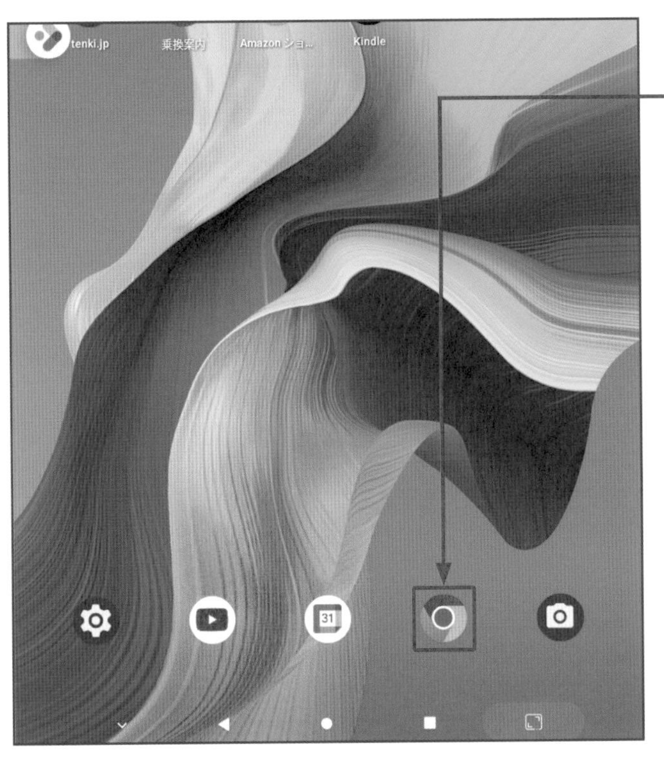

1 をタップします。

2 入力欄をタップします。

次へ

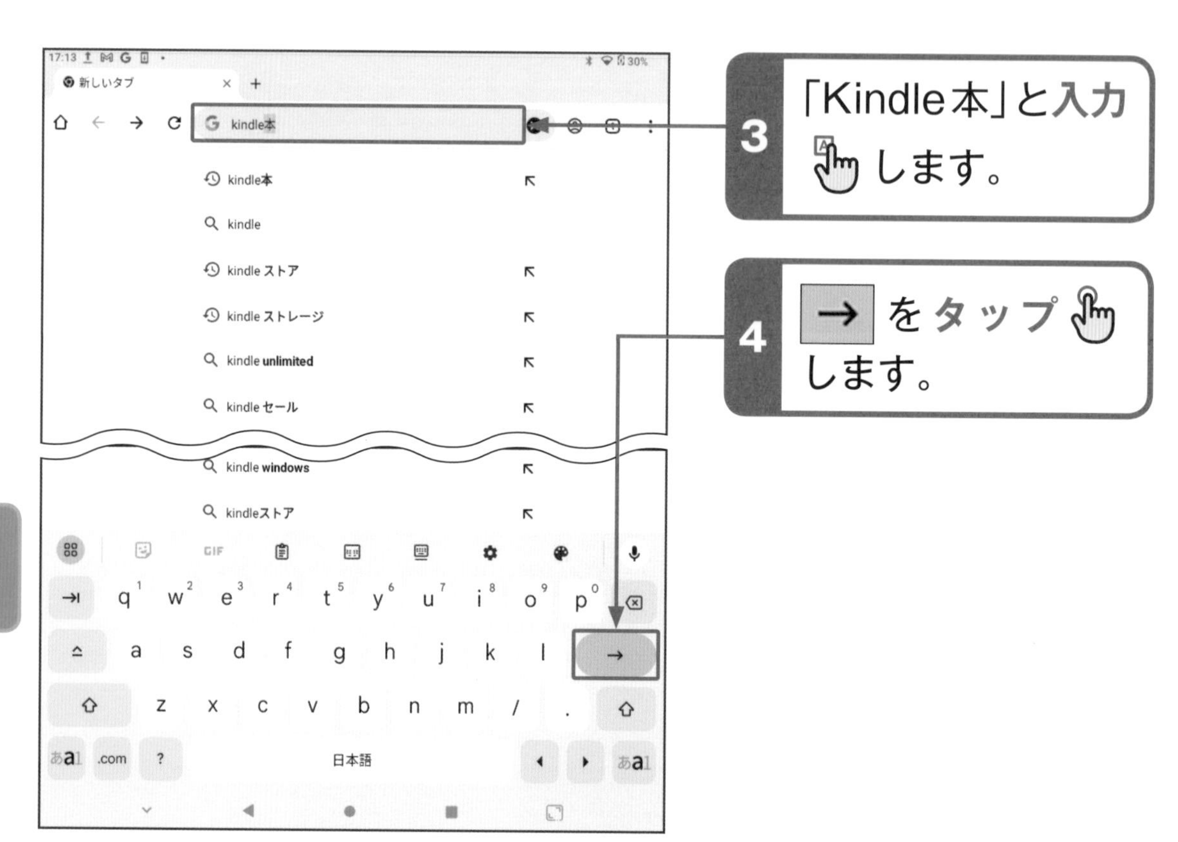

3 「Kindle本」と入力 しします。

4 → をタップ します。

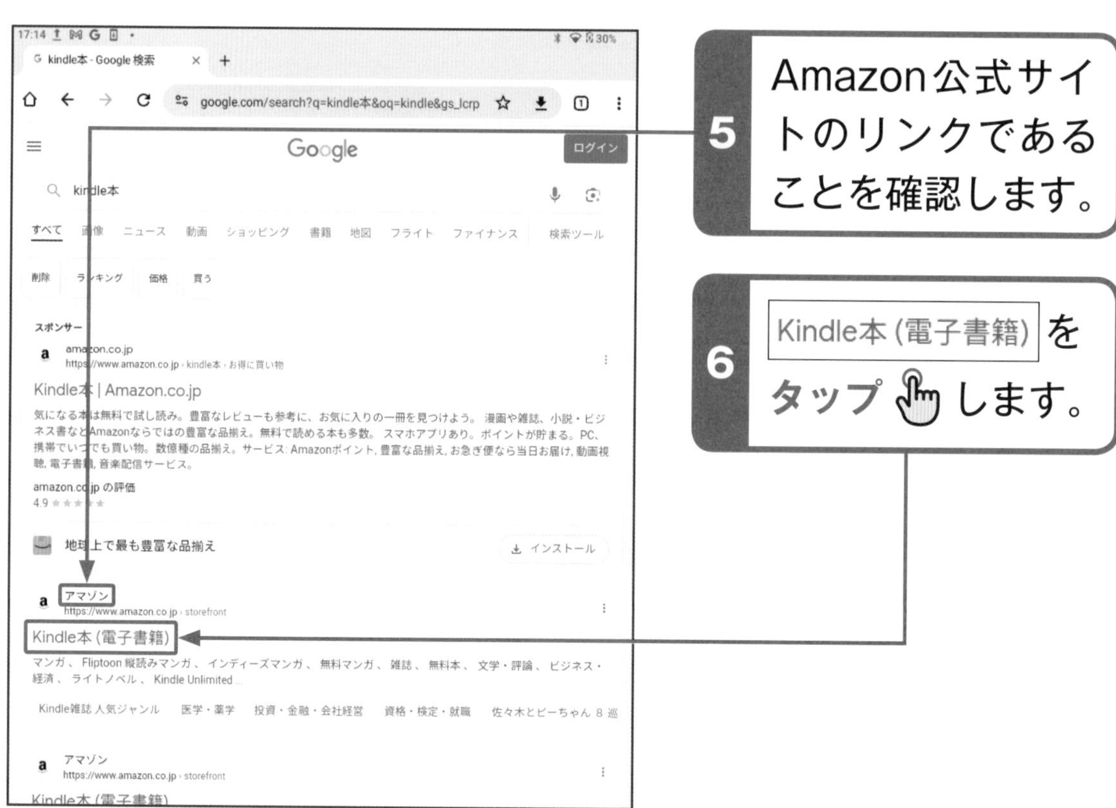

5 Amazon公式サイトのリンクであることを確認します。

6 Kindle本 (電子書籍) をタップ します。

7 AmazonのWebサイトが表示されます。こんにちは, ログイン アカウント&リスト をタップしします。

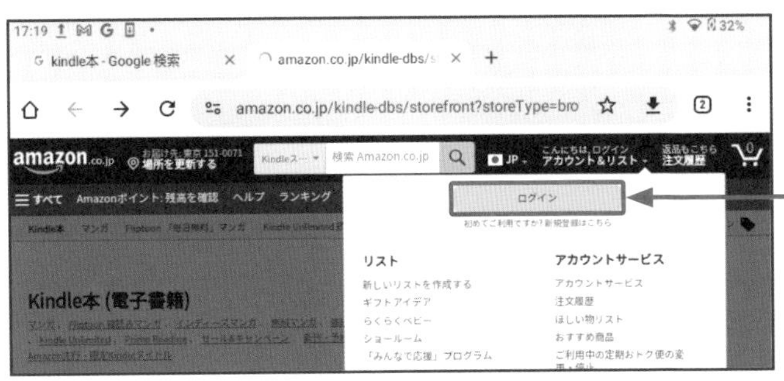

8 ログイン をタップします。

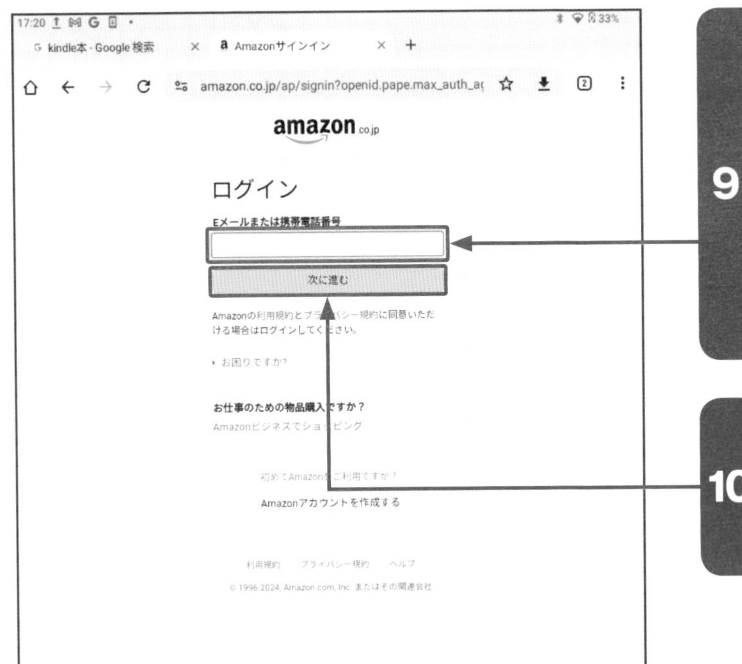

9 入力欄をタップして、Amazonに登録したEメールアドレスを入力します。

10 次に進む をタップします。

次へ

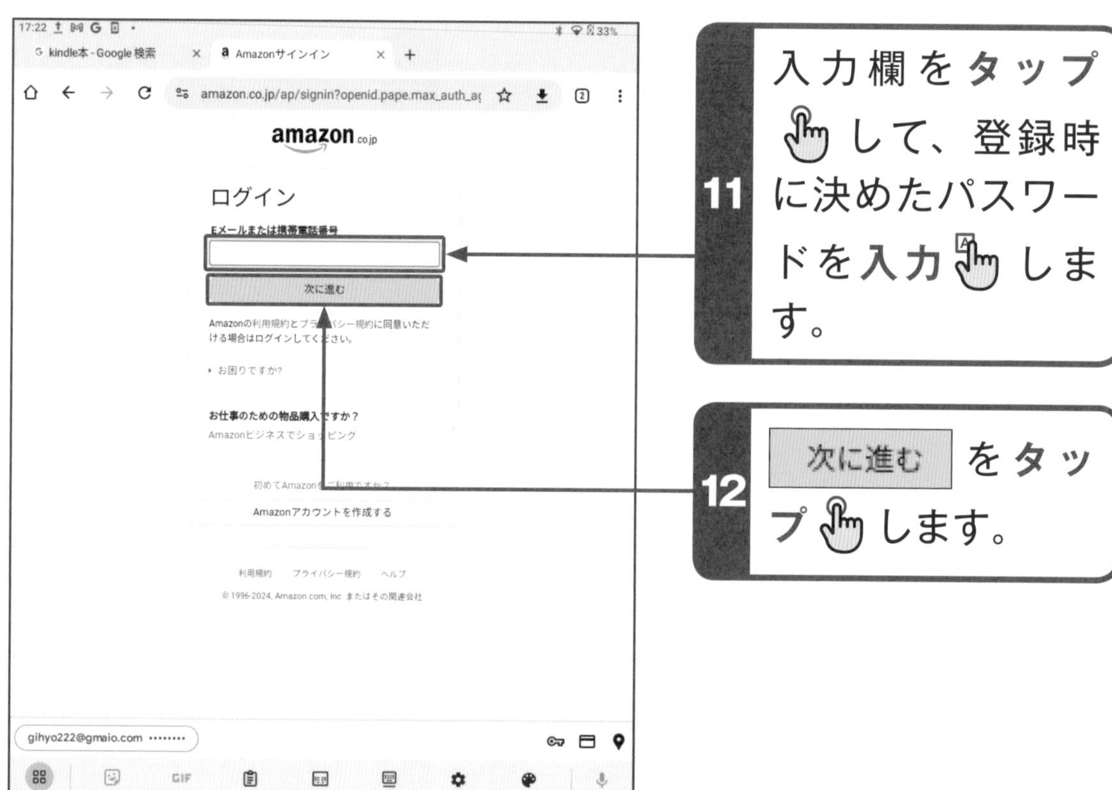

11 入力欄をタップして、登録時に決めたパスワードを入力します。

12 次に進む をタップします。

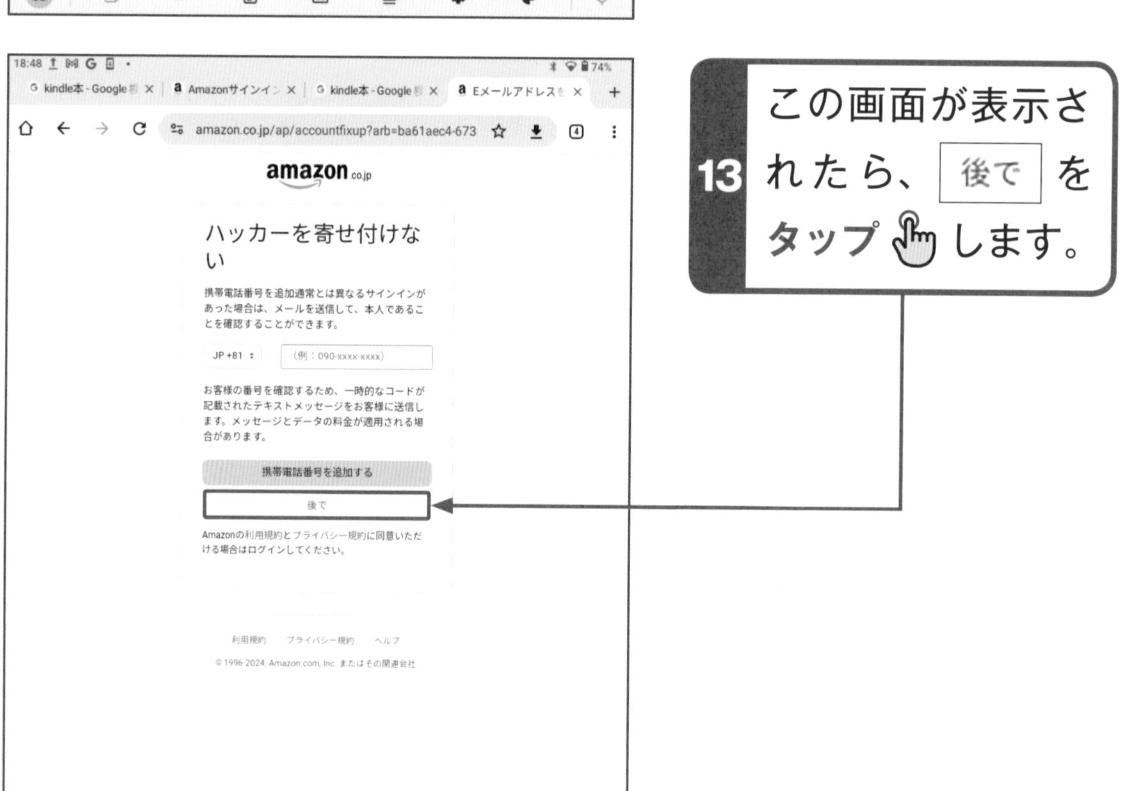

13 この画面が表示されたら、 後で をタップします。

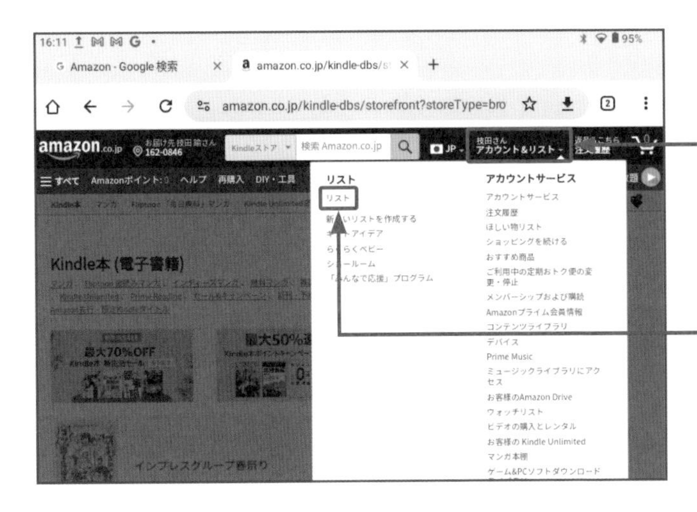

14 ●●さん アカウント&リスト をタップします。

15 リスト をタップします。

16 リストが表示されます。リストには、自分で登録した電子書籍が表示されています。1-Clickで今すぐ買う をタップします。

技田 諭様、ありがとうございます！

今すぐ使えるかんたん ぜったいデキます！ パソコン超入門［Windows 11対応版］ 商品はダウンロードが完了すると、自動的にライブラリに表示されます。

Android 用 Kindle を取得

誤って購入してしまいましたか？ 注文をキャンセル

17 電子書籍の購入が完了しました。

ポイント

注文をキャンセル をタップすると、購入を取り消すことができます。

終わり

Section 47

電子書籍を読もう

キーワード Kindle・電子書籍・読み方

購入した電子書籍を読む方法を紹介します。画面の拡大や縮小が自由にできるので、紙の本のように文字が小さくて読みづらいということがなく、快適に読書を楽しめます。

◎電子書籍を読む

買った本をライブラリで選び、タブレットの画面に表示して読書を楽しむことができます。

購入した本の一覧は、ライブラリに表示されます。

普通の本と同じように、フリックでページをめくることができます。

◎ Kindleアプリで電子書籍を読む

1 177ページでインストールした「Kindle」アプリを起動します。

2 ライブラリ をタップします。

3 ライブラリが表示され、購入した本の一覧が表示されます。読みたい本をタップします。

次へ

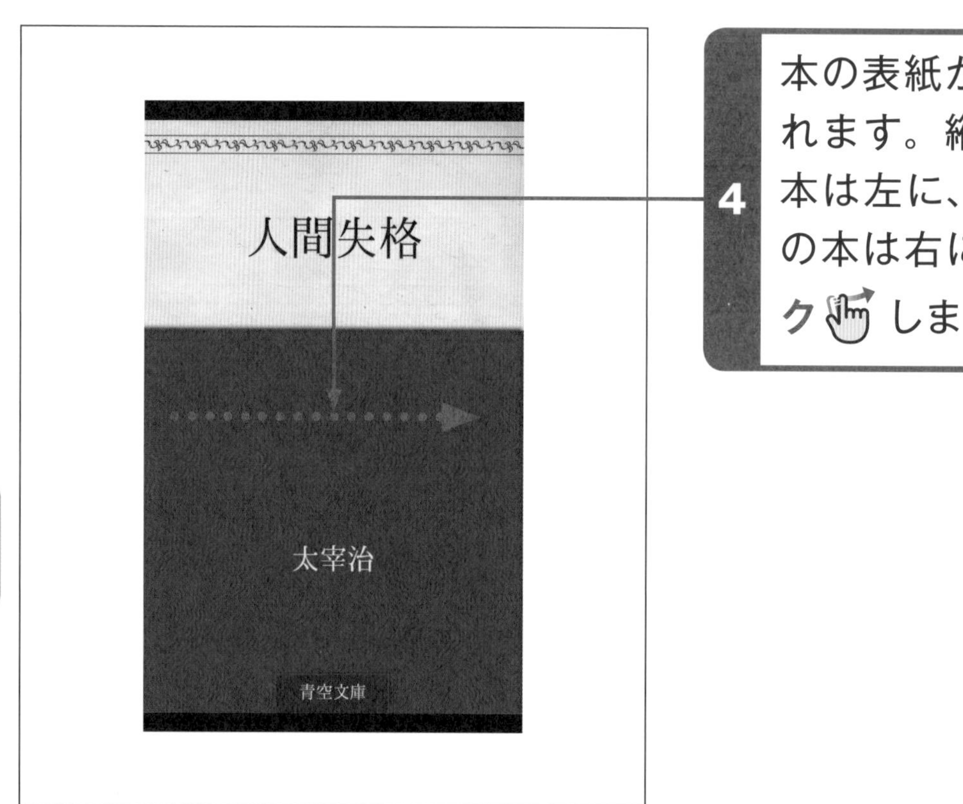

4 本の表紙が表示されます。縦書きの本は左に、横書きの本は右に**フリック**します。

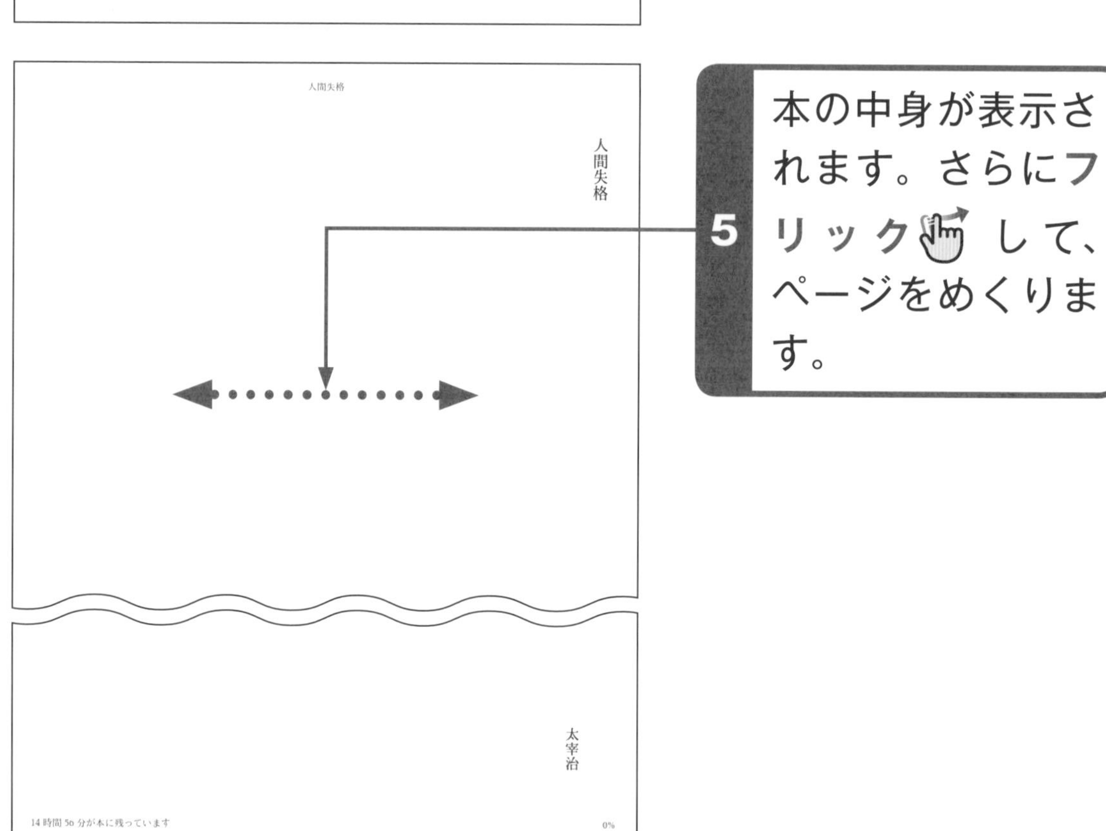

5 本の中身が表示されます。さらに**フリック**して、ページをめくります。

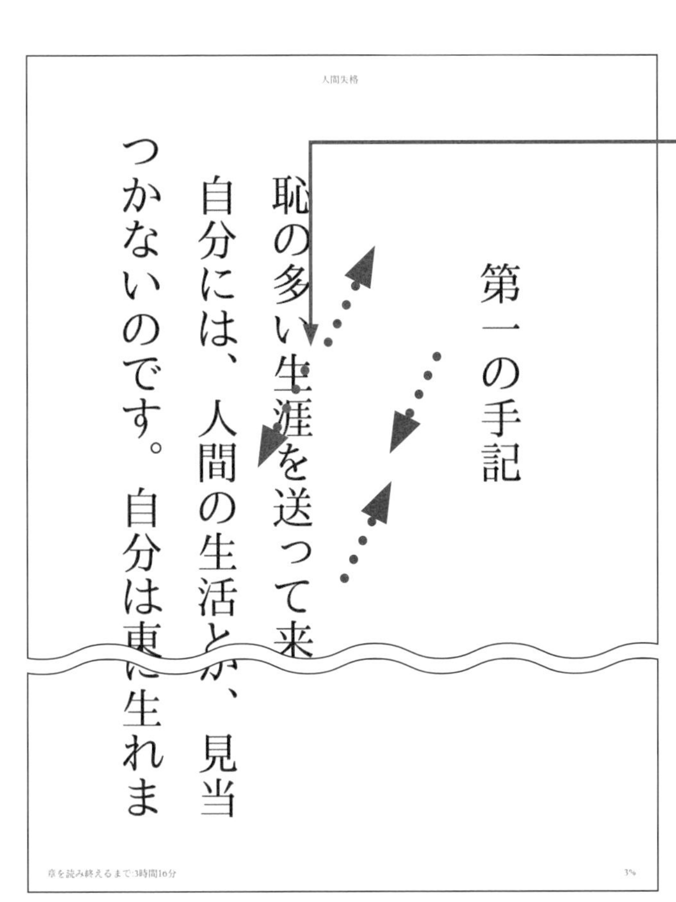

6 ピンチアウト するると文字を拡大、ピンチイン すると文字を縮小して表示できます。

ポイント

電子書籍には固定レイアウトの本もあります。その場合は画面全体が拡大します。

人間失格

第一の手記

恥の多い生涯を送って来ました。
自分には、人間の生活というものが、見当つかないのです。自分は東北の田舎に生れましたので、
きくなってからでした。自分は停車場のブリッジを、上って、降りて、そうしてそれが線路をまたぎ
車には全然気づかず、ただそれは停車場の構内を外国の遊戯場みたいに、複雑に楽しく、ハイカラに
ものだとばかり思っていました。しかも、かなり永い間そう思っていたのです。ブリッジの上ったり
ぶん垢抜けのした遊戯で、それは鉄道のサーヴィスの中でも、最も気のきいたサーヴィスの一つだと
ただ旅客が線路をまたぎ越えるための頗る実利的な階段に過ぎないのを発見して、にわかに興が覚め
また、自分は子供の頃、絵本で地下鉄道というものを見て、これもやはり、実利的な必要から案出
乗るよりは、地下の車に乗ったほうが風がわりで面白い遊びだから、とばかり思っていました。
自分は子供の頃から病弱で、よく寝込みましたが、寝ながら、敷布、枕のカヴァ、掛蒲団のカヴァ
思い、それが案外に実用品だった事を、二十歳ちかくになってわかって、人間のつましさに暗然と
また、自分は、空腹という事を知りませんでした。いや、それは、自分が衣食住に困らない家に
鹿な意味ではなく、自分には「空腹」という感覚はどんなものだか、さっぱりわからなかったので
空いていても、自分でそれに気がつかないのです。小学校、中学校、自分が学校から帰って来ると、
いたろう、自分たちにも覚えがある、学校から帰って来た時の空腹は全くひどいからな、甘納豆は
などと言って騒ぎますので、自分は持ち前のおべっか精神を発揮して、おなかが空いた、と呟いて、
のですが、空腹感とは、どんなものだか、ちっともわかっていやしなかったのです。
自分だって、それは勿論、大いにものを食べますが、しかし、空腹感から、ものを食べた記憶は、
思われたものを食べます。豪華と思われたものを食べます。また、よそへ行って出されたものも、

7 ページをタップ します。

次へ

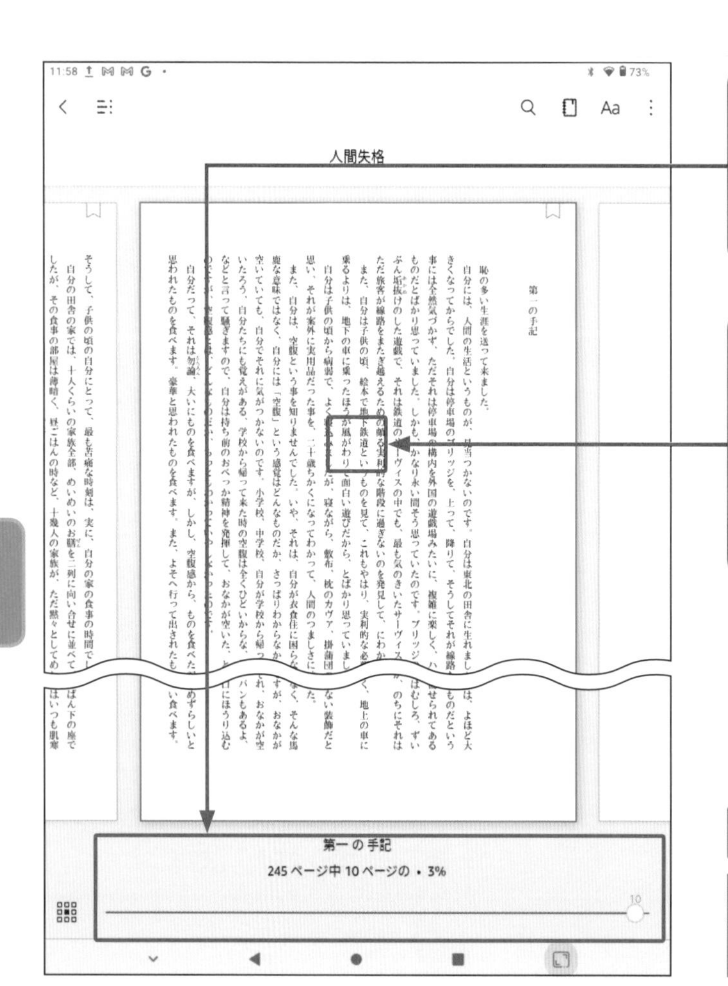

8 全体のページ数と、現在の進み具合が表示されます。

9 ページをタップすると、再び全面に文字が表示されます。

ポイント

文字の大きさを変えると、全体のページ数も変わります。

10 左上の〈をタップすると、191ページ手順❸のライブラリの画面に戻ります。

終わり

気になる Q&A

10

この章でできること

- 画面ロックのパスワードを設定する
- スリープまでの時間を設定する
- インターネットの危険性について知る
- アプリを最新にする
- OSを最新にする

Question

Section 48

画面ロックのパスワードを設定したい

キーワード　画面ロック・パスワード・セキュリティ

タブレットに画面ロックをかけて、解除するためのパスワードを設定しておきましょう。勝手に他人に使われることがなくなり、万が一紛失したときも安心です。

画面ロックのパスワードを設定する

1 ホーム画面で 設定 をタップします。

21:44

設定

設定を検索

ネットワークとインターネット
Wi-Fi、アクセス ポイント

接続済みのデバイス
Bluetooth、ペア設定

ユーザー補助
ディスプレイ、操作、音声

セキュリティ
画面ロック、デバイスを探す、アプリのセキュリティ

プライバシー
権限、アカウント アクティビティ、個人データ

2 「設定」アプリが起動するので、セキュリティ 画面ロック、デバイスを探す、 をタップします。

第10章 気になるQ&A

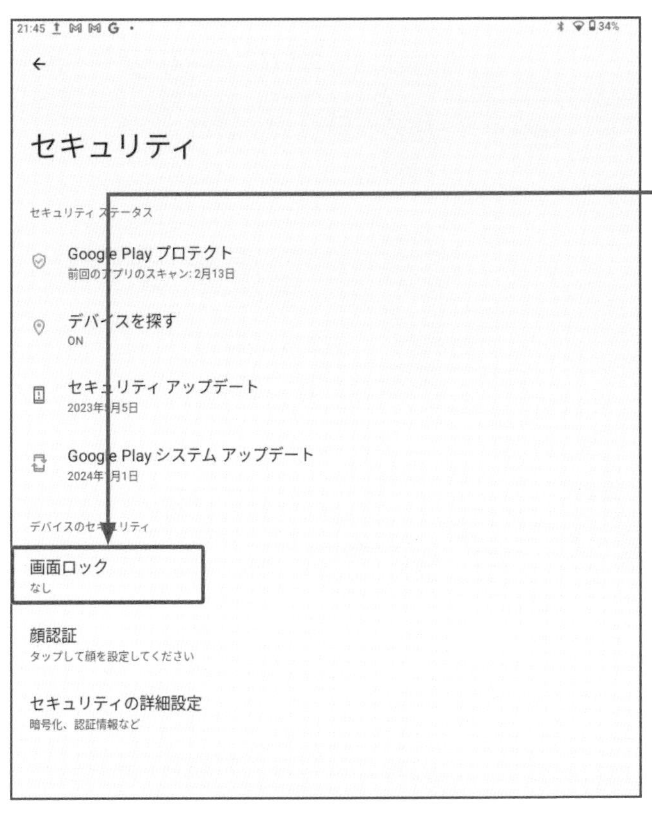

3 セキュリティの設定画面が表示されるので、画面ロックをタップします。

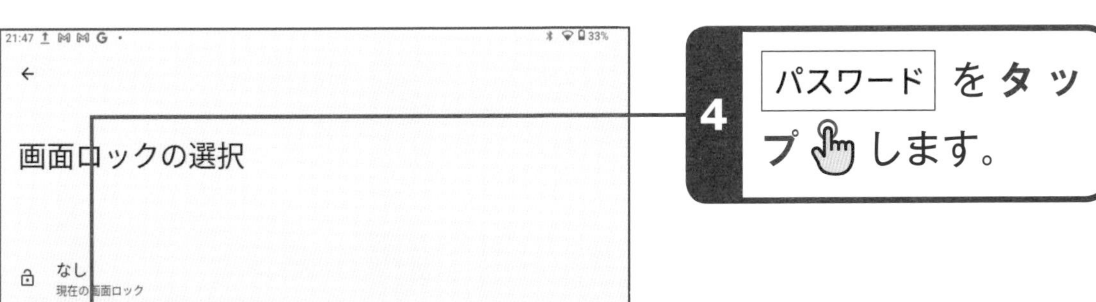

4 パスワードをタップします。

ポイント

手順②〜④の画面と手順は、機種によって異なることがあります。その場合も「画面ロック」や「パスワード」などの表記が含まれる箇所をタップします。

次へ

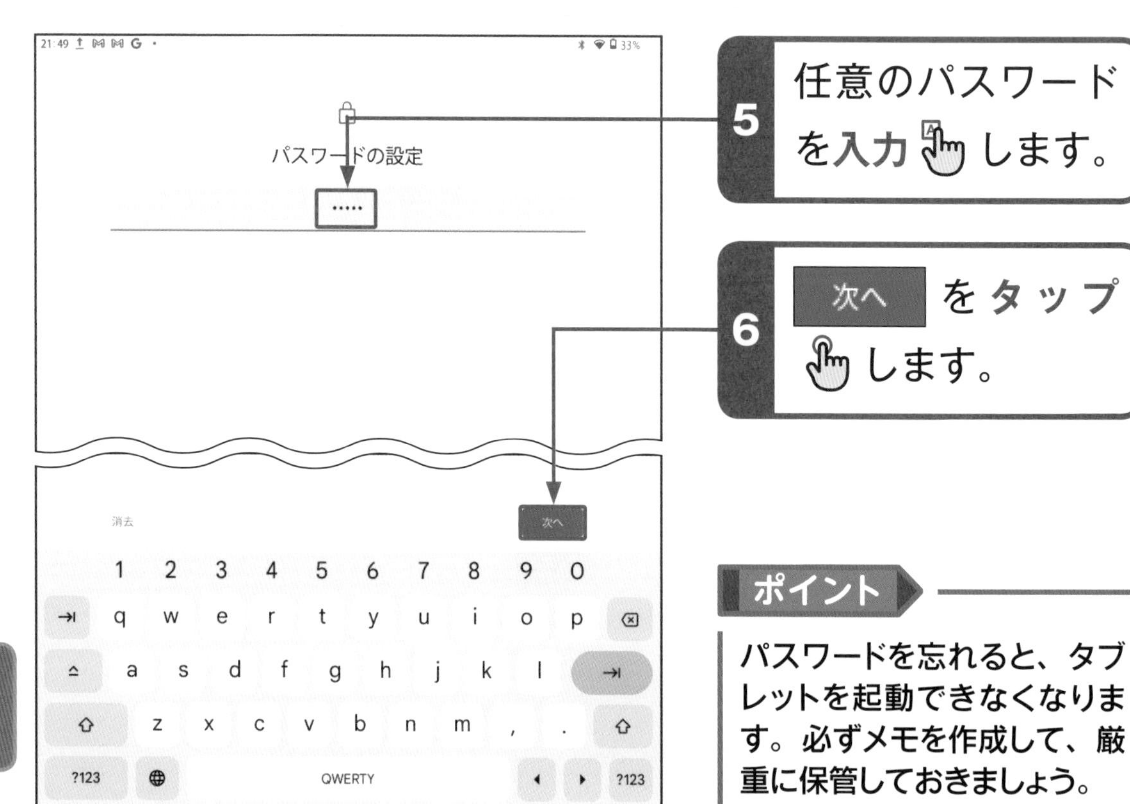

ポイント

パスワードを忘れると、タブレットを起動できなくなります。必ずメモを作成して、厳重に保管しておきましょう。

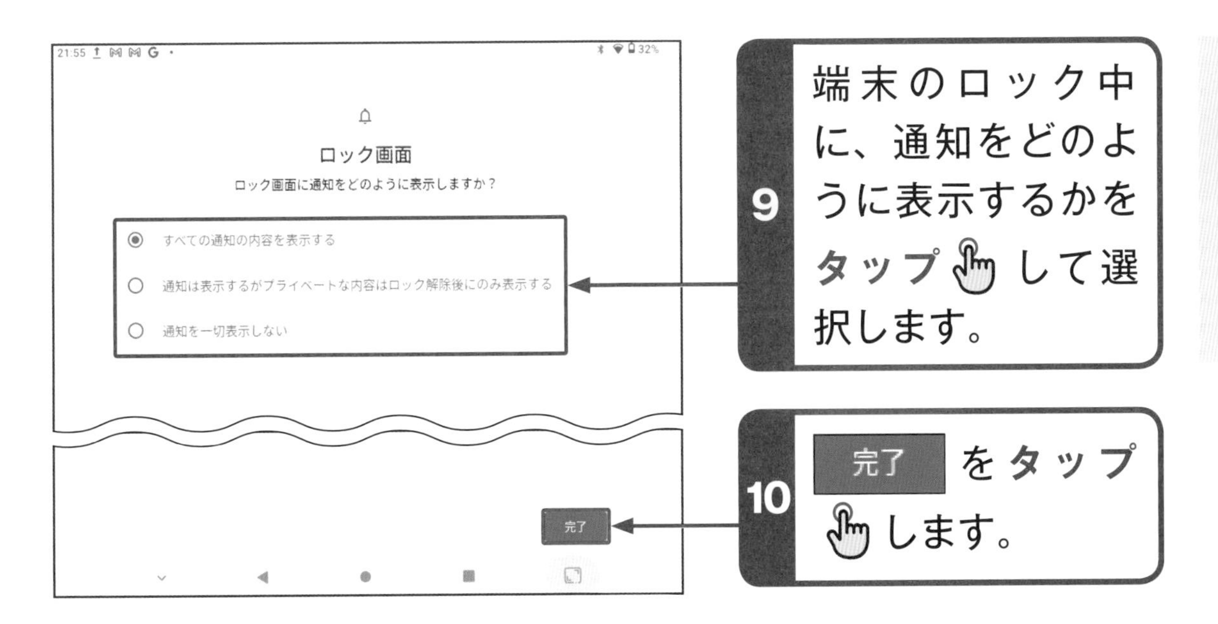

9 端末のロック中に、通知をどのように表示するかをタップして選択します。

10 完了 をタップします。

コラム パスワードでロックを解除する

パスワードでロック画面を解除するには、ロック画面を上にスワイプします❶。画面が切り替わるので、設定したパスワードを入力して❷、✓をタップします❸。

終わり

Question

Section 49

画面が暗くなるまでの時間を変更したい

キーワード スリープ・画面・消灯時間

操作に手間取る間に画面が暗くなり、困ったことはありませんか？　タブレットには、一定の時間操作しないと自動的に画面が暗くなる機能があります。暗くなるまでの時間を設定して快適に使いましょう。

画面の消灯時間を設定する

1 ホーム画面で（設定）をタップします。

15:42　59%

設定

設定を検索

ネットワークとインターネット
Wi-Fi、アクセスポイント

接続済みのデバイス
Bluetooth、ペア設定

着信音とバイブレーション
音量、バイブレーション、サイレント モード

ディスプレイ
ダークモード、フォントサイズ、明るさ

壁紙
ホーム、ロック画面

2 「設定」アプリが起動するので、（ディスプレイ ダークモード、フォントサイズ、）をタップします。

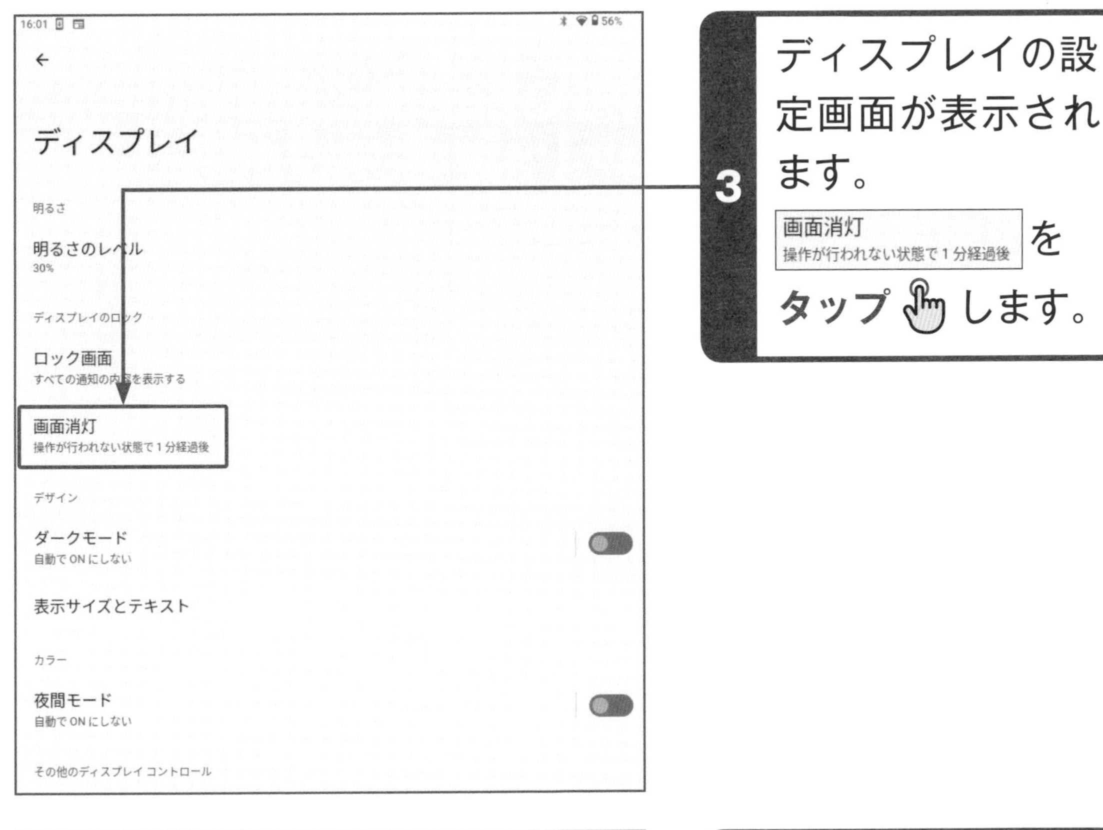

3 ディスプレイの設定画面が表示されます。

画面消灯 操作が行われない状態で１分経過後 をタップします。

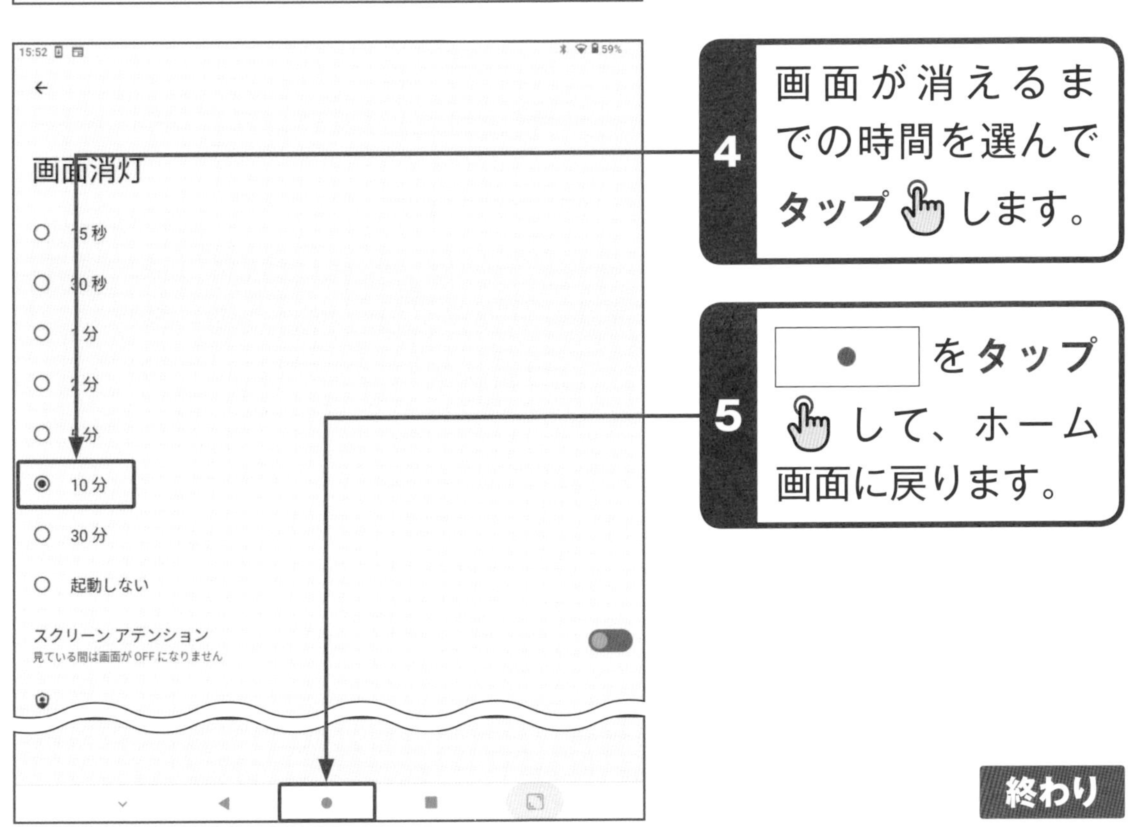

4 画面が消えるまでの時間を選んでタップします。

5 ● をタップして、ホーム画面に戻ります。

終わり

Question

Section 50

インターネットの危険について知りたい

キーワード ▶ インターネット・セキュリティ・対策

タブレットを利用する際は、インターネットへの接続が不可欠です。インターネットは便利ですが、さまざまな危険性も潜んでいます。インターネットの危険性のうち代表的なものと、その対策について知っておきましょう。

1 インターネット接続の危険性

インターネットは世界中から、たくさんの人がさまざまな機器で接続します。その中には悪意を持つ人もおり、攻撃する相手を探しています。身を守るためには、インターネットにはどのような危険があるのかを知り、対策をしておくことが必要です。

インターネットの危険性には、以下のようなものがあります。

● **詐欺にあう**

怪しいネット通販サイトで購入すると、写真と違うものが届いたり、商品が届かず代金だけ取られる可能性があります。また電子メールで架空の請求が届き、騙されてお金を払ってしまう危険もあります。

● **個人情報を盗まれる**

メール、写真、位置情報、ウェブサイトの閲覧履歴、商品購入の履歴など、タブレットには利用者のさまざまな個人情報が保管されています。これらの個人情報をインターネット経由で盗み取られ、悪用される恐れがあります。

盗み取られる原因には、タブレットのウイルス感染や、無料公衆Wi-Fi接続時の侵入などがあります。

● **クレジットカード情報を盗まれる**

にせのネット通販サイト、銀行やカード会社にそっくりな偽装サイトに誤ってログインすると、クレジットカード情報を盗まれ、悪用される恐れがあります。誤って入力させるための詐欺サイトをフィッシングサイトと呼びます。

● **アカウントを乗っ取られる**

ログインIDとパスワードがわかれば、通販サイトやSNSなどへのログインが可能になります。あなたに成りすまして買い物をされたり、SNSを乗っ取られたりしてしまいます。

2 インターネットを安全に利用するには

インターネットを安全に利用するためには、次のことに注意しましょう。

● **お得な情報には気を付ける**

お得な情報のメールはほとんどが詐欺だと考えて、疑ってかかりましょう。危険をあおるメールも詐欺であることがほとんどです。Gmailなどのフィルタリング機能を使うと、怪しいメールは迷惑メールとして振り分けられます。しかし、フィルタリングをくぐり抜ける場合もあるので注意しましょう。

● **パスワードは複雑にして使いまわさない**

単純なパスワードはかんたんに見破られてしまいます。1つのパスワードを別のサイトで使いまわすのも危険です。あるサイトでパスワードが漏洩すると、別のサイトでもログインできてしまいます。

● **怪しいアプリはインストールしない**

アプリは正規のストア（Playストア）からインストールしましょう。

● **不審な警告メッセージには従わない**

タブレットの使用中に急に警告メッセージが表示されても、慌てずに無視するようにしましょう。メッセージを消せなかったら、電源ボタンを押してタブレットを再起動してみましょう。

終わり

Section 51

アプリを最新にしたい

キーワード Playストア・アプリ・更新

インストールしたアプリは放置せずに、常に最新版に更新（アップデート）しておきましょう。セキュリティの強化や新機能の追加、不具合解消などのメリットがあります。

アプリを更新して最新にする

1 ホーム画面で をタップします。

2 Playストアが起動するので、検索欄の右側にあるアイコンをタップします。

3 Googleアカウントの画面が表示されます。 アプリとデバイスの管理 をタップします。

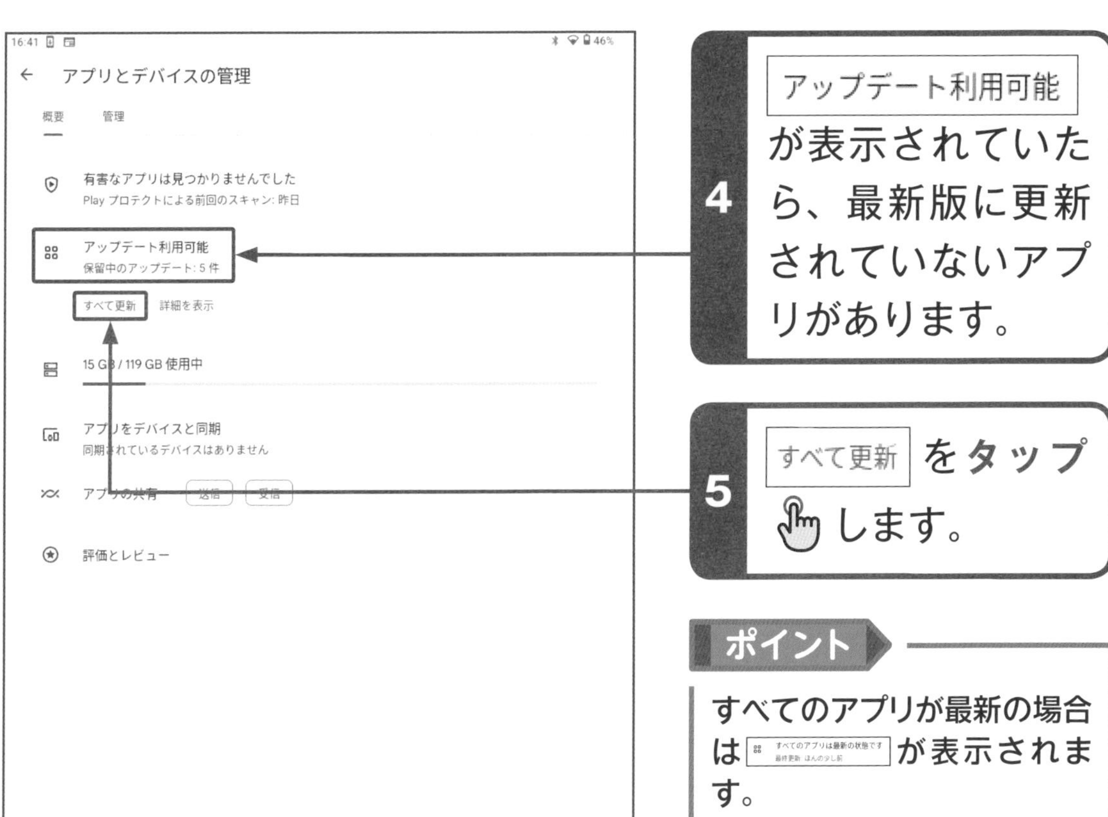

4 アップデート利用可能 が表示されていたら、最新版に更新されていないアプリがあります。

5 すべて更新 をタップします。

ポイント

すべてのアプリが最新の場合は すべてのアプリは最新の状態です 最終更新 ほんの少し前 が表示されます。

終わり

Question

Section 52

OSを最新にしたい

キーワード　システム更新・アップデート・セキュリティアップデート

タブレットを動かすシステムである「Android」や各機種独自のシステムは時々新しいバージョンに更新されます。システム更新を行って、最新版にしておきましょう。

セキュリティアップデートをする

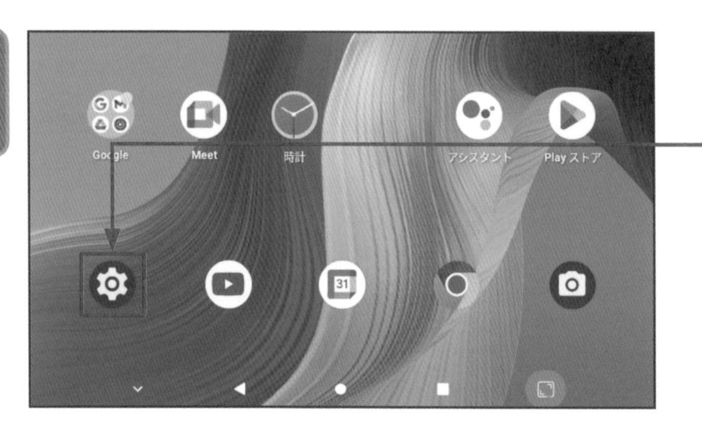

1 ホーム画面で 設定 をタップします。

16:54
43%
設定
設定を検索
ネットワークとインターネット
Wi-Fi、アクセス ポイント
接続済みのデバイス
Bluetooth、ペア設定
ホーム、ロック画面
ユーザー補助
ディスプレイ、操作、音声
セキュリティ
画面ロック、デバイスを探す、アプリのセキュリティ

2 「設定」アプリが起動するので、セキュリティ 画面ロック、デバイスを探す、をタップします。

第10章 気になるQ&A

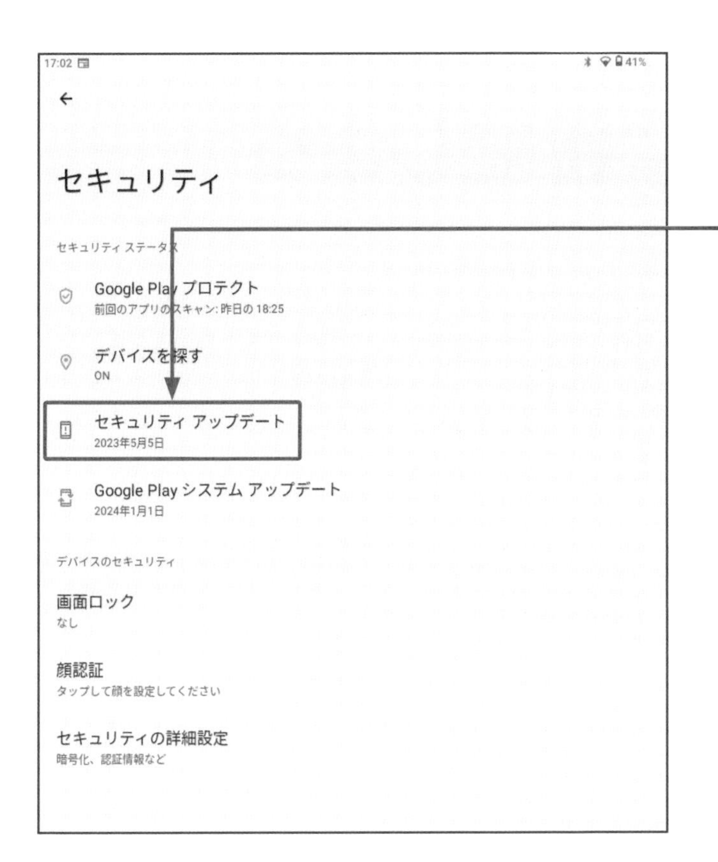

3 セキュリティの設定画面が表示されるので、セキュリティ アップデート 2023年5月5日 をタップします。

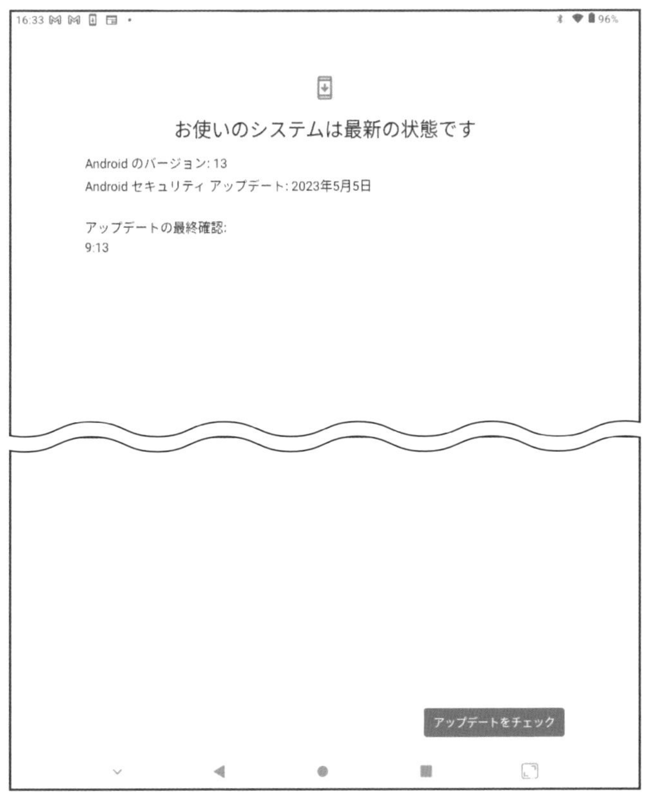

4 現在のシステムの更新状況が表示されます。システムが最新でない場合は、このページからシステムの更新が可能になります。

終わり

Appendix 01

Wi-Fiに接続しよう

キーワード Wi-Fi・無線LAN・インターネット

タブレットをWi-Fiに接続する方法を紹介します。家庭内で利用する場合、無線LANルーターなどが必要です。あらかじめネットワーク名とパスワードを調べておきましょう。

インターネットにつなぐために必要な機器

タブレットでインターネットを利用するにはWi-Fiに接続する必要があります。自宅でWi-Fiを利用するには、無線LANルーターなどをあらかじめ用意しておきます。

◎ Wi-Fiに接続する

ネットワーク名(SSID) PIN : 87654321
オーナーSSID(2.4G) : ntwrk-123abc-e
オーナーSSID(5G) : aterm-6ccb79-a
暗号キー(AES) : 9z87y65x432w1
ゲストSSID(2.4G) : ntwrk-123abc-ez
ゲストSSID(5G) : aterm-6ccb79-az
暗号キー(AES) : 1a23b45c678d9

1 使用するネットワークの、ネットワーク名(SSID)とパスワード(暗号キー)を確認しておきます。

ポイント

無線LANルーターの場合、ネットワーク名は本体の背面などに記載されています。

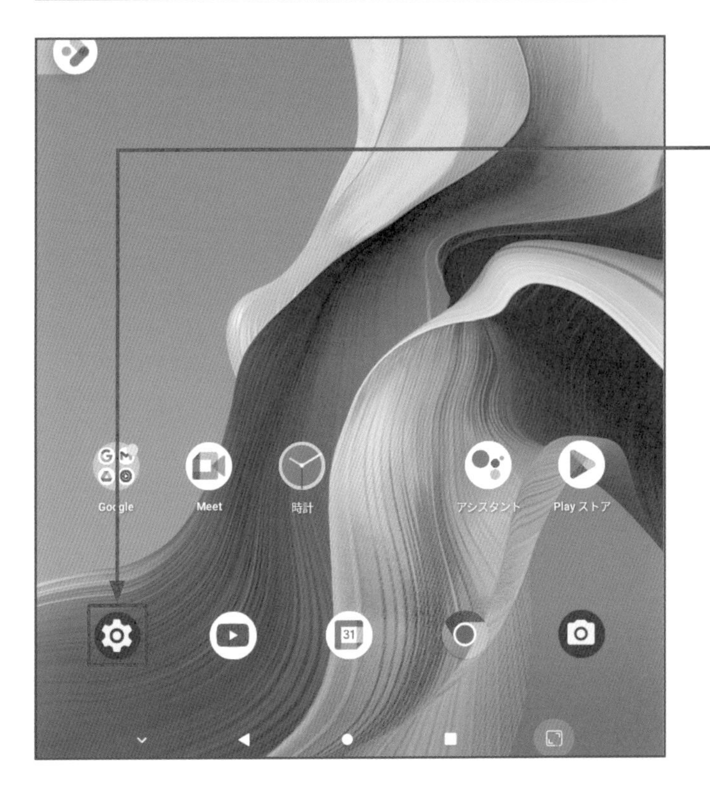

2 ホーム画面で 設定 をタップします。

次へ

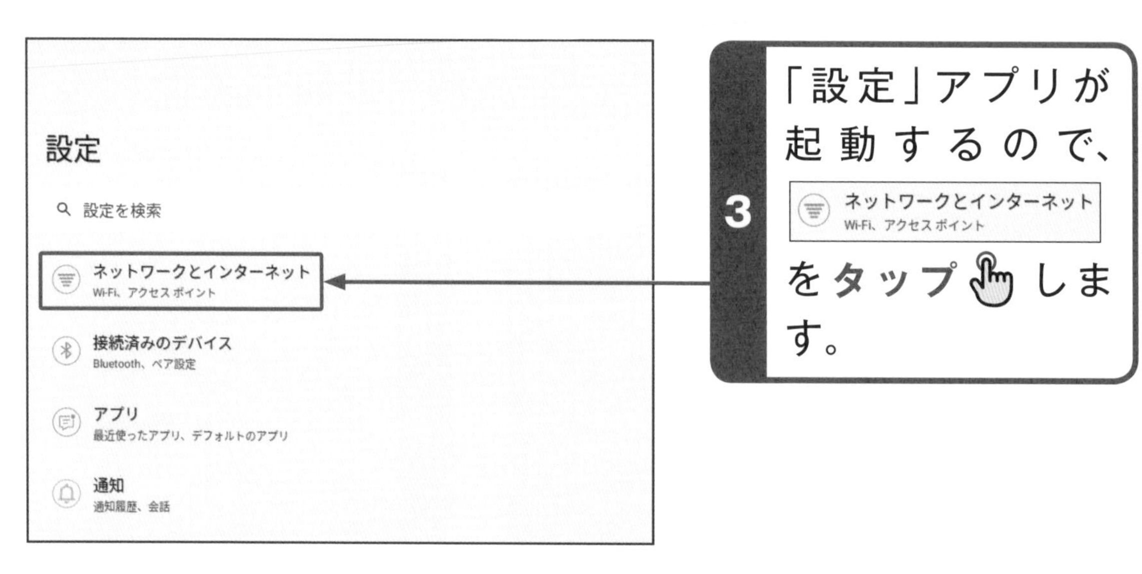

3 「設定」アプリが起動するので、ネットワークとインターネット Wi-Fi、アクセス ポイント をタップ します。

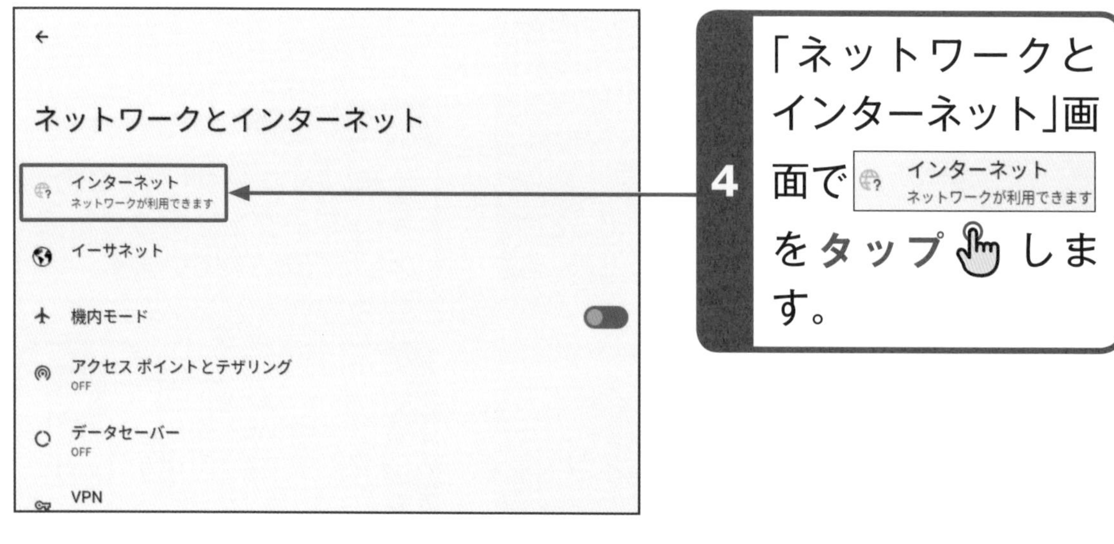

4 「ネットワークとインターネット」画面で インターネット ネットワークが利用できます をタップ します。

5 確認しておいた「ネットワーク名(SSID)」をタップ します。

付録

Wi-Fiに接続しよう

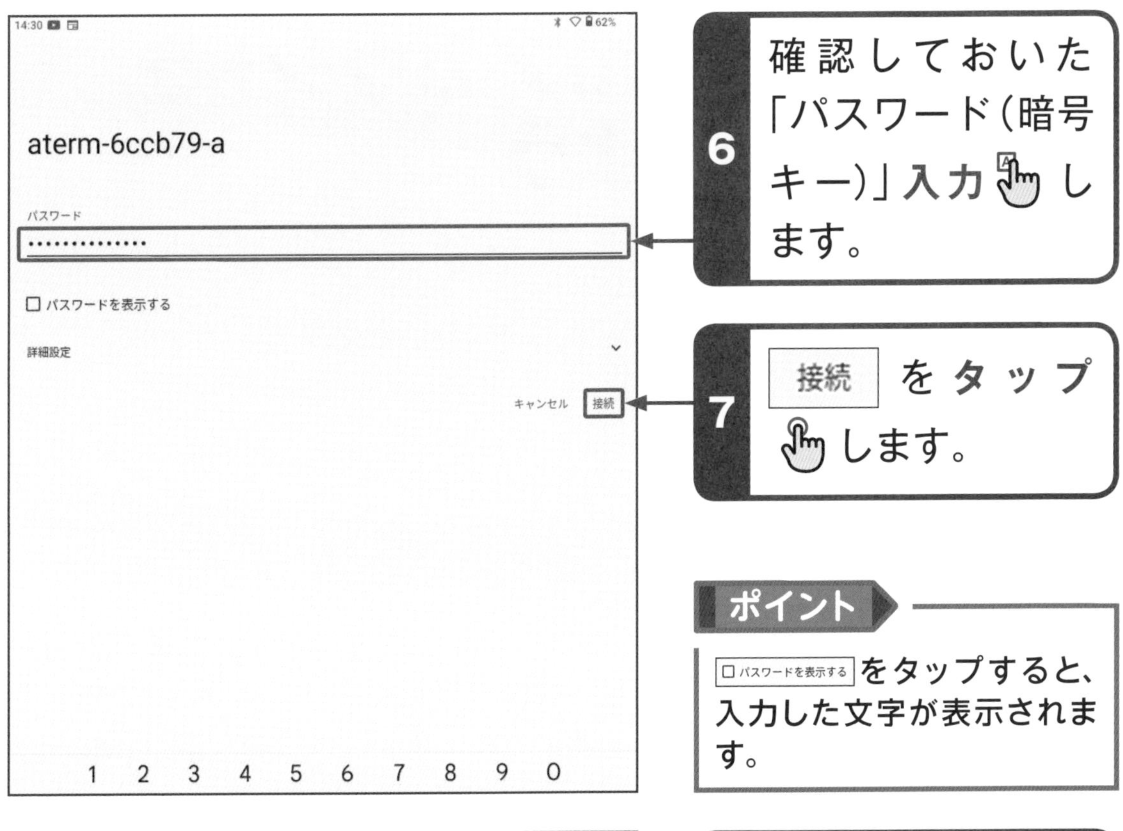

6 確認しておいた「パスワード（暗号キー）」入力 し ます。

7 接続 をタップ します。

ポイント

パスワードを表示する をタップすると、入力した文字が表示されます。

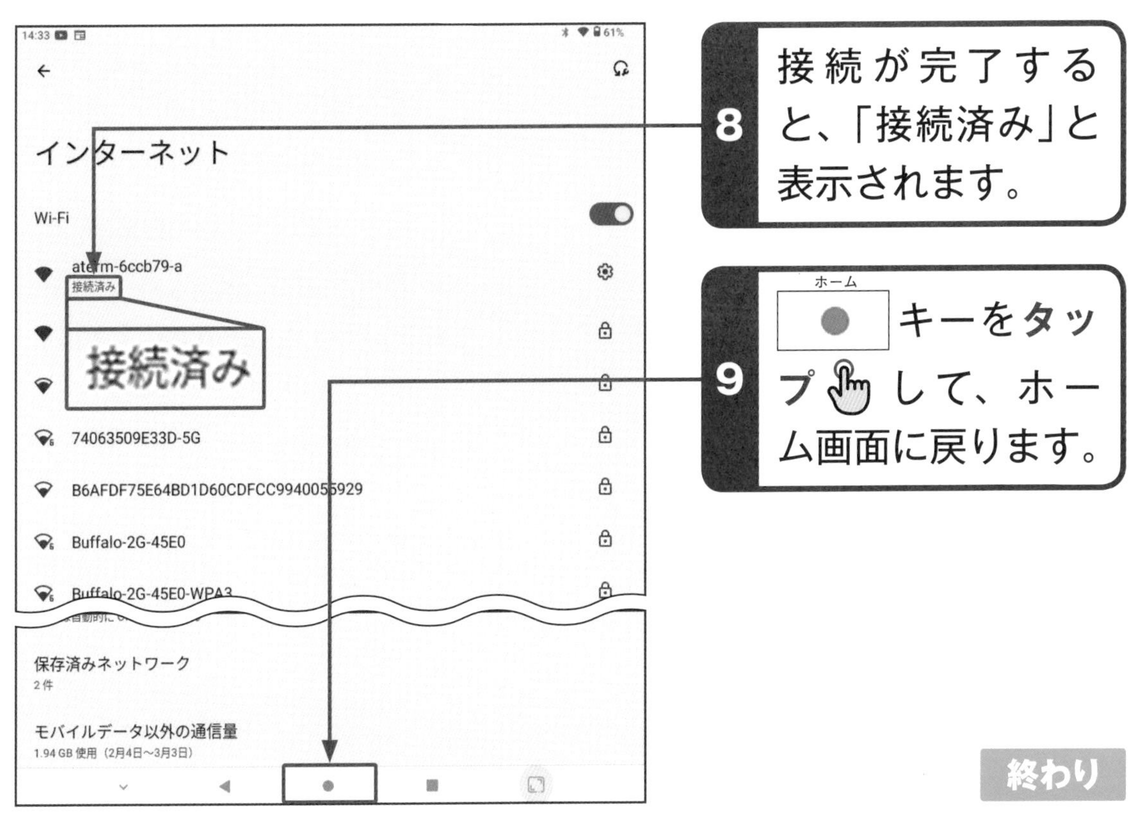

8 接続が完了すると、「接続済み」と表示されます。

9 ホーム キーをタップ して、ホーム画面に戻ります。

終わり

Appendix 02 Googleアカウントを設定しよう

キーワード Googleアカウント・アカウント作成・アカウント登録

タブレットを活用するには、Googleアカウントが必要です。Googleアカウントを新規作成する方法と、すでに取得済みのGoogleアカウントを追加する方法を紹介します。

Googleアカウントとは

Googleアカウントとは、Googleの提供するさまざまなサービスを使用するためのアカウントです。アカウントは無料で取得でき、1つのアカウントで、すべてのGoogleのサービスを利用できます。Gmailの利用やAndroidアプリの追加などをするときに必要ですので、最初に登録しておきましょう。

すでにGoogleアカウントを取得済みの場合、既存のGoogleアカウントを利用することもできます(218ページ参照)。

◎ 新規にGoogleアカウントを作成する

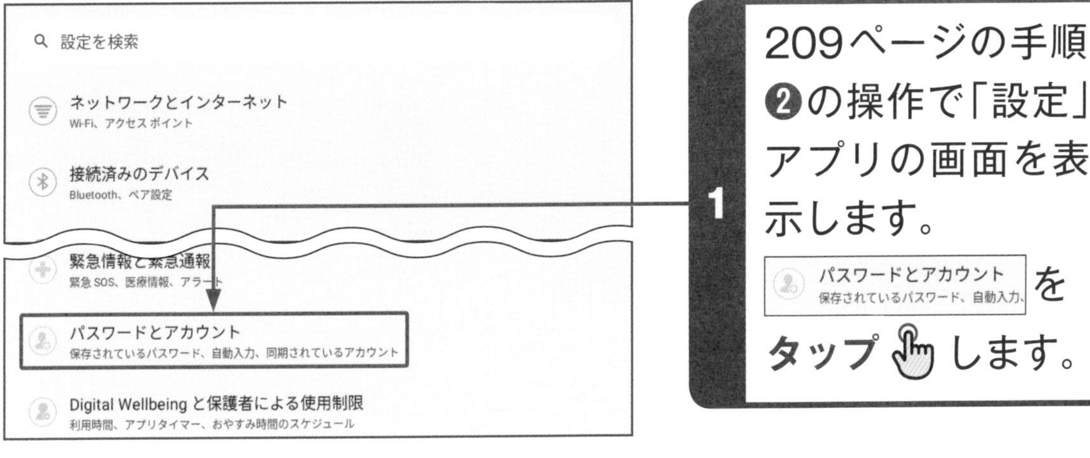

1 209ページの手順❷の操作で「設定」アプリの画面を表示します。

パスワードとアカウント（保存されているパスワード、自動入力、）をタップします。

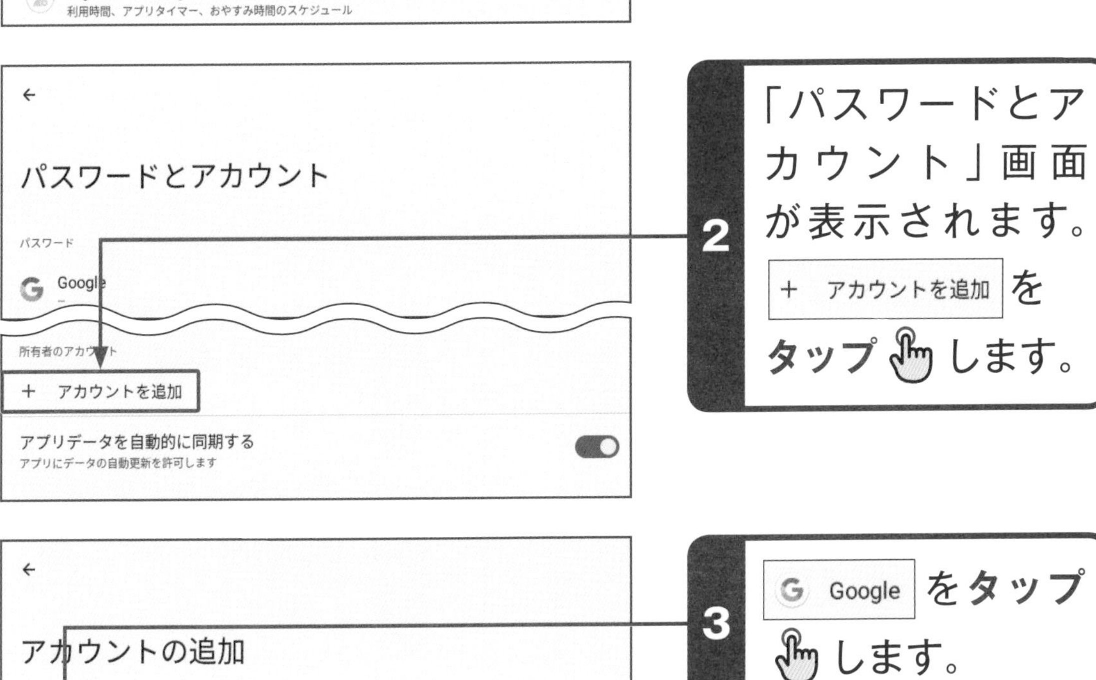

2 「パスワードとアカウント」画面が表示されます。

＋ アカウントを追加 をタップします。

アカウントの追加

Exchange

Google

Meet

個人用（IMAP）

個人用（POP3）

3 Google をタップします。

ポイント

Gooeleアカウントの登録はインターネットに接続した状態で行います。

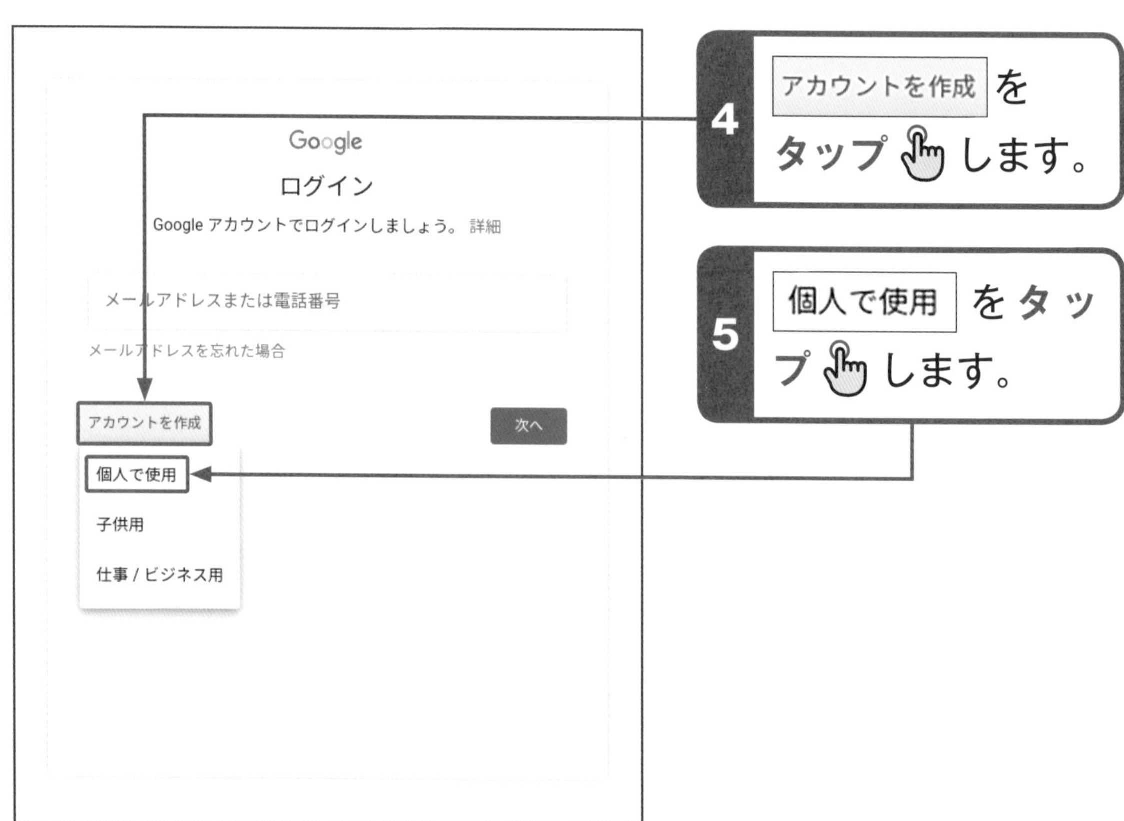

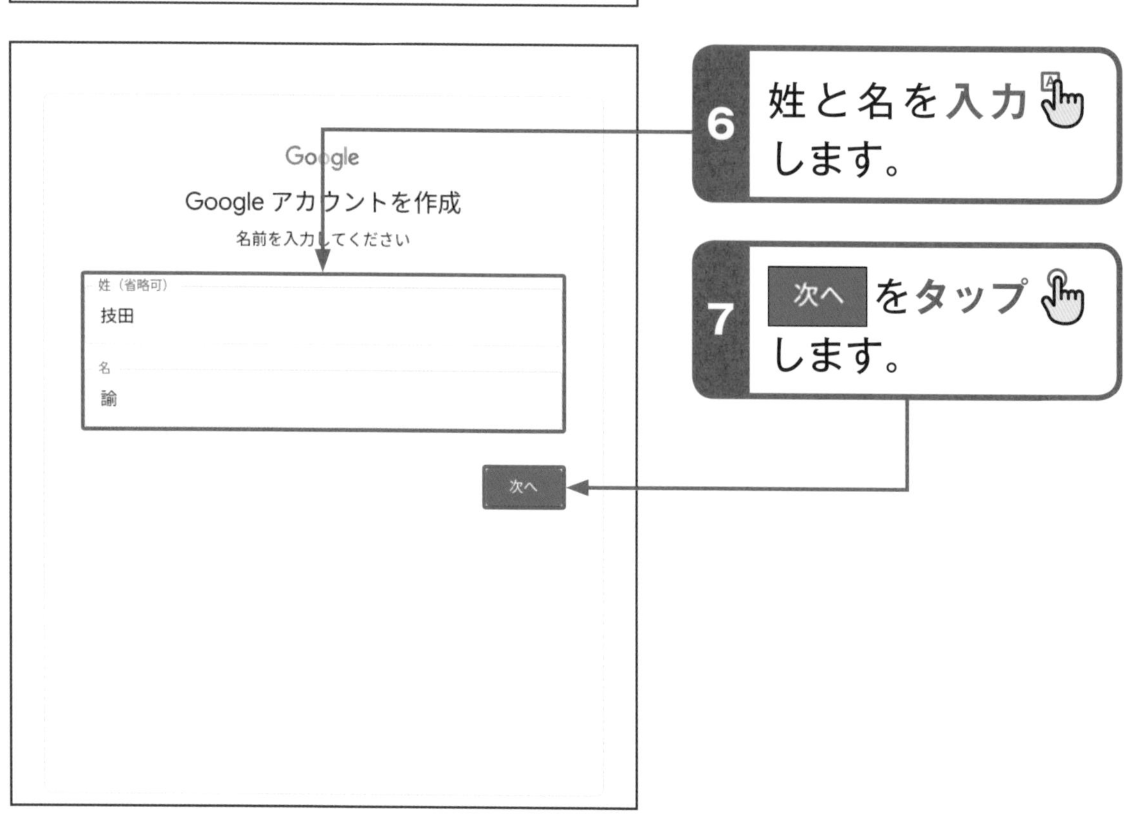

付録

Googleアカウントを設定しよう

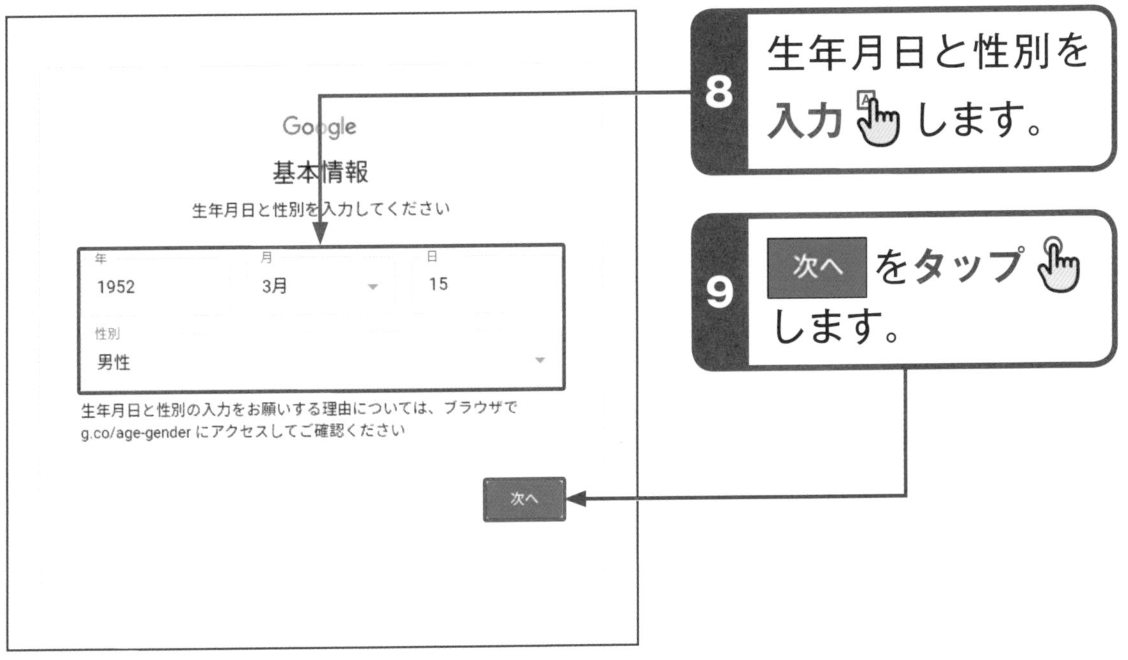

8 生年月日と性別を入力します。

9 次へ をタップします。

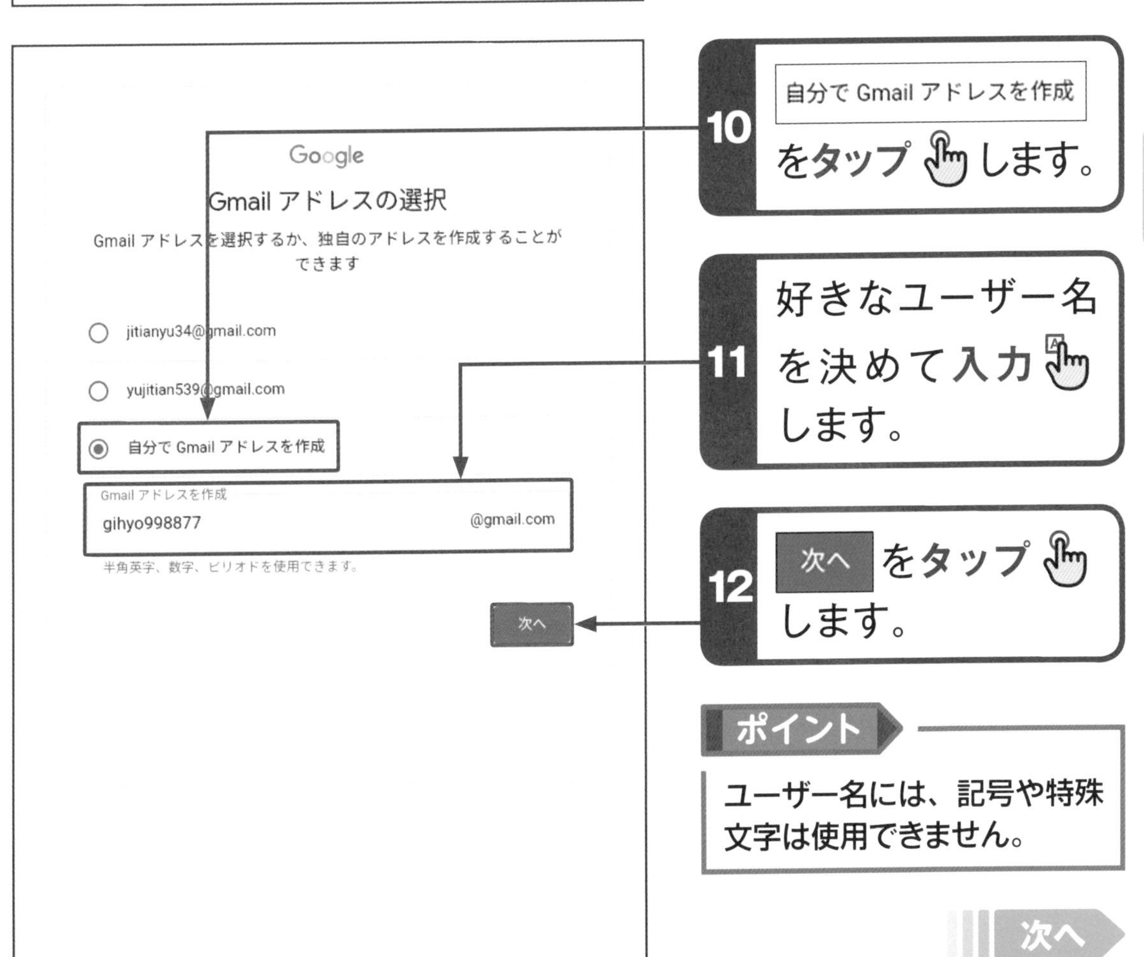

10 自分で Gmail アドレスを作成 をタップします。

11 好きなユーザー名を決めて入力します。

12 次へ をタップします。

ポイント

ユーザー名には、記号や特殊文字は使用できません。

次へ

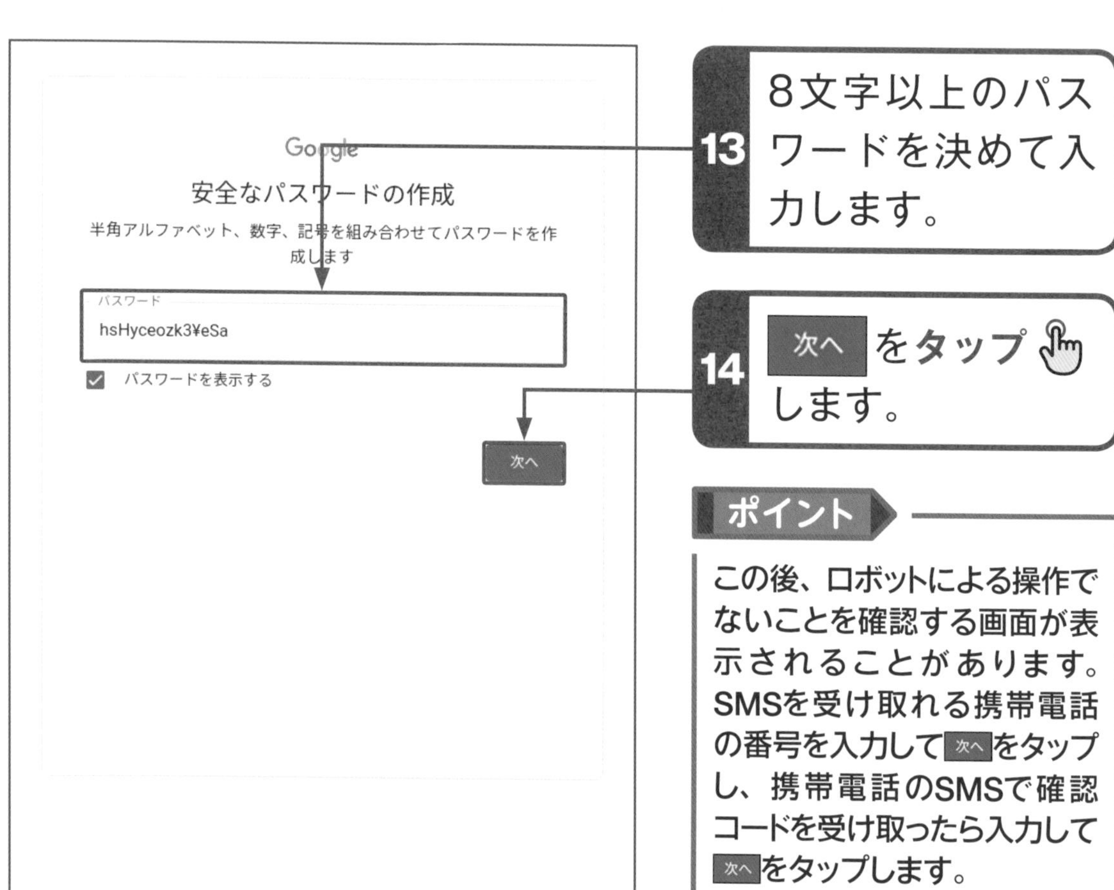

13 8文字以上のパスワードを決めて入力します。

14 次へ をタップします。

ポイント

この後、ロボットによる操作でないことを確認する画面が表示されることがあります。SMSを受け取れる携帯電話の番号を入力して次へをタップし、携帯電話のSMSで確認コードを受け取ったら入力して次へをタップします。

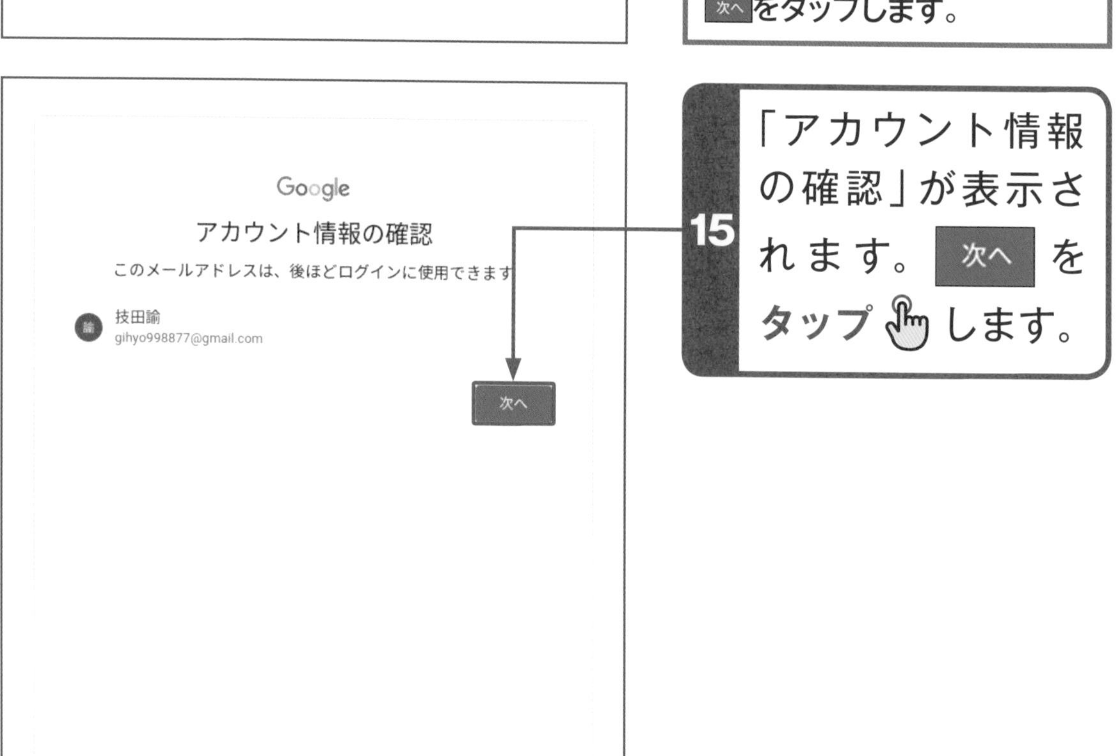

15 「アカウント情報の確認」が表示されます。次へ をタップします。

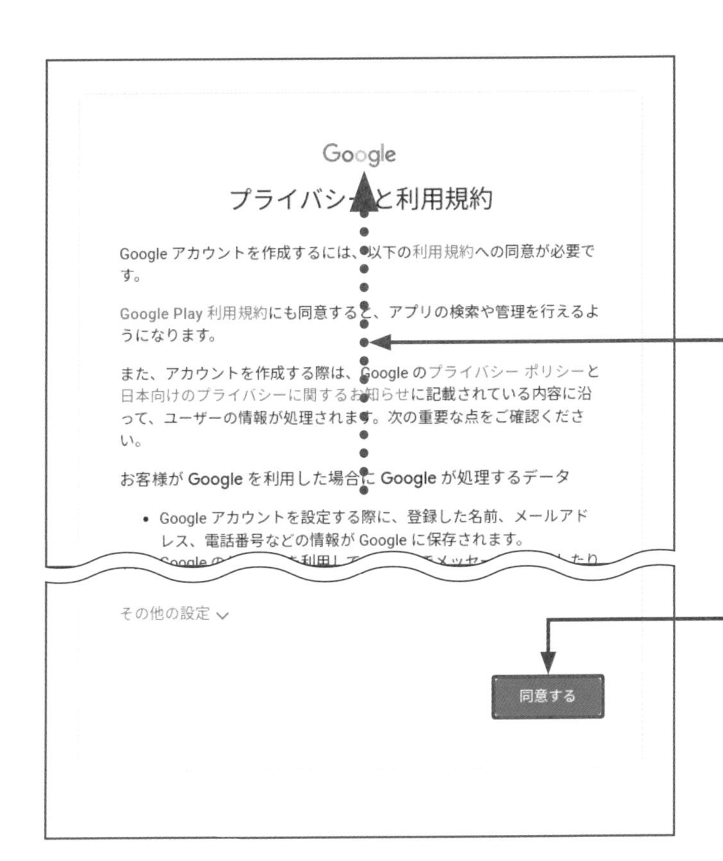

16 「プライバシーポリシーと利用規約」が表示されます。画面を上に**スワイプ**します。

17 全文を確認したら、同意する をタップします。

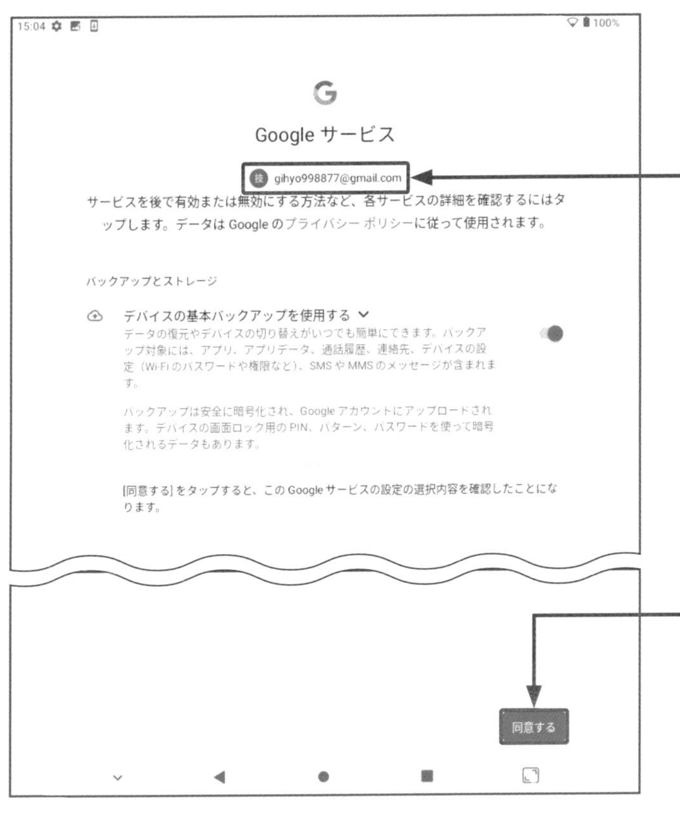

18 「Googleサービス」画面が表示されます。作成したアカウントが追加されたことが確認できました。

19 説明を読んで、同意する をタップします。

次へ

◎ 既存のGoogleアカウントを追加する

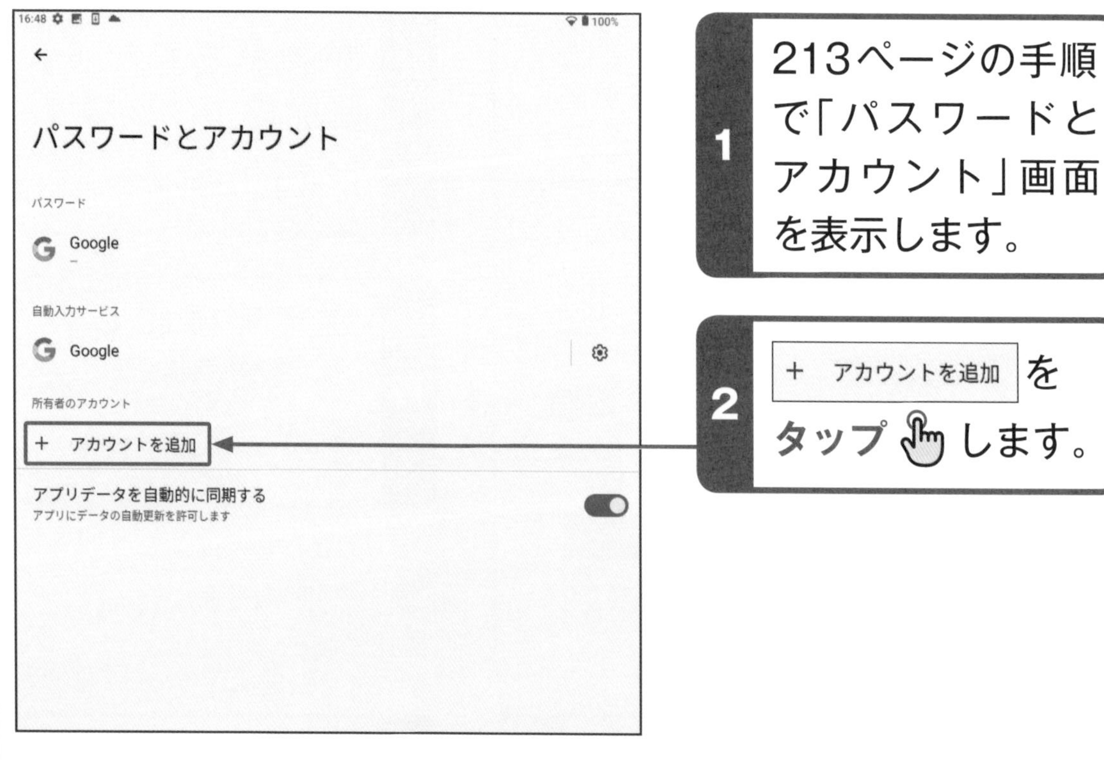

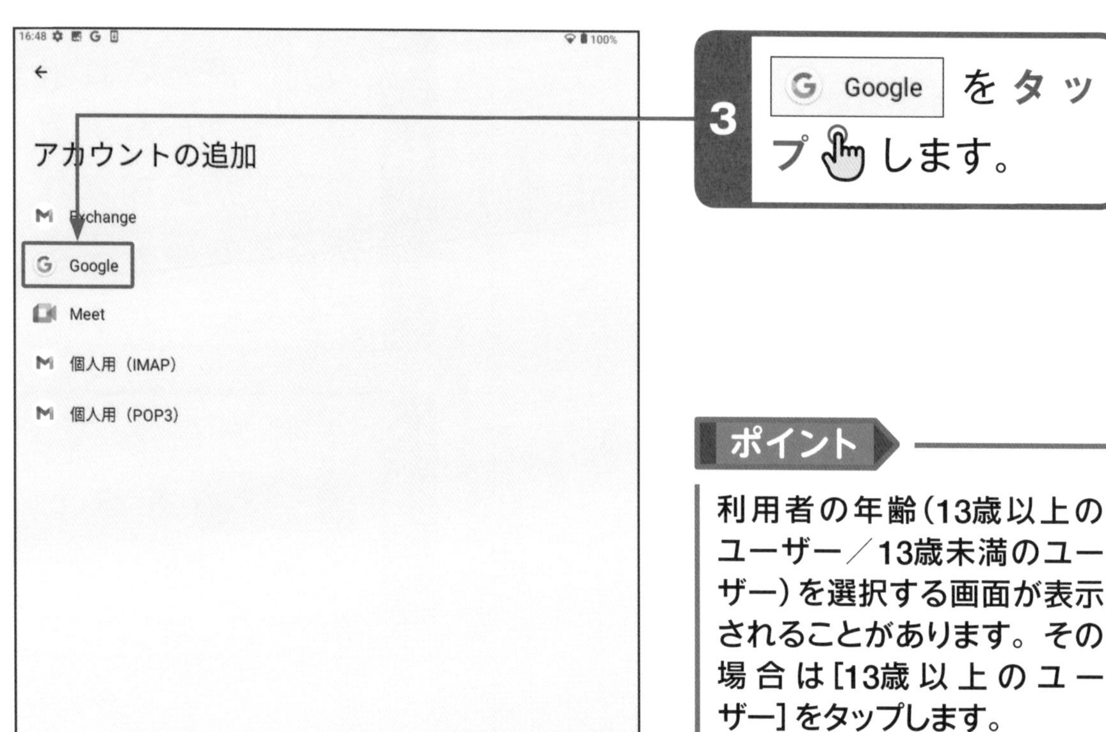

ポイント

利用者の年齢（13歳以上のユーザー／13歳未満のユーザー）を選択する画面が表示されることがあります。その場合は［13歳以上のユーザー］をタップします。

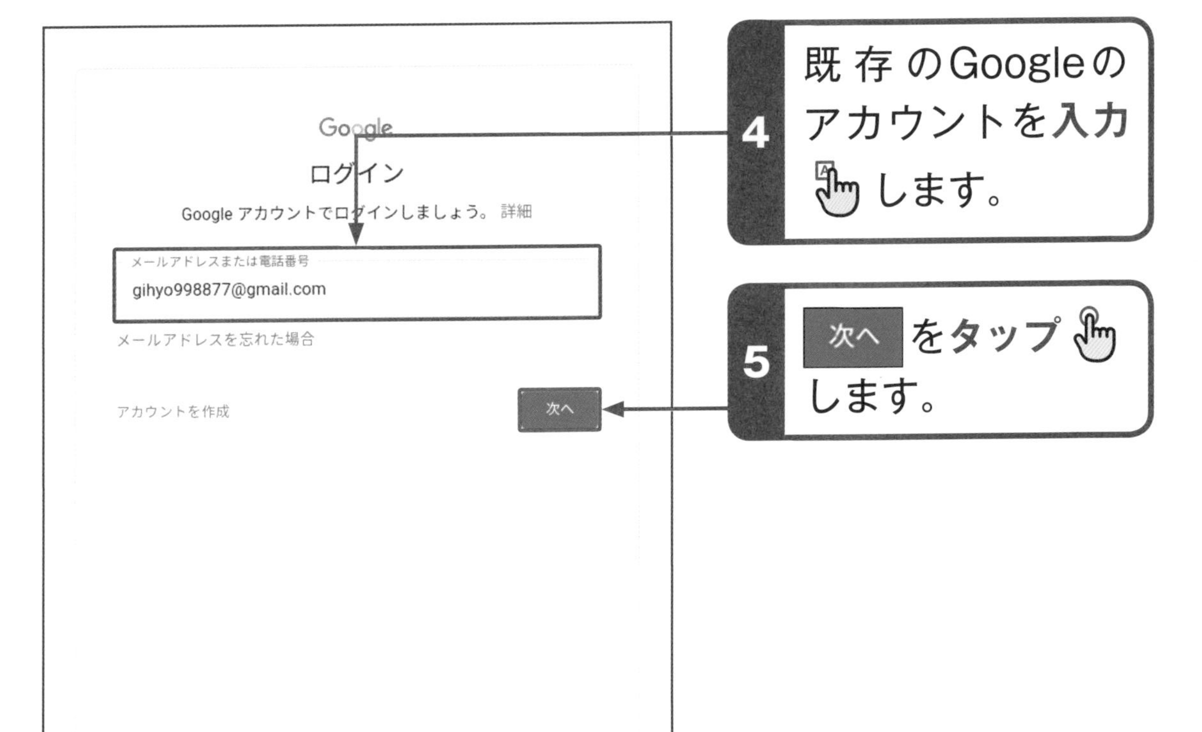
Google
ログイン
Google アカウントでログインしましょう。 詳細
メールアドレスまたは電話番号
gihyo998877@gmail.com
メールアドレスを忘れた場合
アカウントを作成
次へ
4
既存のGoogleのアカウントを入力します。
5
次へ をタップします。

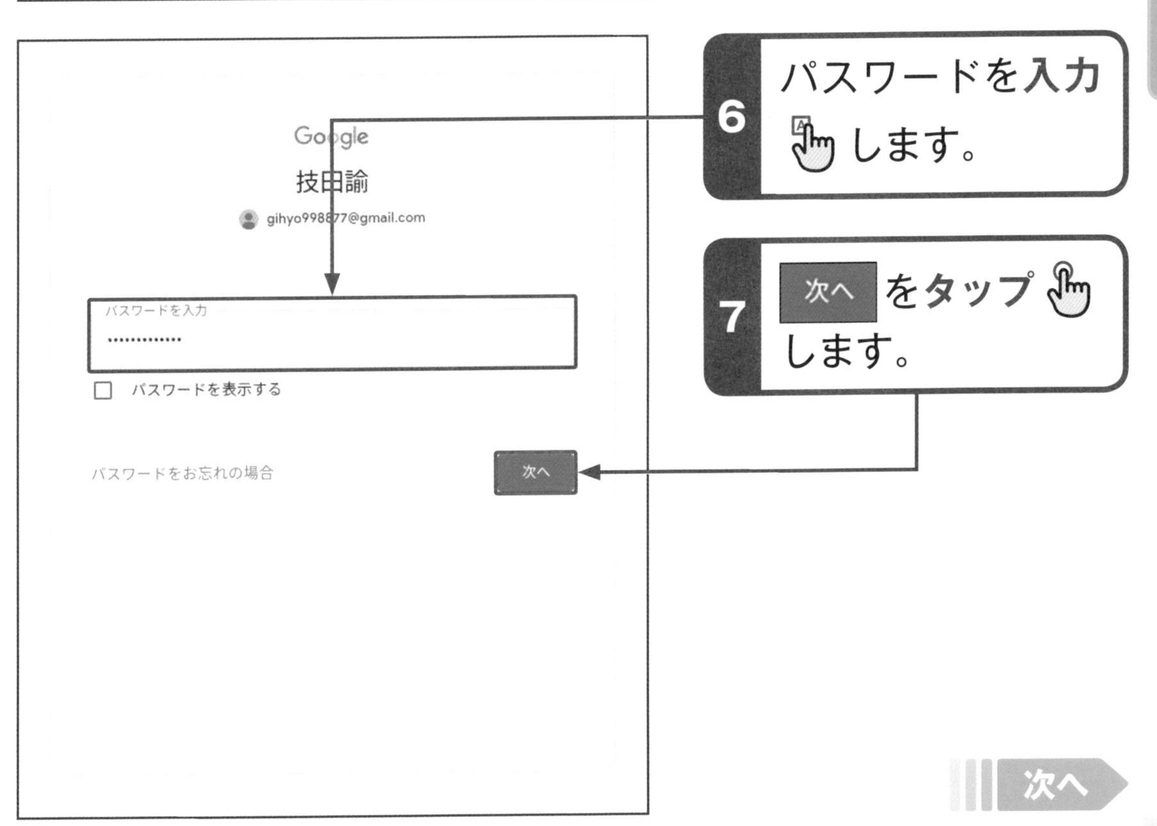
Google
技田諭
gihyo998877@gmail.com
パスワードを入力
••••••••••••••
パスワードを表示する
パスワードをお忘れの場合
次へ
6
パスワードを入力します。
7
次へ をタップします。

次へ

Google

技田諭

Google は、サービスをご利用になる際の注意点をご認識いただけるよう Google 利用規約を公開しています。[同意する] をクリックすると、この規約に同意したことになります。

Google Play 利用規約にも同意すると、アプリの検索や管理を行えるようになります。

また、Google プライバシー ポリシーもご確認ください。Google サービスのご利用時に生成される情報を Google がどのように取り扱うかについて記載されています。Google アカウント（account.google.com）にアクセスすることで、いつでもプライバシー診断を実施したり、プライバシーの管理方法を調整したりできます。

同意する

8 説明を読んで、同意する をタップすると、Googleアカウントが追加されます。

◎ Googleアカウントを削除する

登録したGoogleアカウントを、タブレット上から削除します。Googleアカウント自体を削除するわけではないので、この操作の後に、再び同じアカウントをタブレットに追加することも可能です。

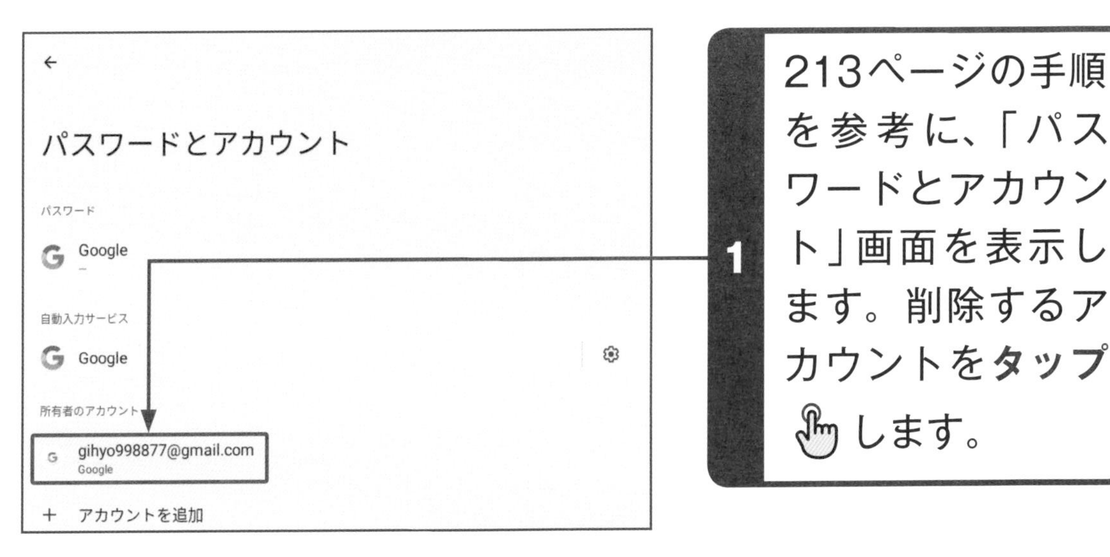

1 213ページの手順を参考に、「パスワードとアカウント」画面を表示します。削除するアカウントをタップします。

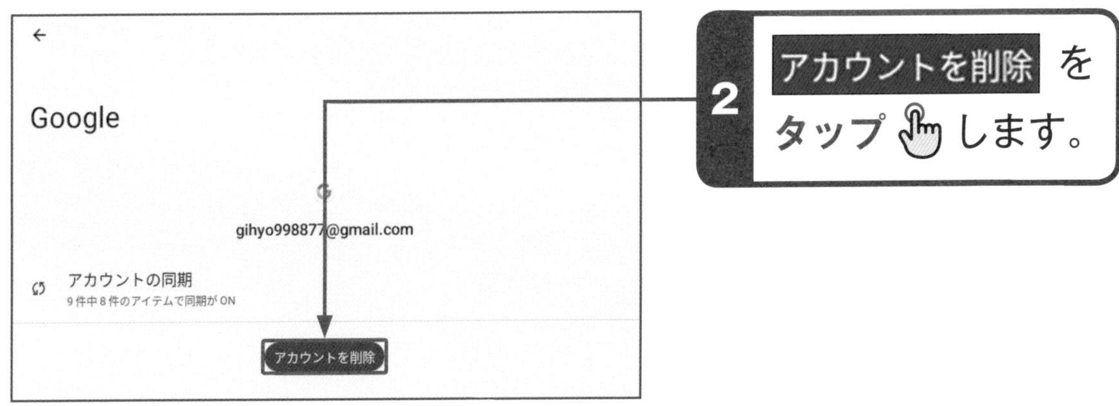

2 アカウントを削除 をタップします。

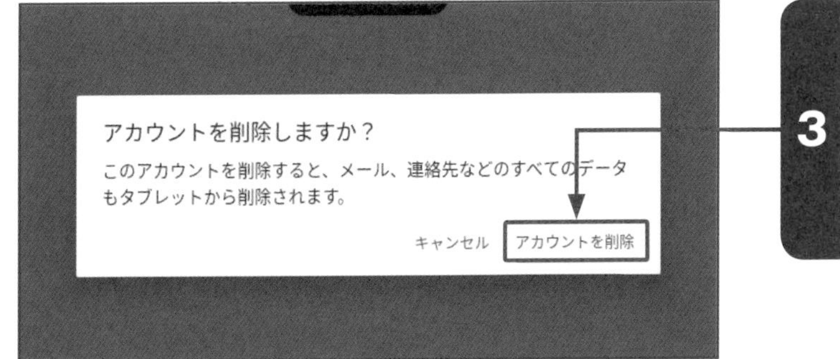

3 確認画面で アカウントを削除 をタップします。

終わり

Index

数字・アルファベット

あ行

か行

さ行

著者
森嶋良子

本文デザイン
リンクアップ

DTP・本文イラスト
はんぺんデザイン

カバーイラスト
北川ともあき

カバーデザイン
田邉恵里香

編集
田村佳則

技術評論社ホームページ
URL　https://book.gihyo.jp/116

今すぐ使えるかんたん　ぜったいデキます!
タブレット超入門
Android対応版［改訂第3版］

2018年9月27日　初版　第1刷発行
2024年8月3日　第3版　第1刷発行

著　者　森嶋良子
発行者　片岡　巌
発行所　株式会社技術評論社
東京都新宿区市谷左内町21-13
電話　03-3513-6150　販売促進部
03-3513-6160　書籍編集部
印刷／製本　株式会社シナノ

定価はカバーに表示してあります。

ISBN978-4-297-14269-8 C3055
Printed in Japan

問い合わせについて

本書に関するご質問については、本書に記載されている内容に関するもののみとさせていただきます。本書の内容と関係のないご質問につきましては、一切お答えできませんので、あらかじめご了承ください。また、電話でのご質問は受け付けておりませんので、必ずFAXか書面にて下記までお送りください。
なお、ご質問の際には、必ず以下の項目を明記していただきますよう、お願いいたします。

1　お名前
2　返信先の住所またはFAX番号
3　書名
4　本書の該当ページ
5　ご使用のOSのバージョン
6　ご質問内容

FAX

1 お名前
技術　太郎
2 返信先の住所またはFAX番号
03-XXXX-XXXX
3 書名
今すぐ使えるかんたん
ぜったいデキます！
タブレット超入門　Android対応版［改訂第３版］
4 本書の該当ページ
151ページ
5 ご使用のOSのバージョン
Android 13
6 ご質問内容
写真が拡大表示
されない。

問い合わせ先

〒162-0846 東京都新宿区市谷左内町21-13
株式会社技術評論社 書籍編集部

「今すぐ使えるかんたん　ぜったいデキます!
タブレット超入門 Android対応版［改訂第3版］」質問係
FAX.03-3513-6167

なお、ご質問の際に記載いただいた個人情報は、ご質問の返答以外の目的には使用いたしません。また、ご質問の返答後は速やかに破棄させていただきます。